A
PACIENTE
SILENCIOSA

Obras do autor publicadas pela Editora Record:

A fúria
A paciente silenciosa
As musas

ALEX MICHAELIDES

A PACIENTE SILENCIOSA

Tradução de
Clóvis Marques

45ª edição

EDITORA RECORD
RIO DE JANEIRO • SÃO PAULO
2025

CIP-BRASIL. CATALOGAÇÃO NA PUBLICAÇÃO
SINDICATO NACIONAL DOS EDITORES DE LIVROS, RJ

M569p
45ª ed.

Michaelides, Alex
   A paciente silenciosa / Alex Michaelides; tradução de Clóvis Marques
– 45ª ed. – Rio de Janeiro: Record, 2025.
   364 p.

   Tradução de: The Silent Patient
   ISBN 978-85-01-11643-7

   1. Ficção cipriota. 2. I. Marques, Clóvis. II. Título.

19-55067

CDD: 894-33
CDU: 82-3(564.3)

Meri Gleice Rodrigues de Souza – Bibliotecária – CRB-7/6439

Título original:
The Silent Patient

Copyright © 2019 by Astramare Limited.

Texto revisado segundo o Acordo Ortográfico da Língua Portuguesa de 1990.

Todos os direitos reservados. Proibida a reprodução, no todo ou em parte, através de quaisquer meios. Os direitos morais do autor foram assegurados.

Proibida a venda em Portugal.

Direitos exclusivos de publicação em língua portuguesa somente para o Brasil adquiridos pela
EDITORA RECORD LTDA.
Rua Argentina, 171 – Rio de Janeiro, RJ – 20921-380 – Tel.: (21) 2585-2000, que se reserva a propriedade literária desta tradução.

Impresso no Brasil

ISBN 978-85-01-11643-7

Seja um leitor preferencial Record.
Cadastre-se no site www.record.com.br
e receba informações sobre nossos lançamentos e nossas promoções.

Atendimento e venda direta ao leitor:
sac@record.com.br

Para os meus pais

Mas por que ela não fala?

EURÍPIDES, *Alceste*

PRÓLOGO

O diário de Alicia Berenson

14 DE JULHO

Não sei por que estou escrevendo isso.

Minto, não é verdade. Talvez eu saiba, mas não queira admitir para mim mesma.

Não sei nem que nome dar para isso aqui que estou escrevendo. Parece meio pretensioso chamar de diário. Não é como se eu tivesse alguma coisa para dizer. Anne Frank tinha um diário — não alguém como eu. Chamar de "crônicas da minha vida" soa meio pedante. Dá um peso e uma obrigação que eu não quero: se virar obrigação, jamais vou levar isso adiante.

Talvez eu não dê nome nenhum. Uma coisa sem nome na qual eu escrevo de vez em quando. Prefiro assim. Quando se coloca um nome em algo, não dá mais para ver essa coisa como um todo nem a importância dela. Só se presta atenção na palavra, que é a parte menos importante, na verdade; a ponta do iceberg. Nunca me senti muito à vontade com as palavras — sempre penso visualmente, eu me expresso em imagens —, o que significa que jamais teria começado a escrever isso aqui se não fosse por Gabriel.

Tenho andado meio deprimida ultimamente por causa de algumas coisas. Achei que estava conseguindo esconder isso, mas ele percebeu — é claro que percebeu, ele percebe tudo. Gabriel perguntou como estava indo a pintura, e eu respondi que não estava indo. Ele trouxe uma taça de vinho para mim, e eu me sentei à mesa da cozinha enquanto ele cozinhava.

Gosto de observar Gabriel em ação na cozinha. Ele é um cozinheiro gracioso: elegante, ágil, organizado. Diferente de mim. Tudo que eu consigo fazer é uma enorme bagunça.

"Conversa comigo", ele pediu.

"Eu não tenho nada para dizer. Às vezes é como se eu me perdesse nos meus próprios pensamentos. Como se eu estivesse nadando na lama."

"Por que você não tenta fazer anotações? Registrar as coisas... Pode ajudar."

"É, pode ser. Vou tentar."

"Mas não deixa isso ficar só no plano das ideias, querida. Coloca em prática."

"Vou colocar, sim."

Ele ficava me cobrando, mas eu não fazia nada. Até que alguns dias depois ele me deu de presente esse caderninho de anotações com capa de couro preta e folhas brancas sem pauta e grossas. Passei a mão na primeira página, sentindo sua maciez — e então apontei o lápis e comecei.

Ele tinha razão, é claro. Eu já estou me sentindo melhor — anotar essas coisas é uma espécie de libertação, uma válvula de escape, um espaço para me expressar. Acho que é mais ou menos como terapia.

Gabriel não disse nada, mas dá para perceber que ele está preocupado comigo. E, para ser sincera — e é bom que eu seja mesmo —, o verdadeiro motivo de eu ter concordado em escrever esse diário era para tranquilizá-lo, mostrar que eu estou bem. Não suporto a ideia de ver Gabriel preocupado comigo. Não quero nunca ser um motivo de aflição para ele, nem deixá-lo infeliz ou magoá-lo. Eu amo tanto Gabriel Ele é sem sombra de dúvida o amor da minha vida. Eu o amo tanto, tanto, que às vezes esse sentimento parece que vai me consumir por completo. Às vezes eu sinto como se...

Não. Eu não vou escrever sobre essas coisas.

Isso aqui vai ser um registro prazeroso de ideias e imagens que me inspiram artisticamente, coisas que têm algum impacto criativo em mim. Eu vou registrar apenas pensamentos positivos, felizes, normais

Nada de ideias malucas.

PRIMEIRA PARTE

Ele que tem olhos de ver e ouvidos de ouvir vai se convencer de que nenhum mortal é capaz de guardar segredo. Se os lábios estiverem em silêncio, ele vai tagarelar com a ponta dos dedos; traição exsuda por todos os poros.

SIGMUND FREUD, *Conferências introdutórias à psicanálise*

CAPÍTULO 1

ALICIA BERENSON TINHA 33 ANOS quando matou o marido.

Eles estavam casados fazia sete anos. Os dois eram artistas: Alicia era pintora, e Gabriel um renomado fotógrafo de moda. Ele tinha um estilo bem próprio — fotografava mulheres semiesquálidas e seminuas sob ângulos estranhos e nada favoráveis. Desde sua morte, o preço das suas fotos aumentou astronomicamente. Para ser sincero, eu acho o trabalho dele bastante forçado e superficial. Sem nada do caráter visceral dos melhores trabalhos de Alicia. Não entendo de arte o bastante para dizer se Alicia Berenson vai passar no teste do tempo como pintora. Seu talento estará sempre à sombra da sua infâmia; portanto, é difícil ser objetivo. E vocês podem me acusar de ser tendencioso. Mas é apenas a minha opinião, tenha ela o valor que tiver. E, para mim, Alicia era praticamente um gênio. Deixando de lado a excelência técnica do seu trabalho, as pinturas dela têm uma estranha capacidade de prender a atenção — na verdade é, quase como se as obras agarrassem a atenção com força pelo pescoço.

Gabriel Berenson foi assassinado há seis anos. Tinha 44 anos. Foi morto no dia 25 de agosto — num verão particularmente quente, como devem se lembrar, com o registro de algumas das temperaturas mais altas jamais vistas. O dia em que ele morreu foi o mais quente do ano.

No último dia de vida, Gabriel se levantou cedo. Um carro foi buscá-lo às cinco e quinze da manhã na casa onde morava com Alicia na região noroeste de Londres, em frente ao parque de Hampstead Heath, e ele foi levado para uma sessão de fotos em Shoreditch. Passou o dia fotografando modelos num terraço para a *Vogue*.

Não se sabe muito bem o que Alicia fez naquele dia. Ela estava às vésperas de uma nova exposição, atrasada com o trabalho. É provável que tenha passado o dia pintando no chalé nos fundos do jardim, que havia transformado em ateliê recentemente. No final das contas, a sessão de fotos de Gabriel avançou noite adentro e ele só foi levado de volta para casa às onze.

Meia hora depois, a vizinha Barbie Hellmann ouviu vários tiros. Ela ligou para a polícia, e a delegacia de Haverstock Hill mandou uma viatura às onze e trinta e cinco, que chegou à casa da família Berenson em menos de três minutos.

A porta da frente estava aberta. A casa, mergulhada na escuridão total; nenhum dos interruptores funcionava. Os policiais atravessaram o corredor e chegaram à sala. Usaram lanternas, iluminando o ambiente com feixes de luz intermitentes. E deram com Alicia de pé junto à lareira. Seu vestido branco ficou fantasmagórico à luz das lanternas. Alicia parecia não perceber a presença da polícia. Estava imóvel, congelada — uma estátua de gelo —, com uma estranha e assustadora expressão no rosto, como se estivesse diante de um terror jamais visto.

No chão, uma arma. Ao lado dela, no escuro, Gabriel sentado, imóvel, preso a uma cadeira por fios que atavam seus tornozelos e seus punhos. De início, os policiais acharam que ele estava vivo. A cabeça pendia ligeiramente para o lado, como se ele estivesse inconsciente. Até que foi possível ver, sob um dos feixes de luz, que tinha levado vários tiros no rosto. Seus traços atraentes nunca mais seriam vistos, transformados numa massa escura, carbonizada e coberta de sangue. Na parede atrás dele, pedaços do crânio, massa cinzenta, cabelos... E sangue.

Havia sangue por todo lado, salpicado nas paredes, em filetes escuros no chão, nos sulcos do assoalho de madeira. Os policiais deduziram que era de Gabriel. Mas tinha sangue demais. Até que alguma coisa brilhou à luz das lanternas — havia uma faca no chão perto dos pés de Alicia. Outro feixe de luz revelou sangue em seu vestido. Um dos oficiais pegou seus braços e os levantou na luz. Havia cortes profundos nas veias dos punhos — cortes recentes, sangrando muito.

Alicia resistiu às tentativas de salvar sua vida; foram necessários três policiais para contê-la. Ela foi levada para o Royal Free Hospital, a poucos minutos de distância. Desmaiou no caminho. Tinha perdido muito sangue, mas sobreviveu.

No dia seguinte, estava deitada numa cama de um quarto particular do hospital. Fora interrogada pela polícia na presença do advogado. Mas Alicia se manteve em silêncio o tempo todo. Os lábios pálidos volta e meia tremiam, mas sem chegar a formar palavras, sem emitir nenhum som. Ela não respondeu a nenhuma pergunta. Não era capaz de falar, não queria. Nem disse absolutamente nada ao ser acusada do assassinato de Gabriel. Continuou em silêncio ao ser detida, recusando-se a negar qualquer culpa ou confessá-la.

Alicia nunca mais voltou a falar.

Seu silêncio inabalável transformou essa tragédia doméstica banal em algo muito maior: um mistério, um enigma que tomou conta das manchetes e ocupou durante meses a imaginação do público.

Mesmo em silêncio, Alicia não deixou de se expressar. Uma pintura. Começou-a depois de sair do hospital para aguardar o julgamento em prisão domiciliar. De acordo com a enfermeira psiquiátrica designada pelo tribunal, Alicia mal comia ou dormia — ela praticamente se limitava a pintar.

Em geral, Alicia se preparava durante semanas ou até meses antes de começar um novo quadro, fazendo intermináveis esboços, dispondo e reformulando a composição, experimentando com cores e formas — uma longa gestação seguida de um demorado parto, conforme cada pincelada era aplicada com infinita meticulosidade. Agora, entretanto, ela havia alterado drasticamente seu processo criativo, e concluiu essa pintura poucos dias após o assassinato do marido.

E para muita gente isso já seria suficiente para condená-la: voltar ao ateliê tão pouco tempo depois da morte de Gabriel demonstrava uma extraordinária insensibilidade. A monstruosa ausência de remorso de uma assassina fria.

Talvez. Mas não se deve esquecer que, embora Alicia Berenson possa de fato ser uma assassina, ela também era uma artista. E faz total sentido — pelo menos para mim — que se utilizasse de tintas e pincéis para expressar numa tela suas complexas emoções. Não é de surpreender que, para variar, a inspiração lhe viesse com tamanha facilidade; se é que o sofrimento pode ser considerado fácil.

A pintura era um autorretrato. E ela lhe deu um título no canto inferior esquerdo da tela, em letras azul-claras do alfabeto grego.

Uma palavra:

Alceste.

CAPÍTULO 2

ALCESTE É A HEROÍNA DE UM MITO GREGO. Uma história de amor das mais tristes. Alceste decide sacrificar a própria vida pelo marido, Admeto, morrendo em seu lugar quando ninguém mais o fez. Um mito perturbador de autossacrifício, embora não ficasse claro como isso estaria relacionado ao caso de Alicia. O verdadeiro significado da alusão me escapou por algum tempo. Até que um dia a verdade veio à tona...

Mas não quero me adiantar. Estou me precipitando. Tenho que começar do começo e deixar que os acontecimentos falem por si mesmos. Não devo enfeitá-los, distorcê-los, nem contar mentiras. Vou avançar passo a passo, lenta e cautelosamente. Mas por onde começar? Eu preciso me apresentar, mas talvez ainda não seja o momento certo; afinal, não sou o herói dessa história. Essa é a história de Alicia Berenson; e, portanto, preciso começar por ela — e por *Alceste*.

A pintura é um autorretrato, mostrando Alicia em seu ateliê nos dias subsequentes ao assassinato, de pé diante de uma tela num cavalete, segurando um pincel. Ela está nua. Seu corpo é entregue sem que se poupe nenhum detalhe: longos fios de cabelo ruivo se estendendo além dos ombros ossudos, as veias azuladas visíveis por baixo da pele translúcida, feridas recentes nos dois punhos. Ela segura o pincel entre os dedos. Dele pinga tinta vermelha — ou seria sangue? Ela é retratada no ato de pintar, mas a tela está vazia, assim como sua expressão. Com a cabeça virada de lado, ela olha diretamente para nós. Boca aberta, lábios afastados. Muda.

Durante o julgamento, Jean-Felix Martin, gerente da pequena galeria do Soho que representava Alicia, tomou a polêmica decisão, criticada por muitos como sensacionalista e macabra, de exibir *Alceste*. O fato de a artista estar naquele momento respondendo pela morte do marido no banco dos réus fez com que, pela primeira vez na longa história da galeria, filas se formassem à entrada.

Entrei na fila com os outros ansiosos apreciadores de arte, esperando minha vez à luz neon vermelha da sex shop ao lado. E, um por um, nós entrávamos. Dentro da galeria, éramos conduzidos até a pintura, como uma multidão empolgada num parque de diversões indo para a casa mal-assombrada. Até que me vi diante de *Alceste*.

Fiquei encarando a pintura, o rosto de Alicia, tentando interpretar seu olhar, tentando entender — mas o retrato resistia, desafiador. Alicia me encarava com sua máscara impassível, impenetrável, enigmática. Não consegui detectar inocência nem culpa em sua expressão.

Mas houve quem achasse a leitura mais fácil.

— Maldade pura — sussurrou a mulher atrás de mim.

— Né? — concordou sua companhia. — Piranha com sangue-frio.

Um tanto injusto, pensei, considerando que a culpa de Alicia ainda não havia sido provada. Mas, na verdade, a conclusão era inevitável. Desde o início, os tabloides venderam a ideia de que ela era uma vilã: uma mulher fatal, uma viúva negra. Um monstro.

Tal como se apresentavam, os fatos eram simples: Alicia foi encontrada sozinha com o corpo de Gabriel; na arma havia apenas suas impressões digitais. Não restava a menor dúvida de que ela matara Gabriel. Já o *porquê* continuava um mistério.

O crime era debatido na mídia, e surgiam diferentes teorias nos jornais, no rádio, nos talk shows matinais da televisão. Especialistas eram convidados a explicar, condenar, justificar os atos de Alicia. Ela devia ser vítima de violência doméstica, sem dúvida, e suportou até o seu limite antes de explodir. Outra teoria era de que se tratava de um jogo sexual que deu errado — afinal, o marido não tinha sido encontrado amarrado? Alguns suspeitavam de que Alicia tenha sido levada ao assassinato pelo bom e velho ciúme — provavelmente outra mulher. No julgamento, entretanto, Gabriel foi descrito pelo irmão como marido dedicado, profundamente apaixonado pela companheira. Bem, e questões relacionadas a dinheiro? Alicia não tinha muito a ganhar com a morte dele; era ela quem tinha dinheiro, herdado do pai.

E assim corriam soltas as especulações, sem respostas, apenas mais perguntas sobre os motivos de Alicia e seu posterior silêncio. Por que ela se recusava a falar? O que isso significava? Estava escondendo alguma coisa? Protegendo alguém? Neste caso, quem? E por quê?

Na época, me lembro de pensar que, enquanto todo mundo falava, escrevia, discutia sobre Alicia, bem no cerne de toda essa barulhenta e frenética agitação, havia um vazio — um silêncio. Uma esfinge.

No julgamento, o juiz não viu com bons olhos a persistente recusa de Alicia de se manifestar. Quem é inocente, frisava o Meritíssimo Juiz Alverstone, costuma proclamar a própria inocência em alto e bom som, e o tempo todo. Alicia não só permanecia em silêncio como não demonstrava o menor sinal de remorso. Não chorou uma vez sequer durante o julgamento, fato bastante explorado pela imprensa, mantendo a expressão fria e inalterada. Congelada.

A defesa não tinha escolha senão alegar inimputabilidade: Alicia tinha um longo histórico de transtornos mentais, afirmava-se, remontando à infância. O juiz descartou boa parte desse argumento como sem fundamento, mas no fim se deixou convencer por Lazarus Diomedes, professor de psiquiatria forense no Imperial College e diretor clínico do Grove, um hospital psiquiátrico judiciário na região norte de Londres. O professor Diomedes sustentou a alegação de que a própria recusa de falar demonstrava o profundo desequilíbrio psicológico de Alicia, o que devia ser levado em conta na determinação da sentença.

O que era, na verdade, um eufemismo para algo que os psiquiatras não gostam de afirmar diretamente:

O que Diomedes queria dizer era que Alicia estava louca.

Era a única explicação que fazia algum sentido: por que outro motivo ela iria amarrar o homem amado a uma cadeira e atirar no rosto dele? Para depois não manifestar nenhum remorso, não dar explicações, nem sequer falar? Ela só podia estar louca.

Alicia tinha que estar louca.

No fim, o Meritíssimo Juiz Alverstone aceitou a alegação de inimputabilidade e recomendou que o júri a levasse em consideração. Alicia seria em seguida internada no Grove, sob a supervisão do mesmo professor Diomedes, cujo depoimento influenciara tanto a decisão do juiz.

Se Alicia não estava louca — isto é, se o seu silêncio não passava de fingimento, uma encenação para enganar os membros do júri —, então seu plano tinha dado certo. Ela escapou de uma longa sentença de prisão, e, caso se recuperasse por completo, poderia ser libertada em poucos anos. Então já estaria na hora de começar a fingir essa recuperação? Pronunciar umas palavras aqui e ali, e depois um pouco mais; começar aos poucos a expressar alguma forma de remorso. Mas não. Semana após semana, mês após mês, então os anos se passaram — e Alicia continuava muda.

Apenas silêncio.

E assim, sem dispor de mais nenhuma revelação, a mídia, decepcionada, acabou perdendo o interesse em Alicia Berenson. Ela se tornou mais uma dentre esses assassinos de fama passageira; rostos de que nos lembramos, mas cujos nomes esquecemos.

Nem todos nós. Certas pessoas — entre elas, eu mesmo — continuaram fascinadas pelo mistério de Alicia Berenson e seu persistente silêncio. Como terapeuta, me parecia evidente que ela havia sofrido algum trauma grave em relação à morte de Gabriel; e o silêncio era uma expressão desse trauma. Incapaz de enfrentar o que tinha feito, Alicia emperrou e ficou imobilizada, como um carro com defeito. Eu queria contribuir para fazê-la dar a partida novamente, ajudar Alicia a contar sua história, se curar e ficar bem. Queria consertá-la.

Sem querer parecer que estou me gabando, eu me considerava a pessoa certa para ajudar Alicia Berenson. Sou psicoterapeuta forense, acostumado a trabalhar com pessoas vulneráveis e com muitos traumas. E algo na história de Alicia ressoava em mim — desde o começo, senti uma profunda empatia por ela.

Infelizmente, na época eu ainda trabalhava em Broadmoor; portanto, me dedicar ao tratamento de Alicia seria apenas — ou deveria ter sido — uma fantasia sem desdobramentos reais, não fosse a inesperada intervenção do destino.

Quase seis anos depois da internação de Alicia, o cargo de psicoterapeuta forense ficou vago no Grove. Assim que vi o anúncio, percebi que não tinha escolha. Segui meus instintos e me candidatei à vaga.

23

CAPÍTULO 3

Eu me chamo Theo Faber. Tenho 42 anos. E me tornei terapeuta porque a minha cabeça era toda fodida. A verdade é essa — embora eu não tenha dito isso na entrevista de emprego, quando me fizeram essa pergunta.

— O que atraiu você na psicoterapia? — perguntou Indira Sharma, enquanto me observava por cima dos óculos redondos e enormes.

Indira dava consultoria psicoterapêutica no Grove. Com 50 e tantos anos, tinha um rosto redondo e atraente e longos cabelos pretos e lustrosos com algumas mechas grisalhas. Ela me ofereceu um leve sorriso, como que dizendo que essa ainda era uma pergunta fácil, só para esquentar, precedendo desafios mais ardilosos.

Hesitei. Dava para sentir os outros integrantes do comitê olhando para mim. Fiz questão de manter contato visual enquanto desfiava uma resposta ensaiada, uma história repleta de bons sentimentos sobre meu trabalho de meio período num lar para idosos na adolescência; e como isso despertou em mim o interesse pela psicologia, que levou a uma pós-graduação em psicoterapia, e assim por diante.

— Acho que eu queria ajudar as pessoas. — E dei de ombros. — Foi isso mesmo.

O que era uma completa bobagem.

Quer dizer, claro que eu queria ajudar os outros. Mas esse era um objetivo secundário — principalmente quando comecei a faculdade. A verdadeira motivação era puramente egoísta. Eu precisava ajudar a mim mesmo. E acho que isso se aplica à maioria das pessoas que lida com saúde mental. Somos atraídos por essa profissão porque a nossa cabeça está uma bagunça — estudamos psicologia para curar a nós mesmos. Agora, saber se estamos dispostos a admitir isso já é outra história.

Nós, seres humanos, vivemos nossos primeiros anos num território anterior à memória. Costumamos pensar que surgimos dessa névoa primordial com o caráter plenamente formado, como Afrodite irrompendo perfeita da espuma do mar. Mas sabemos que não é exatamente assim, graças a pesquisas cada vez mais aprofundadas a respeito do desenvolvimento do cérebro. Nascemos com um cérebro formado apenas em parte, parecendo mais uma massa de argila disforme que um deus do Olimpo. Como dizia o psicanalista Donald Winnicott: "Não existe essa coisa de bebê." O desenvolvimento da nossa personalidade não ocorre de maneira isolada, mas na relação com os outros — somos moldados e completados por forças invisíveis de que não nos recordamos; no caso, nossos pais.

O que é assustador, por motivos óbvios. Quem sabe quantas injúrias não sofremos, quantos tormentos e abusos, nesse território anterior à memória? Nossa natureza se formou sem que sequer soubéssemos disso. No meu caso, eu cresci me sentindo tenso, com medo, ansioso. Essa ansiedade parecia anterior à minha existência e independente de mim. Desconfio, no entanto, que teve origem na minha relação com o meu pai, perto de quem eu jamais me sentia seguro.

Os acessos de raiva imprevisíveis e arbitrários do meu pai transformavam qualquer situação, por mais inofensiva, num potencial campo minado. Qualquer comentário inócuo ou ponto de vista discordante bastava para desencadear sua fúria, provocando uma série de explosões das quais era impossível escapar. A casa tremia com seus gritos, e eu saía correndo para o meu quarto no andar de cima. Eu me jogava no chão e me enfiava debaixo da cama, encolhido contra a parede. Mal conseguindo respirar, ficava lá rezando para ser engolido pelos tijolos e desaparecer. Mas era agarrado pela mão dele, que me arrastava ao encontro do meu destino. O cinto era desafivelado da cintura e estalava no ar antes de me acertar, cada batida me fazendo ficar de lado para me proteger, a carne em brasa. Até que o açoitamento terminava, de forma tão repentina quanto havia começado. E eu caía no chão todo encolhido, um boneco de pano descartado por uma criancinha enfurecida.

Eu nunca sabia ao certo o que tinha feito para desencadear toda aquela fúria, ou se merecia o que estava acontecendo. Perguntei à minha mãe por que o meu pai estava sempre tão irritado comigo e ela, num gesto desesperador, deu de ombros e respondeu: "Como é que eu vou saber? Seu pai é completamente maluco."

Ao dizer que ele era maluco, ela não estava brincando. Se fosse avaliado hoje por um psiquiatra, desconfio que meu pai teria sido diagnosticado com transtorno de personalidade, doença que não recebeu nenhum tratamento ao longo de toda a sua vida. O resultado, para mim, foi uma infância e uma adolescência dominadas pela histeria e pela violência física: ameaças, lágrimas e vidro quebrado.

Havia momentos de felicidade, geralmente quando meu pai não estava em casa. Eu me lembro de um inverno em que ele fez uma viagem de negócios de um mês aos Estados Unidos. Durante trinta dias, minha mãe e eu tivemos total liberdade na casa e no jardim, longe do seu olhar vigilante. Nevou muito em Londres naquele mês de dezembro, e o jardim inteiro ficou enterrado debaixo de um tapete branco, espesso e liso. Mamãe e eu fizemos um boneco de neve. Inconscientemente ou não, era uma representação do nosso senhor ausente naquele momento: eu o batizei de Papai, e, com aquela barriga enorme, as duas pedras negras fazendo as vezes de olhos e os gravetos inclinados representando as sobrancelhas severas, a semelhança era assombrosa. Completamos a ilusão colocando nele as luvas, o chapéu e o guarda-chuva do meu pai. Então arremessamos bolas de neve nele com violência, enquanto dávamos risadinhas feito crianças travessas.

Caiu uma nevasca pesada naquela noite. Minha mãe foi para a cama e eu fingi estar dormindo, mas escapuli para o jardim e fiquei lá sob a neve que caía. Estendi as mãos, pegando flocos de neve, vendo-os desaparecer entre os dedos. A sensação era de felicidade e frustração, e expressava uma verdade que eu era incapaz de manifestar na época; meu vocabulário era limitado demais, minhas palavras formavam uma malha frouxa demais para capturá-la. De certa maneira, tentar agarrar flocos de neve que desaparecem é como tentar agarrar a felicidade: um ato de posse que imediatamente se transforma em nada. O que me lembrou que havia um mundo inteiro fora daquela casa — um mundo de imensidão e inconcebível beleza que, por enquanto, estava fora do meu alcance. Essa lembrança tem voltado a mim com frequência ao longo dos anos. Como se o sofrimento que cercava aquele breve momento de liberdade a fizesse arder ainda mais vívida: uma luzinha minúscula cercada de escuridão.

Eu me dei conta de que a única esperança de sobrevivência seria bater em retirada — tanto física quanto psicologicamente. Eu precisava fugir para bem longe. Só assim estaria a salvo. E então, aos 18 anos, consegui as notas de que precisava para garantir uma vaga na universidade. E deixei aquela prisão de Surrey — e achei que estava livre.

Mas não estava.

Na época, eu não sabia, mas já era tarde: eu tinha internalizado meu pai, ele estava introjetado em mim, profundamente enterrado no meu inconsciente. Por mais que fugisse, eu o levava comigo aonde quer que fosse. Era perseguido por um implacável e infernal coro de Erínias, todas com a voz dele, gritando que eu não valia nada, que eu era uma vergonha, um fracasso.

No meu primeiro período na faculdade, naquele primeiro e rigoroso inverno, as vozes ficaram tão estridentes, tão paralisantes, que passaram a me controlar. Imobilizado pelo medo, eu não conseguia sair, socializar nem fazer amigos. Era como se não tivesse saído de casa. Não havia esperança. Eu tinha sido derrotado, estava aprisionado. Colocado contra a parede. Sem saída.

Uma única solução se apresentava.

Fui de farmácia em farmácia comprar caixas de paracetamol. Comprava poucas caixas por vez para não despertar suspeitas, mas nem precisava me preocupar. Ninguém estava prestando a menor atenção em mim; sem dúvida eu era tão invisível quanto me sentia.

Fazia frio no meu quarto, e eu sentia os dedos dormentes e desajeitados ao abrir as caixas. Tive que fazer um esforço enorme para engolir os comprimidos. Mas os forcei goela abaixo, um atrás do outro. E me arrastei até a minha cama estreita e desconfortável. Fechei os olhos e esperei a morte.

Mas a morte não veio.

O que veio foi uma dor visceral e abrasadora. Eu me curvei e vomitei, cuspindo bile e comprimidos mal digeridos em cima de mim mesmo. Deitado lá no escuro, senti meu estômago em chamas pelo que pareceu uma eternidade. Até que, lentamente, na escuridão, eu me dei conta de algo.

Eu não queria morrer. Ainda não; não sem nem sequer ter vivido.

Senti então alguma esperança, mesmo que confusa e indefinida. E que, de qualquer maneira, me levou a reconhecer que eu não seria capaz de fazer aquilo sozinho: eu precisava de ajuda.

Eu a encontrei na forma de Ruth, uma terapeuta recomendada pelo atendimento psicológico da universidade. Ruth era rechonchuda, tinha a cabeça branca e certo ar de vovozinha. Além de um sorriso simpático, no qual eu queria acreditar. No começo, ela não dizia muita coisa. Limitava-se a me ouvir. Eu falava da infância, da minha casa, dos meus pais. Enquanto falava, percebi que, por mais sofridos que fossem os detalhes que relatava, eu não sentia nada. Estava desligado das minhas emoções, como uma mão decepada do punho. Falava de lembranças dolorosas e impulsos suicidas, mas não os sentia.

Volta e meia, no entanto, eu olhava para Ruth. Para minha surpresa, ela estava com os olhos marejados de lágrimas. Pode ser difícil entender, mas essas lágrimas não eram dela.

Eram minhas.

Na época, eu não entendi. Mas é assim que a terapia funciona. O paciente delega seus sentimentos inaceitáveis ao terapeuta, que retém tudo que ele teme sentir, sentindo por ele. Até que, muito lentamente, lhe devolve esses sentimentos. Exatamente como Ruth devolveu os meus.

Continuamos nossos encontros por vários anos, Ruth e eu. Ela era a única constante na minha vida. Graças a ela, internalizei um novo tipo de relação com os outros: uma relação baseada no respeito mútuo, na honestidade e na bondade — e não na recriminação, na raiva e na violência. Aos poucos comecei a me sentir diferente em relação a mim mesmo, menos vazio, com mais capacidade de sentir emoções e menos medo. Aquele coro interno repleto de ódio nunca me abandonou por completo, mas agora eu contava com a voz de Ruth para enfrentá-lo, e prestava menos atenção a ele. Assim, as vozes na minha cabeça se acalmaram e chegavam a desaparecer de vez em quando. Eu me sentia em paz — e às vezes até feliz.

A terapia literalmente tinha salvado a minha vida. E, sobretudo, transformara a qualidade dessa vida. A cura pela fala foi fundamental na pessoa em que eu havia me tornado — num sentido muito profundo, ela me definia.

Estava ali, eu sabia, a minha vocação.

Depois da faculdade, eu me especializei em psicoterapia em Londres. Durante minha formação, continuei me encontrando com Ruth. Ela como sempre me apoiava e estimulava, mesmo frisando que eu devia ser realista quanto ao caminho que havia tomado: "Não é nenhum mar de rosas", ela costumava dizer. E estava certa. Trabalhar com pacientes, botar a mão na massa... Não seria mesmo nada confortável.

Eu me lembro da minha primeira visita a um hospital psiquiátrico judiciário. Minutos depois de chegar, um paciente tinha baixado as calças, agachado e defecado na minha frente. Um amontoado fedorento de merda. E outros incidentes posteriores, nem todos de embrulhar o estômago, mas não menos dramáticos — tentativas de suicídio terríveis, automutilação, histeria e sofrimento descontrolados —, pareciam mesmo mais do que eu seria capaz de suportar. Mas a cada incidente eu dava um jeito de acessar uma resiliência insuspeita até então. E foi ficando mais fácil.

É estranho como a gente se adapta rapidamente ao pavoroso mundo de um hospital psiquiátrico. Ficamos cada vez mais à vontade com a loucura, e não apenas a loucura dos outros, mas a nossa própria. Eu acredito que somos todos loucos, apenas de formas diferentes.

E foi por isso — e assim — que senti uma ligação com Alicia Berenson. Eu havia tido sorte. Graças a uma bem-sucedida intervenção terapêutica ainda na juventude, pude recuar quando já estava à beira da escuridão psíquica. Na minha mente, entretanto, a outra narrativa continuava sendo sempre uma possibilidade: eu poderia ter enlouquecido e terminado meus dias trancafiado numa instituição psiquiátrica, como Alicia. Graças a Deus nada disso tinha acontecido.

Eu não podia dizer nenhuma dessas coisas a Indira Sharma quando ela perguntou por que havia me tornado psicoterapeuta. Afinal, aquilo era uma entrevista de emprego; e pelo menos eu sabia jogar esse jogo.

— No fim das contas — concluí —, é a formação que nos transforma em psicoterapeutas. Independentemente das intenções iniciais.

Indira concordou, com ar de sabedoria.

— Sim, perfeito. Exatamente.

A entrevista transcorreu bem. Minha experiência de trabalho em Broadmoor era uma vantagem, disse Indira — demonstrava que eu era capaz de lidar com transtornos mentais graves. O emprego me foi oferecido pouco depois da entrevista, e eu o aceitei.

Um mês depois, estava a caminho do Grove.

30

CAPÍTULO 4

CHEGUEI AO GROVE ACOMPANHADO POR um vento gélido de janeiro. As árvores sem folhas pareciam esqueletos ao longo da rua. O céu estava branco, carregado com a neve que ainda ia cair.

De pé na entrada, busquei o maço de cigarros no bolso. Eu estava há mais de uma semana sem fumar— tinha prometido a mim mesmo que dessa vez era pra valer, ia largar de verdade. Mas ali estava eu, já fraquejando. Acendi um, irritado comigo mesmo. Um terapeuta tende a encarar o hábito de fumar como uma dependência não resolvida — algo que qualquer terapeuta que se preze já devia ter trabalhado e superado. Eu não queria entrar cheirando a cigarro, então comecei a chupar duas balas de menta enquanto fumava e tentava me aquecer.

Eu tremia, mas para ser sincero era mais o nervosismo que o frio. Estava hesitante. Meu supervisor em Broadmoor tinha dito sem rodeios que eu estava cometendo um erro. Deu a entender que minha partida significava a interrupção de uma carreira promissora, mostrando-se um tanto desdenhoso em relação ao Grove e particularmente ao professor Diomedes.

— Um sujeito nada ortodoxo. Trabalha muito com relações de grupo... Trabalhou um tempo com Foulkes. Nos anos oitenta, comandava uma espécie de comunidade terapêutica alternativa em Hertfordshire.

Esse tipo de terapia não é economicamente viável, especialmente hoje em dia... — Ele hesitou um instante e prosseguiu falando mais baixo. — Não quero assustar você, Theo, mas ouvi rumores de que aquilo lá vai ser fechado. Você pode estar desempregado daqui a seis meses... Tem certeza de que não vai reconsiderar?

Hesitei, mas só por educação.

— Tenho, sim.

Ele balançou a cabeça.

— Para mim parece suicídio profissional. Mas se a sua decisão está tomada...

Eu não falei para ele de Alicia Berenson, do meu desejo de tratá-la. Poderia ter colocado a situação em termos que ele fosse capaz de entender: trabalhar com ela poderia levar a um livro ou a alguma publicação. Mas eu sabia que não ia adiantar muito; ele continuaria achando que eu estava cometendo um erro. E talvez tivesse razão. Era o que eu estava prestes a descobrir.

Apaguei o cigarro, controlei o nervosismo e entrei.

O Grove ficava na parte mais antiga do hospital Edgware. O prédio original de tijolos aparentes em estilo vitoriano há muito tinha sido cercado e engolido por ampliações e anexos maiores e, em geral, mais feios também. O Grove ficava no coração desse complexo. A única indicação do caráter perigoso dos ocupantes era a fileira de câmeras de segurança empoleiradas nas cercas feito aves de rapina vigilantes. Na recepção, todos os esforços foram feitos para que tudo parecesse bastante amistoso: amplos sofás azuis, pinturas e desenhos rústicos e infantis dos pacientes pendurados nas paredes. A mim parecia mais um jardim de infância que um hospital psiquiátrico judiciário.

Um sujeito alto surgiu a meu lado. Sorriu para mim e estendeu a mão. Apresentou-se como Yuri, chefe da enfermaria psiquiátrica.

— Bem-vindo ao Grove. Temo que a gente não tenha um comitê de recepção. Só eu.

Yuri era bonito, forte e tinha 30 e tantos anos. Cabelo preto e uma tatuagem tribal subindo pelo pescoço, por cima do colarinho. Cheirava a tabaco e a uma loção pós-barba excessivamente adocicada.

Embora falasse com sotaque, seu inglês era perfeito.

— Cheguei da Letônia há sete anos, e na época eu não falava uma palavra de inglês. Mas em um ano já era fluente.

— Isso é impressionante.

— Que nada. Inglês é uma língua fácil. Experimenta só falar letão.

Ele riu e pegou o tilintante chaveiro que trazia preso ao cinto. Tirou algumas chaves e as entregou a mim.

— Você vai precisar dessas para os quartos individuais. E vai ter que aprender os códigos das alas.

— É muita chave! Em Broadmoor eu tinha bem menos.

— É, pois é. A gente intensificou bastante a segurança recentemente, desde que Stephanie entrou na equipe.

— Quem é Stephanie?

Yuri não respondeu, mas fez um gesto com a cabeça indicando a mulher que saía pela porta do escritório atrás do balcão da recepção.

Era caribenha, na casa dos 40 anos, e tinha um corte meio chanel com as pontas mais compridas.

— Muito prazer, Stephanie Clarke, gerente do Grove.

Stephanie me ofereceu um sorriso pouco convincente. Ao trocar um aperto de mão com ela, senti mais força e firmeza que no aperto de Yuri, e boas-vindas muito menos calorosas.

— Como gerente dessa unidade, segurança é minha maior prioridade. Dos pacientes e da equipe de funcionários. Se vocês não estiverem seguros, os pacientes também não vão estar. — Ela me entregou um aparelhinho, um alarme para relatar agressões físicas. — Fica com ele o tempo todo. Não deixa na sua sala.

Resisti à tentação de dizer "Sim, senhora". Melhor cair nas graças de Stephanie para evitar complicações. Fora exatamente essa minha tática anteriormente com outros gerentes autoritários: evitar confrontos e me manter invisível.

— Prazer em conhecê-la, Stephanie. — E abri um sorriso.

Ela fez que sim com a cabeça, mas não sorriu.

— Yuri vai levar você até a sua sala.

Ela deu meia-volta e saiu marchando sem olhar para trás.

— Vem comigo — chamou Yuri.

Fui com ele até a entrada da ala, uma enorme porta de aço reforçado. Ao lado, o detector de metais era controlado por um guarda.

— Você conhece o protocolo, certo? — disse Yuri. — Nada de objetos pontiagudos... Nada que possa ser usado como arma.

— Nem isqueiros — acrescentou o guarda enquanto me revistava, catando meu isqueiro do bolso com um olhar acusador.

— Foi mal. Esqueci que estava com isso.

Yuri fez sinal para que o acompanhasse.

— Vou levar você até a sua sala. Todo mundo está no encontro comunitário, por isso está tudo bem tranquilo por aqui.

— Posso participar também?

— Do encontro? — Yuri pareceu surpreso. — Você não quer se acomodar na sua sala primeiro?

— Isso pode ficar para depois. Se não for nenhum problema para você...

Ele deu de ombros.

— Como quiser. Por aqui.

Yuri me conduziu então por corredores interligados e pontuados por portas trancadas — uma sucessão de portas batidas, ferrolhos abertos e chaves giradas nas fechaduras. Avançávamos lentamente.

Ficava evidente que há muito não se gastava na manutenção do prédio: paredes com tinta descascando, um leve cheiro de mofo e corredores repletos de manchas.

Yuri parou em frente a uma porta fechada e indicou com a cabeça.

— Eles estão aí. Pode entrar.

— Ok, obrigado.

Hesitei, me preparando. E então abri a porta e entrei.

CAPÍTULO 5

O ENCONTRO ERA REALIZADO NUM SALÃO comprido com janelas altas e gradeadas, que davam para um muro de tijolos aparentes. No ar, um cheiro forte de café misturado à loção de Yuri. Eram cerca de trinta pessoas sentadas em círculo, em sua maioria segurando copos de papel com chá ou café, bocejando e se esforçando para não cochilar. Algumas, depois de beber o café, brincavam com os copos vazios, amassando-os, achatando-os ou rasgando-os.

O encontro ocorria uma ou duas vezes por dia, algo entre uma reunião administrativa e uma sessão de terapia de grupo. Questões relacionadas à gestão da unidade e ao atendimento dos pacientes eram colocadas na pauta para serem discutidas. Como o professor Diomedes gostava de dizer, era uma tentativa de envolver as pacientes no tratamento e estimulá-las a assumir a responsabilidade pelo próprio bem-estar, embora nem sempre funcionasse. Com sua formação em terapia de grupo, Diomedes tinha particular inclinação por reuniões dos mais variados tipos, e incentivava tanto quanto possível o trabalho em grupo. Digamos que ele adorava uma plateia. Tinha um leve ar de apresentador de circo, achei, quando se levantou para me cumprimentar, as mãos estendidas e acolhedoras, fazendo um gesto para que eu me aproximasse.

35

— Theo. Aí está você! Junte-se a nós!

Ele falava com um leve sotaque grego, quase imperceptível — já perdera a maior parte do sotaque; afinal, morava na Inglaterra havia mais de trinta anos. Era bonito e, embora tivesse uns 60 anos, parecia muito mais jovem: tinha um ar jovial e travesso, mais parecendo um tio irreverente que um psiquiatra. O que não quer dizer que não fosse extremamente dedicado ao atendimento das pacientes — chegava antes do pessoal da limpeza pela manhã e ficava até depois da troca de turno das equipes à noite, às vezes passando a madrugada no sofá da sua sala. Duas vezes divorciado, Diomedes gostava de dizer que seu terceiro e mais bem-sucedido casamento fora com o Grove.

— Sente-se aqui. — E apontou para uma cadeira vazia ao seu lado.

— Sente, sente, sente.

Obedeci.

Diomedes fez todo um floreio para me apresentar.

— Permitam-me apresentar nosso novo psicoterapeuta, Theo Faber. Espero que possam, como eu, lhe dar as boas-vindas à nossa pequena família...

Enquanto ele falava, eu percorria o círculo com o olhar em busca de Alicia. Mas não a encontrava. Com exceção do professor Diomedes, impecavelmente vestido de terno e gravata, as outras pessoas estavam quase todas de camisa de manga curta ou camiseta. Difícil identificar quem era paciente e quem fazia parte da equipe.

Alguns rostos me eram familiares — Christian, por exemplo. Eu o havia conhecido em Broadmoor. Um psiquiatra que jogava rugby, de nariz quebrado e barba preta. Bonitão de um jeito meio sujo. Saiu de Broadmoor pouco depois de eu ter chegado. Eu não gostava muito dele, mas para ser justo não o conhecia muito bem, porque não trabalhamos juntos por muito tempo.

Eu me lembrei de Indira, da entrevista. Ela sorriu para mim, e eu me senti grato, pois era o único rosto amistoso por ali. A maioria das pacientes me encarava com ar mal-humorado e desconfiado. Quem podia culpá-las? Os abusos que sofreram, físicos, psicológicos, sexuais... Tudo isso significava que levaria muito tempo até confiarem em mim, se é que chegariam a confiar. Eram todas mulheres, em sua maioria com traços grosseiros, cheias de rugas e cicatrizes. Tiveram vidas muito difíceis, passando por horrores que as levaram a se refugiar na terra de ninguém da doença mental; essas vidas estavam entalhadas naqueles rostos, impossíveis de serem ignorados.

Mas e Alicia Berenson? Onde ela estava? Voltei a passar os olhos pelo círculo, mas ainda não conseguia encontrá-la. Até que me dei conta: eu estava bem diante dela. Alicia estava sentada à minha frente, do outro lado do círculo.

Eu não a tinha visto porque ela era invisível.

Curvada para a frente, Alicia estava completamente largada na cadeira. Obviamente bastante sedada. Segurava um copo de papel cheio de chá, que a mão trêmula derramava constantemente no chão. Eu me contive para não ir até ela e endireitar o copo. Estava tão alterada que duvido que tivesse notado alguma coisa.

Eu não esperava que ela estivesse tão debilitada. Ainda havia sinais da bela mulher que tinha sido: olhos de um azul profundo, um rosto perfeitamente simétrico. Mas estava magra demais e parecia suja. Os longos cabelos ruivos estavam imundos e embaraçados. As unhas estavam roídas e quebradas. Dava para ver as cicatrizes sutis nos dois punhos, as mesmas que eu vira tão bem reproduzidas em *Alceste*. Os dedos não paravam de tremer, sem dúvida efeito colateral do coquetel de drogas que estava tomando: risperidona e outros antipsicóticos pesados. E a saliva brilhante se acumulava ao redor da boca aberta, outro lamentável efeito colateral da medicação — a pessoa baba de forma incontrolável.

Percebi que Diomedes olhava para mim. Desviei a atenção de Alicia e foquei nele.

— Com certeza você poderá se apresentar melhor, Theo — comentou ele. — Não quer dizer algumas palavras?

— Obrigado — assenti. — Na verdade, não há o que acrescentar. Apenas que estou muito feliz de estar aqui. Empolgado, nervoso, cheio de expectativa. E mal posso esperar para conhecer todo mundo, especialmente as pacientes. Eu...

Fui interrompido por um estrondo súbito quando uma porta foi aberta. Inicialmente, achei que estava vendo coisas. Uma gigante entrou no salão segurando duas enormes estacas de madeira acima da cabeça e as atirou na nossa direção como se fossem lanças. Uma das pacientes cobriu os olhos e gritou.

Uma parte de mim achava que as lanças iriam nos empalar, mas elas foram parar no meio do círculo, batendo com força no chão. Foi quando vi que não eram lanças. Era um taco de bilhar partido ao meio.

A enorme paciente, uma mulher turca de cabelos escuros na casa dos 40 anos, gritou:

— Mas que merda! Esse taco está quebrado tem uma semana e vocês ainda não trocaram essa porra!

— Olha a boca, Elif — interveio Diomedes. — Não vou cuidar do problema do taco até a gente resolver se está certo permitir que você participe do encontro chegando tão atrasada. — Ele virou a cabeça com certa malícia e jogou a pergunta para mim. — O que você acha, Theo?

Hesitei e levei um tempo até conseguir falar.

— Eu acho importante respeitar os horários e chegar na hora para o encontro...

— Como você fez, certo? — cortou um sujeito do outro lado do círculo.

Eu me virei e vi que tinha sido Christian. Ele riu da própria piada. Abri um sorriso forçado e me voltei de novo para Elif.

— Ele tem razão, eu também me atrasei. Quem sabe então não podemos aprender juntos a lição.

— Que porra é essa que você está falando? — questionou Elif. — Aliás, quem é você afinal?

— Elif. Olha a boca — advertiu Diomedes outra vez. — Não me obrigue a suspender você. Sente-se.

Elif continuou de pé.

— E o taco?

A pergunta era endereçada a Diomedes, e ele olhou para mim, esperando que eu respondesse.

— Elif, já percebi que você está irritada por causa do taco — comecei. — Desconfio que a pessoa que quebrou esse taco também estivesse irritada. O que nos leva a pensar no que fazer com a raiva numa instituição como essa. Que tal explorarmos o assunto e falarmos um pouco sobre raiva? Não quer se sentar?

Elif revirou os olhos. Mas se sentou.

Indira fez que sim com a cabeça, parecendo satisfeita. Começamos a falar sobre a raiva, Indira e eu, tentando atrair as pacientes para um debate sobre seus sentimentos de raiva. E conduzimos bem a situação, pensei. Eu sentia que Diomedes estava observando, avaliando meu desempenho. E parecia satisfeito.

Olhei de relance para Alicia. E, para minha surpresa, ela estava olhando para mim — ou pelo menos na minha direção. Uma expressão turva e nebulosa, como se se esforçasse para focar os olhos e ver.

Se alguém me dissesse que aquela casca vazia fora um dia a brilhante Alicia Berenson, considerada pelos que a conheciam uma mulher deslumbrante, fascinante, cheia de vida, eu não teria acreditado. E naquele exato momento me certifiquei de que havia tomado a decisão certa ao vir para o Grove. Todas as minhas dúvidas se esvaíram. Estava decidido a não parar por nada até que Alicia se tornasse minha paciente.

Não havia tempo a perder: Alicia estava perdida. Desaparecida.

E eu pretendia encontrá-la.

CAPÍTULO 6

A SALA DO PROFESSOR DIOMEDES ficava na parte mais antiga e decrépita do hospital. Havia teias de aranha nos cantos, e várias lâmpadas do corredor estavam queimadas. Eu bati à porta, e depois de um momento ouvi a voz dele.

— Entre.

Girei a maçaneta e a porta se abriu com um rangido. A primeira coisa que chamou minha atenção foi o cheiro lá dentro. Era diferente do restante do hospital. Não cheirava a antisséptico nem a água sanitária; curiosamente, lembrava o cheiro de um poço de orquestra. Madeira, cordas e arcos, verniz, cera. Levou um tempo até meus olhos se acostumarem à penumbra, e vi o piano de armário encostado na parede, um objeto totalmente inesperado num hospital. Umas vinte estantes para partitura feitas de metal se destacavam nas sombras, e uma pilha de partituras se erguia em cima de uma mesa, uma instável torre de papel buscando o céu. Em outra mesa, um violino, perto de um oboé e de uma flauta. E ao lado uma harpa — um objeto enorme com sua bela estrutura de madeira delimitando uma infinidade de cordas.

Eu olhava para tudo aquilo boquiaberto.

Diomedes riu.

— Está se perguntando o que são esses instrumentos todos?

Ele estava sentado à sua mesa, dando uma risadinha.

— São seus?

— São, sim. Música é o meu hobby. Não, minto: a minha paixão. — Ele fez a correção de dedo em riste, dramático. O professor tinha um jeito vivaz de se expressar, gesticulando muito para acompanhar e enfatizar a fala, como se regesse uma orquestra invisível. — Eu tenho uma orquestra amadora, aberta a quem quiser participar, pacientes ou equipe. Não existe nenhuma ferramenta terapêutica tão eficaz quanto a música. — Ele fez uma pausa para recitar em tom musical, como se cantasse. — "A música oferece encantos até ao coração mais duro." Concorda?

— Com certeza.

— Humm... — Diomedes me perscrutou por um momento. — Você toca alguma coisa?

— Como assim?

— Qualquer coisa. Triângulo já seria um bom começo.

Fiz que não com a cabeça.

— Não sou muito de música. Eu toquei um pouco de flauta doce na escola quando era criança. E só.

— Quer dizer que você sabe ler música? Isso já é uma vantagem. Ótimo. Escolha qualquer instrumento. Eu ensino.

Sorri e voltei a balançar a cabeça.

— Acho que eu não tenho muita paciência.

— Não? Como terapeuta seria bom cultivar a paciência. Quando jovem, eu não sabia muito bem se devia ser músico, padre ou médico. — Diomedes deu uma risada. — E agora eu sou as três coisas.

— Parece mesmo.

— Sabe de uma coisa? — disse ele, mudando de assunto sem esboçar a menor pausa. — Fui eu que bati o martelo na sua entrevista. O voto de minerva, por assim dizer. Eu defendi com unhas e dentes a sua contratação. E sabe por quê? Pois lhe digo: eu vi alguma coisa em você, Theo. Você me lembra a mim mesmo... Quem sabe? Daqui a alguns anos, pode ser que o diretor desse negócio aqui seja você. — Ele deixou as palavras ressoarem por um tempo, então suspirou. — Se isso aqui ainda existir, é claro.

— Você acha que não?

— Quem sabe? Pouquíssimos pacientes, uma equipe grande demais. Estamos trabalhando em conjunto com a Fundação para ver se encontramos um modelo mais "economicamente viável". O que significa que somos constantemente observados e avaliados; espionados. Como se faz um trabalho terapêutico nessas condições?, você poderia perguntar. Como dizia Winnicott, não dá para fazer terapia num prédio em chamas. — Diomedes balançou a cabeça e de repente parecia ter a idade que tinha: cansado, exaurido. Baixou a voz e começou a falar num sussurro meio conspiratório. — Eu acho que a gerente, Stephanie Clarke, está em conluio com eles. Afinal, é a Fundação que paga o salário dela. Fique de olho nela, e você vai entender o que estou dizendo.

Achei que Diomedes parecia um tanto paranoico, mas talvez fosse compreensível. Eu não queria dizer nada que me comprometesse, então fiquei diplomaticamente em silêncio por um tempo. Até que...

— Quero perguntar uma coisa. A respeito de Alicia.

— Alicia Berenson? — Diomedes me olhou de um jeito estranho. — O que tem ela?

— Tenho curiosidade sobre o trabalho terapêutico que está sendo feito com ela. Ela está em terapia individual?

— Não.

— Por algum motivo?

— Foi tentado... E desistimos.

— Por quê? Com quem ela se consultava? Indira?

— Não. — Diomedes meneou a cabeça. — Na verdade, ela se consultava comigo.

— Sei... O que aconteceu?

Ele deu de ombros.

— Ela se recusava a vir à minha sala, era eu que ia até o quarto dela. Nas sessões, Alicia se limitava a ficar sentada na cama olhando para a janela. Ela se recusava a falar, é claro. Se recusava até a olhar para mim. — Ele jogou os braços para o alto, exasperado. — Cheguei à conclusão de que era pura perda de tempo.

Acenei positivamente com a cabeça.

— Imagino que... Quer dizer, fico me perguntando sobre a transferência...

— Sim? — Diomedes me perscrutava com curiosidade. — Prossiga.

— Não é uma possibilidade que ela visse você como uma presença autoritária e, talvez, potencialmente punitiva? Não sei como era a relação dela com o pai, mas...

Diomedes ouvia com um leve sorriso, como se alguém estivesse contando uma piada e ele já antecipasse o fim.

— Mas você acha que talvez ela fosse se relacionar melhor com alguém mais jovem. Deixe-me adivinhar... Alguém como você? Você acha que pode ajudar Alicia, Theo? Que pode salvá-la? Que pode fazer com que ela fale?

— Salvar, não sei, mas gostaria de ajudar. Gostaria de tentar.

Diomedes sorriu, com o mesmo ar de divertimento.

— Você não é o primeiro. Eu achava que conseguiria. Alicia é uma sirena muda, meu rapaz, que nos atrai para as rochas, onde nossas ambições terapêuticas são feitas em pedaços. — Ele voltou a sorrir. — Ela me deu uma bela lição sobre fracasso. Talvez você precise aprendê-la também.

Eu o encarei com um olhar desafiador.

— A não ser, é claro, que eu seja bem-sucedido.

O sorriso de Diomedes desapareceu, dando lugar a algo mais difícil de compreender. Ele ficou em silêncio por um instante e tomou uma decisão.

— Vamos ver então, tá bem? Primeiro, você tem que ser apresentado a Alicia. Você ainda não foi apresentado a ela, não é?

— Não, ainda não.

— Então, por favor, peça a Yuri que tome as devidas providências. E depois me diga como foi.

— Ótimo. — Eu tentava disfarçar a empolgação. — Vou fazer isso.

CAPÍTULO 7

A SALA DE TERAPIA ERA um retângulo pequeno e estreito; vazia feito uma cela de prisão, ou mais até. A janela, gradeada, ficava fechada. Sobre a mesinha, uma caixa rosa-choque de lenços de papel destoava com seu tom alegre — e só podia ter sido deixada ali por Indira: eu não conseguia imaginar Christian oferecendo lenços de papel aos pacientes.

Eu me sentei numa das duas poltronas surradas e desbotadas. Minutos se passaram. Nenhum sinal de Alicia. E se ela não viesse? Talvez não tivesse concordado em se encontrar comigo. E estaria totalmente no seu direito.

Impaciente, ansioso, nervoso, desisti de ficar sentado, e de súbito me levantei e fui até a janela. Olhei lá para fora por entre as barras da grade.

O pátio ficava três andares abaixo. Do tamanho de uma quadra de tênis, era delimitado por grandes muros de tijolos aparentes, altos demais para serem escalados, embora sem dúvida alguém já tivesse tentado. Toda tarde as pacientes eram conduzidas até lá para tomar ar fresco por meia hora, quisessem ou não, e neste tempo gelado seria compreensível que oferecessem resistência. Algumas se isolavam, falando sozinhas, ou andavam de um lado para o outro feito zumbis inquietos, indo a lugar nenhum. Outras formavam grupos, conversando, fumando, discutindo. Chegavam até mim vozes, gritos, estranhas risadas empolgadas.

Inicialmente, não vi Alicia. Até que a localizei. Estava sozinha encostada na parede do pátio. Completamente parada, feito uma estátua. Yuri atravessou o pátio em sua direção. Falou com a enfermeira que estava perto dela. A enfermeira assentiu. Yuri se aproximou lenta e cautelosamente de Alicia, como quem se aproxima de um animal imprevisível.

Eu havia pedido a ele que não entrasse muito em detalhes, que apenas dissesse a Alicia que o novo terapeuta da casa gostaria de conhecê-la. Frisei que expressasse um pedido, não uma ordem. Alicia não se mexia enquanto ele falava. Mas não assentiu nem balançou a cabeça negativamente nem deu nenhuma indicação de que o tinha ouvido. Após uma breve pausa, Yuri se virou e se afastou.

Muito bem, é isso, pensei — ela não vem. Foda-se, eu devia ter imaginado. Isso tudo tinha sido uma enorme perda de tempo.

E então, para minha surpresa, Alicia deu um passo à frente. Hesitando um pouco, conseguiu se mover atrás de Yuri pelo pátio, até que ambos desapareceram do meu campo de visão.

Então ela estava vindo. Tentei controlar o nervosismo e me preparar. Tentei calar a voz negativa na minha cabeça, a voz do meu pai, dizendo que eu não era bom o bastante, que era um inútil, uma fraude. Cala a boca, pensava, cala a boca, cala a boca...

Dois ou três minutos depois, bateram à porta.

— Pode entrar.

A porta se abriu. Alicia estava no corredor com Yuri. Olhei para ela. Mas ela não olhou para mim; mantinha o olhar voltado para baixo.

Yuri abriu um sorriso satisfeito.

— Aqui está ela.

— É. Estou vendo. Oi, Alicia.

Ela não respondeu.

— Não quer entrar?

Yuri se inclinou para a frente, como se fosse cutucá-la, mas não chegou a tocá-la. Limitou-se a sussurrar:

— Pode entrar, querida. Pode entrar e se sentar.

Alicia hesitava. Ela olhou para Yuri e tomou uma decisão. Entrou na sala, com passos vacilantes. Sentou-se na poltrona sem emitir um som, as mãos trêmulas no colo.

Eu pretendia fechar a porta, mas Yuri não se retirava. Baixei a voz.

— Pode deixar comigo, obrigado.

Ele parecia preocupado.

— Mas vocês estão sozinhos. E o professor disse...

— Eu assumo a responsabilidade. Está tudo certo. — Peguei no bolso meu alarme. — Está vendo? Eu estou com isso aqui... Mas não vou precisar.

Olhei para Alicia. Ela não dava nenhuma indicação de que sequer tinha me ouvido.

Yuri deu de ombros, evidentemente insatisfeito.

— Vou ficar aqui atrás da porta, caso precise de mim.

— Não é necessário, mas obrigado.

Yuri se retirou, e eu fechei a porta. Coloquei o alarme na mesa. Eu me sentei de frente para Alicia. Ela não ergueu o olhar. Fiquei estudando-a por um momento. O rosto era inexpressivo, vazio. Uma máscara medicada. Perguntei-me o que haveria por trás dela.

— Fico feliz que tenha concordado em nos encontrarmos. — Esperei uma resposta. Sabia que ela não viria. — Tenho a vantagem de saber mais a seu respeito do que você de mim. Você é uma mulher famosa... Como pintora, quero dizer. Eu admiro muito o seu trabalho. — Nenhuma reação. Mudei ligeiramente de posição na cadeira. — Eu perguntei ao professor Diomedes se a gente poderia conversar, e ele teve a gentileza de providenciar esse encontro. Obrigado por concordar em me receber.

Hesitei, esperando alguma indicação de que Alicia tinha me ouvido — um piscar de olhos, um movimento de cabeça, um franzir de cenho. Nada. Tentei adivinhar no que ela estava pensando. Talvez estivesse drogada demais para sequer pensar.

Eu me lembrei da minha antiga terapeuta, Ruth. O que ela faria? Ruth costumava dizer que somos constituídos de várias partes, umas boas, outras más, e que uma mente saudável é capaz de tolerar essa ambivalência, jogando ao mesmo tempo do lado bom e do mau. O transtorno mental é justamente a falta desse tipo de integração: perde-se contato com as partes inaceitáveis de si mesmo. Se eu quisesse ajudar Alicia, seria preciso detectar as partes que ela havia escondido de si mesma, para além dos limites da consciência, interconectando os vários pontos da sua paisagem mental. Só assim seria possível contextualizar os terríveis eventos da noite em que ela matou o marido. Seria um processo lento e trabalhoso.

Em geral, quando se começa a trabalhar com um paciente, não há nenhuma urgência, nenhum cronograma terapêutico de metas predeterminado. De modo geral, começa-se com muitos meses de conversa. Num mundo ideal, Alicia me falaria de si mesma, da sua vida, da infância. Eu ouviria, aos poucos construindo uma imagem, até completá-la o suficiente para enveredar por interpretações precisas e úteis. Mas nesse caso nada seria dito. Nem ouvido. As informações de que eu precisava teriam que ser obtidas por pistas não verbais, como minha contratransferência — os sentimentos em mim despertados por Alicia durante as sessões —, e por quaisquer informações que eu pudesse extrair de outras fontes.

Em outras palavras, eu precisava colocar em andamento um plano para ajudar Alicia sem saber exatamente como executá-lo. E agora tinha que mostrar resultados, não só para me impor a Diomedes como também, muito mais importante, para cumprir a missão que tinha com Alicia: para ajudá-la.

Vendo-a sentada diante de mim, na confusão mental causada pela medicação, baba se acumulando nos cantos da boca, os dedos agitados feito mariposas sujas, me veio uma súbita e inesperada tristeza. Eu sentia uma pena terrível de Alicia e dos que vivem igual a ela — de todos nós, todas as pessoas traumatizadas e perdidas.

É claro, não comentei nada disso com ela. Em vez disso, fiz o que Ruth teria feito.

E simplesmente ficamos sentados em silêncio.

CAPÍTULO 8

ABRI A PASTA DE ALICIA na minha mesa. Diomedes a havia oferecido a mim:

— Você precisa ler as minhas anotações. Elas vão ajudar.

Eu não tinha a menor vontade de passar pelas anotações dele; já sabia o que Diomedes pensava; precisava era descobrir o que eu pensava. Mas aceitei por educação.

— Obrigado. Isso vai ajudar muito.

Minha sala era pequena, com pouca mobília, isolada nos fundos do prédio, perto da escada de incêndio. Olhei pela janela. Um passarinho preto bicava um tufo de grama lá fora, desanimado e sem muita esperança.

Tremi. A sala estava gelada. O pequeno aquecedor debaixo da janela estava quebrado — Yuri se ofereceu para tentar consertá-lo, mas acrescentou que o melhor seria falar com Stephanie ou, se isso não desse certo, levar o problema ao encontro comunitário. De repente, eu me identifiquei com Elif e sua luta pela substituição do taco de bilhar quebrado.

Comecei a passar os olhos pela pasta de Alicia sem muitas expectativas. A maior parte das informações de que eu precisava estava no banco de dados on-line. Diomedes, no entanto, como muitos outros integrantes mais velhos da equipe, preferia redigir seus relatórios à mão, e, ignorando os insistentes apelos em contrário de Stephanie, continuava a fazê-lo — daí a papelada na minha frente, com páginas e mais páginas cheias de orelhas.

Passei batido pelas anotações de Diomedes, ignorando suas interpretações psicanalíticas um tanto ultrapassadas, e foquei nos relatórios diários das enfermeiras a respeito do comportamento de Alicia. Li os relatórios com atenção. Eu queria fatos, números, detalhes — precisava saber exatamente no que estava me metendo, com o que teria que lidar, se haveria surpresas pelo caminho.

A pasta pouco revelou. Ao ser internada, Alicia cortou os punhos duas vezes e se feria com qualquer coisa que estivesse ao alcance. Nos primeiros seis meses, era sempre acompanhada por pelo menos duas enfermeiras, regime que acabou sendo reduzido a apenas uma. Alicia não fazia o menor esforço para interagir com as pacientes ou a equipe, mantendo-se retraída e isolada, e de modo geral as outras pacientes a deixavam em paz. Se uma pessoa não responde quando alguém lhe fala e nunca puxa conversa, ela acaba sendo esquecida. Alicia havia rapidamente se mesclado ao ambiente, tornando-se invisível.

Apenas um incidente chamava a atenção. Ocorreu no refeitório, poucas semanas depois da internação de Alicia. Elif acusou Alicia de tomar o seu lugar. Não ficou claro o que de fato aconteceu, mas o confronto rapidamente se intensificou. Ao que parece, Alicia ficou violenta — ela quebrou um prato e tentou cortar o pescoço de Elif com um caco. Precisou ser contida, sedada e posta em isolamento.

Eu não sabia ao certo por que o incidente tinha chamado minha atenção. Mas alguma coisa me parecia errada. Decidi abordar Elif e fazer perguntas sobre isso.

Arranquei uma folha de um bloco e peguei minha caneta. Um velho hábito, da época da faculdade — alguma coisa no gesto de levar a caneta ao papel me ajuda a organizar as ideias. Sempre tive dificuldade de formular uma opinião quando não podia escrevê-la.

Comecei a rabiscar ideias, observações, metas — traçando um plano de ação. Para ajudar Alicia, eu precisava entender quem ela era e como era sua relação com Gabriel. Ela o amava? O odiava? Por que se recusava a falar do assassinato ou de qualquer coisa? Nenhuma resposta, por enquanto — apenas perguntas.

Escrevi uma palavra e a sublinhei: ALCESTE.

O autorretrato — por algum motivo ele era importante, eu bem sabia, e entender o motivo seria fundamental para desvendar esse mistério. Essa pintura era a única comunicação de Alicia, seu único testemunho. Dizia algo que eu ainda precisava compreender. Escrevi um lembrete para voltar à galeria e dar uma olhada na pintura outra vez.

Anotei outra palavra: INFÂNCIA. Para entender o assassinato de Gabriel, eu precisava entender não só os acontecimentos da noite em que Alicia o matou mas também os do passado distante. As sementes do ocorrido naqueles poucos minutos em que ela atirou no marido provavelmente foram plantadas anos antes. A fúria assassina, a fúria homicida, não nasce no presente. Ela tem origem no território anterior à memória, no mundo da primeira infância, com abusos e maus-tratos, que vão se acumulando ao longo dos anos até explodir — não raro contra o alvo errado. Eu precisava descobrir de que forma ela havia sido moldada pela infância, e se Alicia não queria ou não era capaz de me dizer, eu teria que encontrar alguém que o fizesse. Alguém que a conhecesse antes do crime, que me ajudasse a entender sua história, quem ela era e como foi acabar daquela maneira.

Na pasta, o parente mais próximo listado era sua tia Lydia Rose, que cuidou de Alicia depois da morte da mãe dela num acidente de carro. Alicia também estava dentro do carro quando o acidente aconteceu, mas sobreviveu. A menininha deve ter sido profundamente afetada por esse trauma. Eu esperava que Lydia pudesse falar disso.

O único outro contato era o advogado de Alicia: Max Berenson. Max era irmão de Gabriel Berenson. Ele estava numa posição ideal para observar os dois lados. Outra questão era saber se Max Berenson confiaria em mim. Não seria uma atitude nada ortodoxa um terapeuta procurar a família do seu paciente, para dizer o mínimo. Eu tinha a vaga sensação de que Diomedes não concordaria. Melhor não pedir autorização, concluí, para não vê-la sendo recusada.

Pensando em retrospecto, vejo que essa foi minha primeira transgressão profissional ao lidar com Alicia, estabelecendo um infeliz precedente para o que viria depois. Eu devia ter parado ali. Mas àquela altura já era tarde demais. Sob muitos aspectos, meu destino estava decidido — como numa tragédia grega.

Peguei o telefone. Liguei para o escritório de Max Berenson, usando o número que constava na pasta de Alicia. Chamou várias vezes antes que alguém atendesse.

— Escritório Elliot, Barrow e Berenson — disse uma recepcionista muito resfriada.

— O sr. Berenson, por favor.

— Quem gostaria?

— Meu nome é Theo Faber. Sou psicoterapeuta no Grove. Gostaria de saber se posso trocar algumas palavras com o sr. Berenson a respeito da cunhada dele.

Houve uma breve pausa antes que ela respondesse.

— Ah, sim. Bem, o sr. Berenson só volta para o escritório na próxima semana. Ele está em Edimburgo visitando um cliente. Se quiser deixar seu número, vou pedir a ele que retorne assim que voltar.

Dei meu número e desliguei.

Liguei para o número seguinte na pasta: a tia de Alicia, Lydia Rose.

Ao primeiro toque, alguém atendeu. Uma voz de mulher idosa, que parecia ofegante e bastante contrariada.

— Alô? O que foi?

— É a sra. Rose?

— Quem está falando?

— É a respeito da sua sobrinha, Alicia Berenson. Eu sou psicoterapeuta, trabalho no...

— Vai se foder!

E desligou.

Fiz uma careta.

Não foi um bom começo.

51

CAPÍTULO 9

Eu precisava desesperadamente de um cigarro. Ao sair do Grove, procurei o maço nos bolsos do casaco, mas não o encontrei.

— Procurando alguma coisa?

Eu me virei. Yuri estava logo atrás de mim. Não o tinha ouvido e fiquei meio assustado ao vê-lo tão perto.

— Estava no posto de enfermagem. — Ele abriu um sorriso ao me entregar meu maço de cigarros. — Deve ter caído do seu bolso.

— Obrigado. — Acendi um cigarro e lhe ofereci o maço.

Yuri fez que não com a cabeça.

— Eu não fumo. Não tabaco, pelo menos. — Deu uma risada. — Você parece estar precisando beber alguma coisa. Vamos lá, eu pago um chope.

Hesitei. Meus instintos diziam que eu devia recusar — nunca fui de socializar com gente do trabalho. E achava difícil que Yuri e eu tivéssemos muito em comum. Entretanto, era provável que ele conhecesse Alicia melhor que qualquer pessoa no Grove, e suas observações poderiam ser úteis.

— Claro — aceitei. — Por que não?

Fomos a um pub perto da estação, o Slaughtered Lamb. Escuro e sujo, o lugar já tinha visto dias melhores; e o mesmo se podia dizer dos velhos cochilando diante das canecas pela metade. Yuri pediu dois chopes e nos sentamos a uma mesa nos fundos.

Yuri deu uma golada e limpou a boca.

— Então? Me fala de Alicia.

— Alicia?

— O que você achou?

— Não sei muito bem se achei alguma coisa...

Yuri me lançou um olhar confuso, depois sorriu.

— Porque ela não quer ser achada, né? Isso é verdade. Ela está se escondendo.

— Você é próximo dela. Dá para perceber.

— Eu tenho um cuidado especial com ela. Ninguém conhece Alicia como eu, nem mesmo o professor Diomedes.

Havia um tom presunçoso na voz dele. Por algum motivo isso me irritou — eu me perguntava até que ponto Yuri realmente a conhecia, ou se estava apenas se gabando.

— O que você acha do silêncio dela? O que você acha que isso pode significar?

Yuri deu de ombros.

— Acho que significa que ela não está pronta para falar. Alicia vai falar quando estiver pronta.

— Pronta para quê?

— Para a verdade, meu amigo.

— E qual é a verdade?

Yuri inclinou a cabeça de leve para o lado, me analisando. A pergunta que ele fez em seguida me surpreendeu.

— Você é casado, Theo?

Fiz que sim.

— Sou, sim.

— Certo, era o que eu imaginava. Eu também fui casado. A gente veio da Letônia. Mas ela não se adaptou como eu. Não se esforçou de verdade, sabe como é, não aprendeu inglês. De qualquer maneira, a gente não era...

Eu não era feliz, mas não admitia isso, eu mentia para mim mesmo... — Ele tomou o restante do chope e concluiu o raciocínio. — Até que eu me apaixonei.

— Presumo que não tenha sido pela sua esposa.

Yuri riu e acenou com a cabeça negativamente.

— Não. Uma mulher que morava perto da nossa casa. Uma mulher linda. Foi amor à primeira vista. Eu a vi na rua. Levei muito tempo para reunir coragem para falar com ela. Eu costumava segui-la... Às vezes a observava sem que ela percebesse. Eu ficava na frente da casa dela observando, esperando que ela aparecesse na janela. — Ele riu.

Essa história estava começando a me deixar desconfortável. Terminei o chope e olhei para o relógio, esperando que Yuri entendesse a indireta, o que não aconteceu.

— Um dia, tentei falar com ela. Mas ela não se interessou por mim. Tentei algumas vezes, mas ela pediu que eu parasse de ficar importunando.

Perfeitamente compreensível, pensei. Eu estava prestes a me despedir, mas Yuri não parava de falar.

— Foi muito difícil aceitar aquilo. Eu estava convencido de que a gente tinha sido feito um para o outro. Fiquei de coração partido. Furioso com ela. Muito mesmo.

— E o que aconteceu?

Apesar de tudo, eu estava curioso.

— Nada.

— Nada? Você ficou com a sua mulher?

Yuri acenou negativamente com a cabeça.

— Não. Nosso relacionamento já tinha acabado. Mas eu precisei me apaixonar por aquela mulher para admitir... Para encarar a verdade. Às vezes é preciso coragem, você sabe, e muito tempo, para ser honesto.

— Entendi. E você acha que Alicia não está preparada para encarar a verdade sobre o próprio casamento? É isso que está querendo dizer? Talvez você tenha razão.

Yuri deu de ombros.

— E agora eu estou noivo de uma garota muito bacana da Hungria. Ela trabalha num spa. Fala muito bem inglês. A gente tem muito em comum. A gente se diverte bastante.

Assenti e voltei a olhar para o relógio. Peguei o meu casaco.

— Preciso ir. Minha mulher está me esperando.

— Tudo bem, sem problema... Como ela se chama? A sua mulher.

Não sei por que, mas eu não queria dizer. Não queria que Yuri soubesse nada a respeito dela. Mas isso era uma besteira.

— Kathryn. O nome dela é Kathryn. Mas eu a chamo de Kathy.

Yuri abriu um sorriso estranho.

— Vou te dar um conselho. Vai para casa ficar com a sua mulher. Vai para casa ficar com Kathy, que te ama... E esquece a Alicia.

CAPÍTULO 10

FUI ME ENCONTRAR COM KATHY no café do National Theatre, em South Bank, onde os artistas costumavam se encontrar depois dos ensaios. Ela estava sentada nos fundos do café com duas outras atrizes, totalmente entretida na conversa. Elas me viram enquanto eu me aproximava.

— Suas orelhas estão queimando, querido? — perguntou Kathy ao me beijar.

— E deveriam?

— Estou contando tudo sobre você para as meninas.

— Ah. É melhor eu sair então?

— Não seja bobo. Senta... Você chegou na hora certa. Acabei de começar a contar como foi que a gente se conheceu.

Eu me sentei, e Kathy continuou a história. Ela gostava de contá-la. De vez em quando olhava para mim e sorria, como se quisesse me incluir — mas era só um gesto *pro forma*, pois a história era dela, não minha.

— Eu estava num bar quando ele, enfim, apareceu. Finalmente, quando eu já estava desistindo, ele surgiu, o homem dos meus sonhos. Antes tarde do que nunca. Eu achava que aos 25 já estaria casada. Aos 30, teria dois filhos, um cachorrinho, um enorme financiamento imo-

56

biliário. Mas já estava com 30 e poucos anos e as coisas não tinham saído exatamente como o planejado.

Kathy disse isso com um sorriso ardiloso e piscou para as meninas.

— De qualquer forma, eu estava saindo com um cara australiano, o nome dele era Daniel. Mas ele não queria se casar nem ter filhos tão cedo, por isso eu sabia que estava perdendo tempo. E a gente tinha saído naquela noite, quando de repente aconteceu: o Príncipe Encantado apareceu. — Kathy olhou para mim, sorriu e revirou os olhos. — Acompanhado da *namorada*.

Essa parte da história precisava ser muito bem contada para garantir a boa vontade do público. Kathy e eu estávamos saindo com outras pessoas quando nos conhecemos. Dupla infidelidade não é um começo dos mais atraentes ou auspiciosos para um relacionamento, especialmente por termos sido apresentados pelos nossos parceiros da época. Eles se conheciam, não sei ao certo de onde, não me lembro exatamente de todos os detalhes — talvez Marianne tenha saído alguma vez com o colega de quarto de Daniel, ou o contrário. Também não me lembro muito bem de como fomos apresentados, mas me lembro da primeira vez que vi Kathy. Foi como um choque. Me lembro dos seus longos cabelos pretos, dos olhos verdes penetrantes, da boca... Ela era linda, maravilhosa. Um anjo.

Nesse ponto do relato, Kathy fez uma pausa e sorriu, buscando minha mão.

— Você se lembra, Theo? Como foi que a gente puxou conversa? Você disse que estava terminando a pós em psicoterapia. E eu disse que era maluca... Então era uma combinação perfeita.

As garotas caíram na gargalhada. Kathy também riu e olhou para mim com sinceridade, ansiosa, os olhos buscando os meus.

— Não... Falando sério, querido... Foi amor à primeira vista, não foi?

Era a deixa para mim. Eu concordei e lhe dei um beijo na bochecha.

— Claro que foi. Amor de verdade.

Isso mereceu um olhar de aprovação das amigas. Mas eu não estava fingindo. Kathy tinha razão, foi amor à primeira vista... Quer dizer, pelo menos desejo. Embora naquela noite eu estivesse com Marianne, não conseguia tirar os olhos de Kathy. Eu a observava de longe, numa conversa animada com Daniel... Até que vi seus lábios formando um *Vai se foder*. Eles estavam discutindo. E pareciam exaltados. Daniel deu meia-volta e foi embora.

— Você está tão silencioso — comentou Marianne. — Aconteceu alguma coisa?

— Não, nada.

— Vamos para casa então. Estou bem cansada.

— Ainda não. — Eu mal prestava atenção nela. — Vamos beber mais alguma coisa.

— Eu quero ir agora.

— Então vai.

Marianne me encarou com mágoa no olhar, pegou o casaco e saiu. Eu sabia que brigaríamos no dia seguinte, mas não me importava.

Eu me aproximei de Kathy no bar.

— Daniel vai voltar?

— Não. E Marianne?

Fiz que não com a cabeça.

— Não. Quer outra bebida?

— Eu adoraria.

Pedimos então mais dois drinques. E ficamos de pé lá no bar, conversando. Lembro que falamos da minha formação em psicoterapia. E Kathy falou da sua experiência no curso de teatro — ela não ficou muito tempo, porque no fim do primeiro ano assinou um contrato com um agente e desde então só atuava profissionalmente. Sem saber exatamente por que, supus que ela seria uma boa atriz.

— Estudar não era para mim — explicou ela. — Eu queria sair de lá e começar logo de uma vez... Sabe como é?

— Começar o quê? A atuar?

— Não. A viver.

Kathy inclinou a cabeça, me olhando de um jeito travesso com os olhos esmeralda penetrantes sob os cílios negros.

— E você, Theo? Como você tem paciência de continuar estudando?

— Talvez eu não queira sair por aí "vivendo". Talvez eu seja covarde.

— Não. Se você fosse covarde, teria ido para casa com a sua namorada. — Kathy deu uma risada, surpreendentemente malévola.

Eu queria agarrá-la e beijá-la intensamente. Jamais havia sentido tamanho desejo físico; eu queria puxá-la para mim, sentir seus lábios e o calor do seu corpo junto ao meu.

— Me desculpa — disse ela. — Eu não devia ter dito isso. Eu sempre falo o que me vem à cabeça. Eu te falei, eu sou meio maluca.

Kathy fazia muito isso, alegar insanidade — "eu sou maluca", "eu sou meio doidinha", "eu não bato bem da cabeça" —, mas jamais acreditei nela. Seu riso era muito fácil e frequente para eu acreditar que ela tivesse vivenciado o tipo de escuridão que eu havia experimentado. Ela era espontânea, tinha uma leveza — Kathy adorava viver, a vida era uma constante fonte de diversão. Ao contrário do que dizia, ela parecia a pessoa menos louca que eu conhecia. Perto dela, eu me sentia mais equilibrado.

Kathy era americana. Nascida e criada no Upper West Side de Manhattan. Por causa da mãe, inglesa, tinha dupla cidadania, mas nem de longe parecia inglesa. Era clara e decididamente a antítese de uma inglesa, não só na maneira de falar, mas na sua visão de mundo. Tão confiante, tão exuberante. Eu jamais havia encontrado alguém como ela.

Saímos do bar e pegamos um táxi; dei o endereço do meu apartamento. Ficamos em silêncio no breve percurso. Ao chegarmos, ela encostou seus lábios delicados nos meus. Eu me livrei das minhas reservas e a puxei para mim. Continuamos nos beijando enquanto eu tentava encontrar as chaves. Mal tínhamos entrado e já estávamos tirando a roupa, tropeçando até o quarto, caindo na cama.

Aquela foi a noite mais libidinosa e feliz da minha vida. Passei horas explorando o corpo de Kathy. Fizemos sexo a noite inteira, até o amanhecer. Lembro que era tudo muito branco: a luz branca do sol entrando pelas bordas das cortinas, as paredes brancas, os lençóis brancos; o branco dos seus olhos, dos seus dentes, da sua pele. Eu não sabia que uma pele podia ser tão luminosa, tão translúcida: branco feito marfim com uma ou outra veia visível logo abaixo da superfície, como fios coloridos no mármore branco. Ela era uma estátua, uma deusa grega que ganhava vida nas minhas mãos.

E ficamos lá deitados nos braços um do outro. Kathy estava virada para mim, os olhos tão próximos dos meus que ficavam fora de foco. Eu contemplava um mar verde meio turvo.

— Então? — começou ela.

— Então o quê?

— E Marianne?

— Que Marianne?

Um esboço de sorriso.

— Sua namorada.

— Ah, sim. Claro. — Eu hesitava, indeciso. — Não sei. E Daniel?

Kathy revirou os olhos.

— Esquece Daniel. Eu já esqueci.

— Mesmo?

Kathy respondeu me dando um beijo.

Antes de sair, ela tomou um banho. Enquanto estava no chuveiro, liguei para Marianne. Queria dar um jeito de me encontrar com ela, para conversarmos frente a frente. Mas ela ainda estava aborrecida com a noite anterior e insistiu em que resolvêssemos ali mesmo, por telefone. Marianne não esperava que eu rompesse com ela. Mas foi o que fiz, com o máximo de gentileza possível. Ela começou a chorar, ficou transtornada, com raiva. E eu desliguei. Brutal, sim... E cruel. Não me orgulho daquela ligação. No entanto, parecia o mais honesto a ser feito. Até hoje não sei como poderia ter agido de forma diferente.

Na primeira vez que combinamos de sair propriamente, Kathy e eu fomos a Kew Gardens. Ideia dela.

Kathy não conseguia acreditar que eu não conhecesse o lugar.

— Você está de brincadeira. Nunca esteve nas estufas? Tem uma enorme, com todo tipo de orquídea tropical, mantida numa temperatura tão alta que parece um forno. Quando eu estava no curso de teatro, ia lá só para me aquecer. Que tal a gente se encontrar lá depois de você terminar as suas coisas da pós? — E então ela hesitou, de repente insegura. — Ou é longe demais para você?

— Por você eu iria muito além de Kew Gardens, querida.

— Bobo. — E me beijou.

Kathy já me esperava na entrada quando cheguei, com seu enorme casaco e o cachecol, acenando como uma criança empolgada.

— Vamos, vamos, vem comigo.

Ela me conduziu pela lama gelada até a grande estrutura de vidro que abrigava as plantas tropicais, abriu a porta e logo entrou. Acompanhando-a, recebi aquele choque da súbita elevação da temperatura, uma avassaladora onda de calor. Tirei o cachecol e o casaco.

Kathy sorriu.

— Viu? Eu disse que parecia uma sauna! Não é incrível?

Fomos caminhando pelas trilhas, segurando os casacos, de mãos dadas, contemplando as flores exóticas.

Eu sentia uma estranha felicidade pelo simples fato de estar com ela, como se uma porta secreta tivesse se aberto e Kathy tivesse me chamado do outro lado — eu entrava num mundo mágico de luz, calor e cores, e centenas de orquídeas numa deslumbrante chuva de confetes azuis, vermelhos e amarelos.

Parecia que eu estava derretendo naquele calor, meus contornos amaciados, feito uma tartaruga saindo ao sol depois de um longo inverno de hibernação, piscando e despertando. Kathy me deu isso — ela foi meu convite à vida, que tratei de agarrar com ambas as mãos.

Então é isso, eu me lembro de ter pensado. Isso é amor.

Eu o reconheci sem sombra de dúvida e sabia muito bem que jamais havia conhecido nada parecido. Minhas experiências românticas anteriores tinham sido breves, insatisfatórias para os dois lados. Quando ainda estava na graduação, eu havia reunido coragem, com a ajuda de uma boa quantidade de álcool, para perder a virgindade com uma estudante canadense de sociologia chamada Meredith, de aparelho nos dentes que machucavam meus lábios quando nos beijávamos. Seguiu-se uma série de relacionamentos nada inspiradores. Parecia que eu era incapaz de encontrar a ligação especial que tanto desejava. Eu achava que minhas feridas eram profundas demais, que era incapaz de viver uma relação de intimidade. Mas agora, toda vez que ouvia a risada contagiante de Kathy, era atravessado por uma onda de empolgação. Por uma espécie de osmose, acabei absorvendo sua exuberância juvenil, sua espontaneidade e alegria. Concordava com cada sugestão dela, com cada capricho. Nem me reconhecia mais. Estava gostando daquela nova pessoa — aquele sujeito sem medo em que Kathy me transformava. A gente trepava o tempo todo. Eu me consumia de desejo, perpétua e urgentemente ansiando por ela. Precisava tocá-la o tempo todo, sempre e sempre mais perto.

Kathy veio morar comigo naquele mês de dezembro, no meu quarto e sala em Kentish Town. O apartamento do porão úmido e coberto de carpetes grossos tinha janelas, mas sem vista. No nosso primeiro Natal juntos, estávamos decididos a fazer tudo direito. Compramos uma árvore no quiosque da estação de metrô e a cobrimos de enfeites e luzes que encontramos no mercado.

Eu me lembro bem do cheiro de pinheiro, madeira e velas ardendo, e dos olhos de Kathy olhando bem nos meus, brilhantes, cintilando feito as luzes da árvore. Falei sem pensar. As palavras simplesmente saíram:

— Quer casar comigo?

Kathy ficou me olhando.

— O quê?

— Eu te amo, Kathy. Você quer se casar comigo?

Ela riu. E disse, para meu espanto e alegria:

— Sim.

No dia seguinte, fomos comprar uma aliança. E a ficha caiu: estávamos noivos.

Curiosamente, as primeiras pessoas em quem pensei foram meus pais. Queria apresentar Kathy a eles. Queria que vissem o quanto eu estava feliz, que finalmente tinha escapado, que me libertara. Assim, pegamos o trem para Surrey. Pensando bem hoje, não foi uma boa ideia. Fadada ao fracasso.

Meu pai me recebeu com a habitual hostilidade.

— Você está péssimo, Theo. Magro demais. E esse cabelo curto... Parece um prisioneiro.

— Obrigado, pai. Também fico feliz em te ver.

Minha mãe parecia mais deprimida que o normal. Mais silenciosa, parecendo menor, como se não estivesse lá. Meu pai era uma presença que pesava no ambiente, agressivo, carrancudo, o olhar furioso. Não tirava os olhos frios e sombrios de Kathy. Foi um almoço bastante desagradável. Eles pareciam não ter gostado dela, nem estar particularmente felizes por nós. Não sei por que fiquei surpreso.

Depois do almoço, meu pai desapareceu no escritório. E não voltou mais. Ao se despedir, minha mãe me reteve por tempo demais, próxima demais, sem firmeza nos pés. Senti uma tristeza terrível. Quando eu e Kathy fomos embora, senti que uma parte de mim não foi junto, tinha ficado para trás — eternamente uma criança, presa. Eu me sentia perdido, sem esperança, à beira das lágrimas. E então Kathy me surpreendeu, como sempre. Passou os braços ao meu redor, me puxando para um abraço.

— Agora eu entendi tudo. E eu te amo muito mais do que antes.

E não disse mais nada. Nem precisava.

Casamos em abril, num pequeno cartório perto de Euston Square. Os pais não foram convidados. Nem Deus. Nada de religião, por insistência de Kathy. Mas fiz uma oração mental durante a cerimônia. Agradeci a Ele em silêncio por me conceder uma felicidade tão inesperada e imerecida. Agora eu via as coisas com clareza, entendia o Seu desígnio maior.

Deus não tinha me abandonado na infância, quando eu me sentia tão sozinho e amedrontado — Ele guardava Kathy na manga, esperando para fazê-la aparecer, como um mágico habilidoso.

Eu sentia muita humildade e gratidão por cada segundo que passávamos juntos. Tinha plena consciência da sorte, da incrível felicidade de ter um amor assim, de como era raro, e de que muitos não tinham tanta sorte. A maior parte dos meus pacientes não era amada. Alicia Berenson não foi amada.

Difícil imaginar duas mulheres mais diferentes que Kathy e Alicia. Kathy me dá ideia de luz, calor, cores e riso. Quando penso em Alicia, só me vêm escuridão, profundezas, tristeza.

Silêncio.

SEGUNDA PARTE

Emoções não expressadas jamais morrem.
Elas são enterradas vivas e voltarão mais tarde, mais feias.

SIGMUND FREUD

CAPÍTULO 1

O diário de Alicia Berenson

16 DE JULHO

Jamais pensei que fosse querer que chovesse. Já estamos na quarta semana da onda de calor, e é como se fosse um teste de resistência. A impressão que dá é que cada dia está mais quente que o anterior. Nem parece a Inglaterra. Está mais para um país feito a Grécia ou algum outro lugar assim.

Estou escrevendo em Hampstead Heath. O parque está repleto de corpos seminus, rostos avermelhados, como uma praia ou um campo de batalha, deitados em cobertores ou bancos ou espalhados pela grama. Estou sentada debaixo de uma árvore, na sombra. São seis da tarde, e já começou a refrescar um pouco. Sol baixo e vermelho no céu dourado. O parque fica diferente sob essa luz. Sombras mais escuras, cores mais vívidas. A grama parece que está pegando fogo, chamas cintilam debaixo dos meus pés.

Tirei os sapatos ao vir para cá e caminhei descalça. Me lembrou de quando eu era pequena e brincava na rua. Me lembrou de outro verão, quente como esse — o verão no qual mamãe morreu —, brincando na rua com Paul, nós dois andando de bicicleta por campos dourados salpicados de margaridas, explorando casas abandonadas e pomares mal-assombrados. Na minha lembrança, esse verão nunca chega ao fim. Eu me lembro de mamãe e dos tops coloridos que ela usava, de alças amarelas, tão finas e delicadas — igual a ela. Mamãe era tão magrinha, parecia um passarinho. Ela costumava ligar o rádio e me puxar para dançar. Lembro que ela cheirava a xampu, cigarro e hidratante Nivea, sempre com um leve toque de vodca. Que idade teria na época? 28? 29? Era mais jovem do que eu agora.

Que pensamento mais estranho!

No caminho para cá vi um passarinho no meio das raízes de uma árvore. Imaginei que tivesse caído do ninho. Ele não se mexia e fiquei me perguntando se não teria quebrado as asas. Toquei levemente na cabeça dele com o dedo. Nenhuma reação. Cutuquei para virá-lo... E a parte de baixo não estava lá, havia apenas uma cavidade cheia de larvas. Larvas enormes, brancas, gosmentas, se contorcendo e se revirando... Fiquei de estômago embrulhado — achei que fosse vomitar. Era tão nojento e asqueroso — algo mortal.

Não consigo parar de pensar nisso.

17 DE JULHO

Comecei a me refugiar do calor num café com ar-condicionado na rua principal: Caffè dell'Artista. Faz um frio glacial lá dentro, parece que entrei num freezer. Gosto de uma mesa perto da janela, e eu me sento lá bebendo café gelado. De vez em quando, leio, ou desenho, ou faço anotações. Mas na maior parte do tempo deixo a mente vagar, me deleitando com o frio. A garota bonita que trabalha lá tem um ar entediado e fica o tempo todo encarando o celular e consultando o relógio, suspirando de tempos em tempos. Ontem à tarde os suspiros estavam particularmente longos, e me dei conta de que ela só estava esperando que eu fosse embora para poder fechar o lugar. Saí com relutância.

A sensação de andar nesse calor é como se arrastar na lama. Eu me sinto exausta, como se tivesse levado uma surra. Não estamos preparados para isso nesse país... Gabriel e eu nem temos ar-condicionado em casa. Quem tem? Mas sem isso não dá para dormir. À noite, a gente tira as cobertas da cama e fica deitado no escuro, nus, banhados em suor. Deixamos as janelas abertas, mas não passa nem uma brisa. Só ar quente parado.

Ontem comprei um ventilador. Coloquei-o ao pé da cama, em cima do baú.

Gabriel começou a reclamar imediatamente.

"Faz muito barulho. A gente não vai conseguir dormir."

"Mas a gente não está conseguindo dormir mesmo. Pelo menos não vamos estar numa sauna."

Gabriel resmungou um pouco, mas caiu no sono antes de mim. E eu lá, ouvindo o ventilador. Gosto do som, um zumbido suave. Consigo fechar os olhos, sintonizar com ele e desaparecer.

Agora ando pela casa carregando o ventilador aonde quer que eu vá, ligando e desligando aqui e ali. Essa tarde, levei-o para o ateliê nos fundos do jardim. Ficou praticamente suportável com o ventilador. Mas, ainda assim, quente demais para eu conseguir trabalhar de verdade. Estou atrasada... Mas, com esse calor, eu nem ligo.

De qualquer forma, consegui avançar um pouco: finalmente entendi o que tem de errado com a pintura de Jesus, por que ela não está indo em frente. O problema não é a composição, Jesus na cruz, mas o fato de não ser nem de longe um retrato de Jesus. Nem se parece com Ele — como quer que Ele fosse... Porque não é Jesus.

É Gabriel.

É inacreditável eu não ter percebido isso antes. Sem me dar conta, dei um jeito de botar Gabriel no quadro Foi o rosto dele que eu pintei, seu corpo. Não é loucura? Então vou ter que aceitar e fazer o que a pintura pede que eu faça.

Agora eu sei que, quando faço planos para uma pintura, uma ideia predeterminada de como deve ser, nunca funciona. Vem algo natimorto, sem vida. Mas, quando realmente presto atenção, ouço às vezes um sussurro apontando para a direção certa. E, se eu aceito, num ato de fé, ele me leva a um lugar inesperado, não aonde eu pretendia ir, mas a algum lugar vívido, glorioso — e o resultado independe de mim, ele tem uma força vital própria.

Acho que o que me dá medo é me entregar ao desconhecido. Eu preciso saber aonde estou indo. Por isso sempre faço tantos esboços, tentando controlar o resultado — e não surpreende que nada ganhe vida de fato, pois não estou reagindo ao que acontece à minha frente. Preciso abrir os olhos e ver, estar atenta ao fluxo da vida e não à maneira como eu queria que fosse. Agora que sei que é um retrato de Gabriel, posso voltar a trabalhar nele. Posso começar de novo.

Vou pedir a ele que pose para mim. Tem muito tempo que isso não acontece. Espero que ele goste da ideia e não ache que é um sacrilégio ou coisa parecida.

De vez em quando Gabriel consegue ser bem divertido.

18 DE JULHO

Essa manhã desci até Camden Market. Há anos não ia lá, desde que Gabriel e eu fomos juntos numa tarde em busca da sua juventude perdida. Ele costumava ir na adolescência, depois de passar a noite inteira dançando, bebendo e conversando com os amigos. Eles apareciam em Camden Market bem cedo. Ficavam observando os comerciantes montarem as barracas e tentavam descolar maconha com os traficantes rastafári que costumavam ficar pela ponte perto de Camden Lock.

Os traficantes não estavam mais lá quando Gabriel e eu fomos, para decepção dele.

"Não consigo mais reconhecer esse lugar. Virou uma armadilha para turistas completamente gentrificado."

Caminhando por lá hoje, fiquei me perguntando se o problema não seria na verdade que quem mudou foi Gabriel, e não Camden Market. O lugar ainda está cheio de adolescentes com seus 16 anos, curtindo o sol, espalhados dos dois lados do canal, um verdadeiro amontoado de corpos: garotos de bermuda arregaçada e peito nu, garotas de biquíni ou sutiã, pele para todo lado, carnes ardendo e queimando. A energia sexual era palpável — a ansiosa e impaciente sede de viver. Senti um desejo repentino por Gabriel, seu corpo e suas pernas fortes, as coxas grossas sobre as minhas. Quando fazemos sexo, sinto sempre uma fome insaciável dele, de uma espécie de união entre nós, algo maior que eu, maior que nós dois, que foge às palavras — uma coisa sagrada.

De repente, vi um sem-teto sentado ao meu lado na calçada, olhando para mim. A calça amarrada com um barbante, os sapatos remendados com fita adesiva. A pele tinha feridas; no rosto, uma erupção inchada. Subitamente fui tomada por tristeza e repulsa. Ele fedia a suor e urina. Por um segundo, achei que tivesse falado comigo. Mas só estava xingando em voz baixa — "foda-se isso", "foda-se aquilo". Catei umas moedas na bolsa e entreguei a ele.

Então voltei para casa, subindo a ladeira lentamente. Parecia muito mais íngreme. Uma eternidade naquele calor abafado. Não sei por que, mas não conseguia parar de pensar no sem-teto. Além do sentimento de pena, havia outro, que eu não conseguia identificar; uma espécie de medo. Eu o visualizei ainda bebê, nos braços da mãe. Será que ela alguma vez imaginou que o filho acabaria louco, sujo e fedorento, tentando se aconchegar na rua, murmurando obscenidades?

Pensei na minha mãe. Será que ela era louca? Por isso ela fez o que fez? Por que ela afivelou o cinto em mim no banco do carona do seu Mini amarelo e dirigiu de encontro àquele muro? Eu gostava daquele carro, daquele amarelo-canário alegre. O mesmo amarelo da minha caixa de tintas. Agora eu odeio essa cor — toda vez que a uso, penso na morte.

Por que ela fez aquilo? Acho que nunca vou saber. Eu costumava pensar que foi um suicídio. Agora acho que foi uma tentativa de assassinato. Afinal, eu não estava no carro? Às vezes acho que era para ser eu a vítima — ela estava tentando me matar, e não a si mesma. Mas isso é loucura. Por que ela iria querer me matar?

Meus olhos ficaram marejados de lágrimas enquanto eu subia a colina. Eu não chorava pela minha mãe, nem por mim mesma, nem sequer pelo pobre-coitado do sem-teto. Estava chorando por todos nós. É tanto sofrimento para todo lado, e a gente se limita a fechar os olhos. A verdade é que todo mundo tem medo. Um verdadeiro pavor uns dos outros. Eu tenho pavor de mim mesma, e da minha mãe em mim. A sua loucura não estaria no meu sangue? Está? Será que eu vou...

Não. Para. Para...

Eu não vou escrever sobre isso. Não vou.

20 DE JULHO

Ontem à noite Gabriel e eu saímos para jantar. É um hábito das sextas--feiras. Ele chama de "noite romântica", com um sotaque americano meio pateta.

Gabriel sempre diminui os próprios sentimentos e zomba de tudo que considere "meloso". Ele gosta de se achar cínico e frio. Mas, na verdade, ele é um sujeito profundamente romântico — não por causa do que diz, mas no coração. Os atos valem mais que as palavras, certo? E os atos de Gabriel fazem com que eu me sinta totalmente amada.

"Para onde você quer ir?", perguntei.

"Três chances."

"Augusto's?"

"De primeira!"

O Augusto's é um restaurante italiano, nosso preferido, aqui na rua mesmo. Não tem nada de especial, mas a gente se sente em casa, e já passamos muitas noites felizes lá. Fomos por volta das oito. O ar--condicionado não estava funcionando, então a gente se sentou ao lado da janela aberta naquele ar parado, quente e úmido, bebendo vinho branco seco gelado. No fim eu já estava bem bêbada, e a gente riu muito, sem motivo nenhum, na verdade, só bobagem. A gente se beijou em frente ao restaurante e transou quando voltou para casa.

Felizmente, Gabriel acabou aceitando a ideia do ventilador, pelo menos quando estamos na cama. Eu o coloquei bem na nossa frente, e ficamos lá deitados na brisa fresca, nos braços um do outro. Ele afagava os meus cabelos e me beijava, e sussurrou:

"Eu te amo."

Eu não disse nada; não precisava. Ele conhece os meus sentimentos.

Mas estraguei o clima todo de um jeito besta e desajeitado, quando perguntei se ele não queria posar para mim.

"Eu quero pintar você."

"De novo? Você já me pintou."

"Isso já tem quatro anos. Eu quero pintar você de novo."

"Ã-hã. No que você está pensando?" Ele não parecia nada empolgado

Hesitei, e acabei dizendo que era para o quadro de Jesus. Gabriel se recostou na cama e conteve uma risada.

"Alicia, por favor..."

"O quê?"

"Eu não sei não, amor. Acho que não..."

"Por que não?"

"O que você acha? Me pintar na cruz? O que as pessoas vão dizer?"

"E desde quando você se importa com o que os outros dizem?"

"Eu não me importo, na maioria dos casos, mas... Você sabe, podem pensar que é como você me vê."

Eu ri.

"Eu não acho que você seja o filho de Deus, se é isso que você quer dizer. É só uma imagem, aconteceu naturalmente quando eu estava pintando. Não pensei conscientemente."

"Bem, talvez devesse."

"Por quê? O quadro não é um comentário sobre você nem sobre o nosso casamento."

"Então o que ele é?"

"Como é que eu vou saber?"

Agora foi Gabriel quem deu uma risada, e revirou os olhos.

"Ok. Que se foda. Se você quer... A gente pode tentar. Você deve saber o que está fazendo."

Não parecia que ele me apoiava tanto assim. Mas eu sei que Gabriel acredita em mim e no meu talento; eu jamais teria me tornado pintora se não fosse por ele. Se ele não tivesse me provocado, estimulado e cutucado, eu jamais teria seguido em frente naqueles primeiros anos depois da faculdade, quando nada acontecia, quando estava pintando paredes com Jean-Felix. Antes de conhecer Gabriel, eu estava meio que perdida. Não sinto a menor falta daqueles boêmios drogados que se passavam por meus amigos aos 20 e poucos anos. Eu só os via à noite; quando o sol nascia eles desapareciam, feito vampiros fugindo da luz. Quando conheci Gabriel, eles desapareceram por completo e eu nem percebi. Não precisava mais deles, não precisava de ninguém, agora que tinha Gabriel. Ele me salvou... Como Jesus. Talvez a pintura fale disso. Gabriel é o meu mundo, e tem sido assim desde que nos conhecemos. Eu sempre vou amá-lo, não importa o que ele faça, não importa o que aconteça, não importa o quanto ele me aborreça, não importa o quão descuidado e bagunçado ele seja, o quão egoísta e desatencioso... Eu o aceito como ele é.

Até que a morte nos separe.

21 DE JULHO

Hoje Gabriel veio posar para mim no ateliê.

"Eu não vou passar dias e mais dias aqui outra vez", já foi avisando. "De quanto tempo você precisa?"

"Vou precisar de mais de uma sessão para conseguir um resultado decente."

"Por acaso isso é algum truque para a gente ficar mais tempo junto? Se for, que tal pular as preliminares e irmos logo para a cama?

Eu ri.

"Quem sabe depois. Se você se comportar e não se mexer muito."

Eu o posicionei de pé em frente ao ventilador. Seus cabelos esvoaçavam ao vento.

"Como fica melhor?", ele perguntou, fazendo uma pose.

"Não, assim não. É só ser você mesmo."

"Você não quer uma expressão de angústia?"

"Não sei se Jesus estava angustiado. Não é como o vejo. Não faz expressão nenhuma, só fica aí. Sem se mexer."

"É você que manda."

Ele ficou parado uns vinte minutos. Até que desfez a pose, dizendo que estava cansado.

"Então senta. Mas sem falar. Eu estou trabalhando no rosto."

Gabriel se sentou numa cadeira e ficou parado enquanto eu trabalhava. Eu gostava de pintar o rosto dele. É um rosto harmonioso. Maxilar forte, maçãs pronunciadas, nariz elegante. Sentado debaixo do holofote, ele parecia uma estátua grega. Um herói.

Mas havia alguma coisa errada. Não sei bem o que, talvez eu estivesse forçando a barra. Simplesmente não conseguia acertar a forma dos olhos, nem a cor. A primeira coisa que notei em Gabriel quando o conheci foi o brilho nos olhos, como um minúsculo diamante em cada íris. Mas agora não estava conseguindo capturá-lo. Talvez seja falta de talento minha, ou quem sabe Gabriel tenha alguma coisa a mais que não dê para capturar numa pintura. Os olhos saíam mortiços, sem vida. Eu sentia que estava começando a me aborrecer.

"Merda. Não está indo nada bem."

"Hora de fazer uma pausa?"

"Sim. Hora de fazer uma pausa."

"Sexo?"

Isso me fez rir.

"Tá bom."

Gabriel pulou da cadeira, me agarrou e me beijou. Fizemos amor no ateliê, ali mesmo no chão.

O tempo todo, eu ficava olhando para os olhos sem vida no retrato dele. Eles olhavam fixamente para mim, me marcando a ferro e fogo. Eu precisei desviar o olhar.

Mas ainda os sentia me observando.

CAPÍTULO 2

FUI ENCONTRAR DIOMEDES PARA RELATAR minha sessão com Alicia. Ele estava em sua sala, revirando pilhas de partituras.

— Então? — perguntou, sem olhar para mim. — Como foi?

— Não foi.

Diomedes me lançou um olhar intrigado.

Hesitei.

— Para chegar a algum lugar com Alicia, eu preciso que ela seja capaz de pensar e sentir.

— Com certeza. E qual é a sua preocupação?

— É impossível acessar alguém que está sob uma carga de medicação tão pesada. É como se ela estivesse debaixo da água.

Diomedes franziu o cenho.

— Isso me parece exagerado. Não sei ao certo a dose que ela está tomando...

— Eu verifiquei com Yuri. Dezesseis miligramas de risperidona. Uma dose cavalar.

Diomedes arqueou uma sobrancelha.

— Sem dúvida bem alta, sim. Provavelmente pode ser reduzida. Christian é o chefe da equipe de atendimento de Alicia. Você vai ter que falar com ele.

— Acho que vai ser melhor se isso partir de você.

— Humm... — Diomedes me encarou como se desconfiasse de mim. — Você e Christian se conhecem, não é? De Broadmoor?

— Só por alto.

Diomedes não falou nada de imediato. Pegou na sua mesa um pratinho de amêndoas caramelizadas e me ofereceu.

Fiz que não.

Ele jogou uma amêndoa na boca e ficou me observando enquanto mastigava.

— Me diga, está tudo bem entre você e Christian?

— Que pergunta estranha. Por que está perguntando isso?

— Porque estou sentindo certa hostilidade.

— Não da minha parte.

— E dele?

— Você vai ter que perguntar a ele. Eu não tenho nenhum problema com Christian.

— Humm... Talvez eu esteja imaginando coisas. Mas eu sinto algo... Preste atenção nisso. Qualquer agressividade ou competitividade interfere no trabalho. Vocês dois precisam trabalhar juntos, e não um contra o outro.

— Eu sei.

— Bom, Christian precisa ser incluído nessa discussão. Você quer que Alicia sinta, certo. Mas lembre-se: com grandes sentimentos vêm grandes perigos.

— Perigo para quem?

— Para Alicia, naturalmente. — Diomedes fez que não com o dedo. — Não se esqueça de que ela tinha uma forte intenção suicida quando foi trazida para cá. Alicia realizou numerosas tentativas de acabar com a própria vida. E a medicação a mantém estável. A mantém viva. Se baixarmos a dose, são grandes as chances de ela ser dominada pelos próprios sentimentos, incapaz de encará-los. Está disposto a assumir esse risco?

Eu levei a sério o que Diomedes disse. Mas assenti.

— É um risco que considero necessário assumir, professor. Caso contrário, nunca vamos acessar Alicia.

Diomedes deu de ombros.

— Então eu vou falar com Christian.

— Obrigado.

— Vamos ver como ele vai reagir. Psiquiatras não costumam reagir bem quando alguém aparece para dizer como medicar seus pacientes. Naturalmente, posso me impor a ele, mas não costumo fazer isso. Quero levantar a questão com ele de modo sutil. Depois conto a você o que ele disser.

— Talvez seja melhor não mencionar o meu nome quando falar com ele.

— Entendo. — Diomedes abriu um sorriso estranho. — Muito bem, não vou mencionar.

Ele pegou uma caixinha na mesa, e ao abrir a tampa vi uma fileira de cigarros. Diomedes me ofereceu um. Acenei negativamente com a cabeça.

— Você não fuma? — Ele parecia surpreso. — Para mim você parece um fumante.

— Não, não. Só um cigarro ou outro de vez em quando, muito eventualmente. Estou tentando parar.

— Ótimo, bom para você. — Ele abriu a janela. — Você conhece aquela piada sobre não poder ser terapeuta e fumante ao mesmo tempo? Porque isso significa que a sua cabeça ainda está fodida. — Ele deu uma risada e levou um cigarro à boca. — Acho que aqui todo mundo é meio louco. Lembra aquela placa que costumavam botar nos escritórios? "Não é preciso ser louco para trabalhar aqui, mas ajuda."

Diomedes riu de novo. Acendeu o cigarro e deu uma baforada, jogando a fumaça para fora. Eu o observava com inveja.

CAPÍTULO 3

DEPOIS DO ALMOÇO, VAGUEI PELOS corredores, procurando uma saída. Queria dar uma escapulida para fumar um cigarro, mas fui descoberto por Indira perto da escada de incêndio. Ela achou que eu estava perdido.

— Não se preocupe, Theo — disse, me tomando pelo braço. — Eu levei meses para me situar por aqui. Parece um labirinto sem saída. Às vezes eu ainda me perco, e estou aqui tem dez anos.

Ela deu uma risada. E, antes que eu pudesse fazer qualquer objeção, estava me conduzindo escada acima para uma xícara de chá no "aquário".

— Vou colocar a água para ferver. Que tempinho desgraçado, hein? Seria melhor que começasse a nevar de uma vez para acabar com isso... A neve é um símbolo muito forte no imaginário, você não acha? Ela limpa tudo. Já notou como os pacientes gostam de falar da neve? Tenta observar. É interessante.

Para minha surpresa, ela enfiou a mão na bolsa e pegou um enorme pedaço de bolo embrulhado em papel-filme. E o colocou na minha mão.

— Toma. Bolo de nozes. Fiz ontem à noite. Para você.

— Puxa, obrigado. Eu...

— Sei que não é nada convencional, mas eu sempre consigo resultados melhores com pacientes difíceis quando ofereço uma fatia de bolo na sessão.

Eu ri.

— Aposto que sim. Eu sou um paciente difícil?

Indira também riu.

— Não, embora eu também ache que funcione bem com membros difíceis da equipe... O que você também não é, por sinal. Um pouquinho de açúcar ajuda bastante a melhorar o humor. Eu fazia bolos para o refeitório, mas Stephanie criou tanto caso, toda aquela bobajada de saúde e segurança em alimentos trazidos de fora... Parecia que eu estava contrabandeando limas para serrarem as grades. Mas eu continuo fazendo os meus bolinhos na moita de vez em quando. Minha rebelião contra o Estado ditatorial. Come um pedaço.

Não era uma sugestão, mas uma ordem. Dei uma mordida. Era gostoso. Boa consistência, cheio de pedaços de nozes, doce. Estava de boca cheia, por isso tratei de cobri-la enquanto falava.

— Não tenho a menor dúvida de que isso vai deixar os seus pacientes de bom humor.

Indira riu, parecendo contente. Percebi por que gostava dela: ela irradiava uma espécie de calma maternal. Lembrava minha antiga terapeuta, Ruth. Era difícil imaginá-la irritada ou chateada.

Dei uma olhada na sala enquanto ela fazia o chá. O posto de enfermagem é sempre o centro de uma unidade psiquiátrica, o coração do lugar: a equipe entra e sai, e é de lá que a ala é administrada no dia a dia; ou pelo menos onde são tomadas as decisões práticas. *Aquário* era o apelido que as próprias enfermeiras davam ao posto, porque as paredes eram feitas de vidro reforçado, o que significava que a equipe podia ficar de olho nos pacientes na sala de recreação, pelo menos em teoria. Na prática, os pacientes rondavam do lado de fora incansavelmente, olhando para nós, e, portanto, nós é que estávamos sob constante observação. Como o espaço era pequeno, não havia cadeiras suficientes, e as existentes em geral estavam ocupadas por enfermeiras trabalhando nos computadores. De modo que, em geral, ficava-se no meio da sala ou recostado de mau jeito numa mesa, o que fazia o local parecer apinhado, não importa quantas pessoas estivessem lá dentro.

— Aqui está, meu bem.

Indira me entregou uma xícara de chá.

— Obrigado.

Christian entrou e me cumprimentou com um aceno de cabeça. Exalava um forte cheiro do chiclete de menta que estava sempre mascando. Lembro que ele fumava muito quando trabalhávamos em Broadmoor; era uma das poucas coisas que tínhamos em comum. Mas desde então ele parara de fumar, havia se casado e tinha uma filhinha. Eu me perguntava que tipo de pai Christian seria. Não me parecia uma pessoa particularmente compassiva.

Ele me lançou um sorriso frio.

— Engraçado encontrar você de novo, Theo.

— Mundo pequeno.

— O mundo da saúde mental é mesmo, com certeza.

Ele disse isso como se quisesse deixar implícito que também podia ser encontrado em outros mundos, mais amplos. Tentei imaginar como seriam. Só conseguia visualizá-lo na academia ou num campo de rugby.

Christian me encarou por alguns segundos. Eu tinha me esquecido desse hábito que ele tinha de fazer uma pausa, às vezes demorada, obrigando o interlocutor a esperar enquanto ele analisava sua resposta. Isso me irritava agora do mesmo jeito que me irritava em Broadmoor.

— Você entrou na equipe num momento nada propício — disse por fim. — A espada de Dâmocles está pendendo sobre o Grove.

— Você acha que a situação está tão ruim assim?

— É só uma questão de tempo. Mais cedo ou mais tarde, a Fundação vai fechar as nossas portas. A questão então é: o que você está fazendo aqui?

— Como assim?

— Bem, quando o navio começa a afundar, os ratos saem correndo. Eles não sobem a bordo.

Fiquei perplexo com a agressão direta de Christian. Decidi não aceitar a provocação. Dei de ombros.

— É possível. Mas eu não sou um rato.

Antes que ele pudesse responder, levamos um susto com uma pancada violenta no vidro. Elif estava do outro lado da vidraça, esmurrando-a. O rosto pressionado contra ela, o nariz espremido, os traços distorcidos, fazendo-a quase parecer um monstro.

— Eu não vou mais tomar essa merda. Eu odeio isso... Essas merdas dessas pílulas, cara...

Christian abriu uma portinhola no vidro e falou por ela:

— Agora não é hora de discutir isso, Elif.

— Eu estou falando sério, eu não vou mais tomar, elas me deixam enjoada...

— Eu não vou falar sobre isso agora. Marque uma hora para a gente conversar. Por favor, se afaste.

Elif fez cara feia, refletindo por um momento. Até que se virou e se afastou com passos pesados, deixando um leve círculo de condensação no ponto onde havia pressionado o nariz no vidro.

— Que figura — comentei.

Christian resmungou:

— Difícil.

Indira fez que sim com a cabeça.

— Pobre Elif.

— Ela está aqui por quê?

— Duplo homicídio — respondeu Christian. — Matou a mãe e a irmã. Sufocadas enquanto dormiam.

Perscrutei o que estava acontecendo do outro lado do vidro. Elif havia se juntado aos outros pacientes. Ela era muito maior que todos os outros. Um deles lhe entregou dinheiro, que ela meteu no bolso.

Até que notei Alicia num canto da sala, sentada sozinha, perto da janela, olhando para fora. E fiquei observando-a por um momento.

Christian acompanhou meu olhar e disse:

— Por sinal, tenho conversado sobre Alicia com o professor Diomedes. Quero ver como é que ela se sai com uma dose menor de risperidona. Baixei para cinco miligramas.

— Entendo.

— Achei que você gostaria de saber, já que ouvi dizer que você teve uma sessão com ela.

— Sim.

— Vamos ter que acompanhar Alicia de perto para ver como ela vai reagir à mudança. E, por falar nisso, da próxima vez que tiver algum problema com a medicação de algum paciente meu, pode falar diretamente comigo. Não fica procurando Diomedes pelas minhas costas. — Christian olhava feio para mim.

Respondi com um sorriso.

— Eu não agi pelas costas de ninguém. Não tenho o menor problema em falar diretamente com você, Christian.

Houve um momento de silêncio constrangedor. Christian assentiu com a cabeça para si mesmo, como se tivesse tomado uma decisão.

— Você já se deu conta de que Alicia é borderline, né? Ela não reage à terapia. Você está perdendo tempo.

— Como você sabe que ela tem personalidade borderline, se ela não consegue falar?

— Ela não quer falar.

— Você acha que ela está fingindo?

— Sim, eu realmente acho.

— Mas se ela está fingindo como pode ser borderline?

Christian pareceu irritado.

Indira interrompeu antes que ele pudesse retrucar.

— Com o devido respeito, não considero que palavras genéricas como borderline sejam de grande ajuda. Elas não dizem nada de muito útil. — Ela olhou para Christian. — Christian e eu com frequência discordamos nessa questão.

— E como você se sente a respeito de Alicia? — perguntei.

Indira refletiu por um instante.

— Eu me sinto muito maternal em relação a ela. É a minha contratransferência, o que ela manifesta em mim. Sinto que ela precisa de alguém que cuide dela. — Indira sorriu para mim. — E agora ela tem alguém. Ela tem você.

Christian deu aquela risada irritante.

— Me desculpem se pareço obtuso, mas como Alicia poderia se beneficiar da terapia se ela não fala?

— Terapia não é só uma questão de falar — respondeu Indira. — É uma questão de proporcionar um espaço seguro, um ambiente de acolhimento. A maior parte da comunicação é não verbal, como eu tenho certeza de que você sabe.

Christian revirou os olhos para mim.

— Boa sorte, parceiro. Você vai precisar.

CAPÍTULO 4

— OLÁ, ALICIA.

Poucos dias haviam se passado desde a diminuição da medicação, mas a diferença já era visível em Alicia. Seus movimentos pareciam mais fluidos. Seus olhos estavam mais nítidos. O olhar enevoado se fora. Parecia outra pessoa.

De pé à porta com Yuri, ela hesitou. Alicia me encarava como se me visse com clareza pela primeira vez, me avaliando, digerindo o que via. Eu me perguntava a que conclusão estaria chegando. Por fim, ela considerou que era seguro e entrou. Sem precisar de convite, sentou-se.

Fiz um gesto para que Yuri se retirasse. Ele refletiu por um segundo, então fechou a porta ao sair.

Eu me sentei de frente para Alicia. Houve um momento de silêncio. Apenas o barulho constante da chuva lá fora, gotas tamborilando na janela. E, por fim, perguntei:

— Como você está se sentindo?

Silêncio. Alicia me encarava. Os olhos pareciam lâmpadas, sem piscar.

Abri a boca e voltei a fechá-la. Estava decidido a resistir à tentação de preencher o vazio falando. Em vez disso, me limitando a ficar em silêncio na sua presença eu esperava comunicar algo diferente, algo não verbal: que estava tudo bem se ficássemos apenas sentados daquele jeito, que eu não iria machucá-la, que ela podia confiar em mim. Para conseguir fazer Alicia falar, eu precisava conquistar sua confiança. O que levaria tempo, nada poderia ser feito da noite para o dia. O processo avançaria lentamente, como uma geleira, mas avançaria.

Enquanto estávamos os dois lá sentados em silêncio, minhas têmporas começaram a latejar. Um princípio de dor de cabeça. Um sintoma revelador. Pensei em Ruth, que costumava dizer que: "Um bom terapeuta precisa ser receptivo aos sentimentos do paciente, mas sem se apegar a eles. Os sentimentos não são dele, não pertencem a ele." Em outras palavras, aquelas pancadas na minha cabeça não eram uma dor minha; ela pertencia a Alicia. E a súbita onda de tristeza, o desejo de morrer, morrer, simplesmente morrer, tampouco me pertencia. Era dela, tudo dela. E fiquei lá, sentindo por Alicia, a cabeça latejando, o estômago embrulhado, pelo que pareceram horas intermináveis. Até que os cinquenta minutos chegaram ao fim.

Olhei para o relógio.

— Agora precisamos encerrar.

Alicia baixou a cabeça, olhando para o colo. Hesitei. E sem querer abandonei as minhas reservas. Baixando a voz, falei de coração:

— Eu quero ajudar você, Alicia. Preciso que acredite nisso. A verdade é que quero ajudar você a ver o mundo com clareza.

Com isso, Alicia ergueu o olhar. Ela olhou para mim — através de mim.

Você não tem como me ajudar, clamavam seus olhos. *Imagina só, você mal consegue ajudar a si mesmo. Você finge saber tanta coisa e ser tão esperto, mas você é que devia estar sentado aqui no meu lugar. Você é louco. Uma fraude. Um mentiroso. Mentiroso...*

Enquanto Alicia me encarava, caiu a ficha do que havia me deixado perturbado a sessão inteira. É difícil encontrar palavras para descrever isso, mas um terapeuta rapidamente aprende a reconhecer o sofrimento mental por meio do comportamento físico, da fala e de certo brilho no olhar — uma apreensão, um medo, uma loucura. E era o que estava me incomodando: apesar daqueles anos de medicação, de tudo que havia feito e suportado, os olhos azuis de Alicia continuavam claros e límpidos feito um dia de verão. Ela não estava louca. O que havia, então? Que expressão era aquela em seus olhos? Qual seria a palavra exata? Era...

Antes que eu pudesse concluir o raciocínio, Alicia pulou da cadeira. Ela se lançou sobre mim, as mãos estendidas feito garras. Não tive tempo de me mover ou sair da frente. Ela caiu em cima de mim, me fazendo perder o equilíbrio. E fomos ao chão.

A parte de trás da minha cabeça bateu na parede com um baque. Ela segurou a minha cabeça e bateu com ela na parede de novo e de novo, e começou a me arranhar e me dar tapas — precisei reunir todas as minhas forças para me desvencilhar dela.

Eu me arrastei pelo chão e estiquei o braço para o tampo da mesa. Tateei-o até encontrar o alarme. Quando meus dedos conseguiram segurá-lo, Alicia pulou em cima de mim e o arrancou da minha mão.

— Alicia...

Seus dedos apertavam meu pescoço, me sufocando — e eu tentava reaver o alarme, sem alcançá-lo. Suas mãos pressionavam cada vez mais; eu não conseguia respirar. Fiz outra tentativa de pegar o alarme e então consegui agarrá-lo. E o acionei.

Um apito agudo imediatamente se fez ouvir, praticamente me ensurdecendo. Mas ao longe ouvi o som de uma porta se abrindo e Yuri pedindo ajuda. Alicia foi contida e arrastada para longe de mim, liberando minha garganta, enquanto eu ofegava.

Foram necessários quatro enfermeiros para conter Alicia. Ela se contorcia e chutava e lutava como se estivesse possuída. Não parecia humana, mas um animal selvagem; algo monstruoso. Christian apareceu e a sedou. E ela ficou inconsciente.

Enfim, houve silêncio.

CAPÍTULO 5

— **Vai doer um pouco.**

No aquário, Yuri tratava dos meus arranhões que sangravam. Ele abriu o vidro de antisséptico e embebeu um cotonete do líquido. O cheiro me transportou para a enfermaria da escola, evocando lembranças das cicatrizes de batalha no pátio, joelhos esfolados e cotovelos arranhados. Me veio aquela sensação boa e acolhedora de ser cuidado pela enfermeira-chefe, com ataduras e uma bala de recompensa pela minha coragem. Mas a dor do antisséptico na pele me trouxe vividamente de volta ao presente, e os ferimentos que eu tinha não seriam curados com tanta facilidade. Eu me retraí.

— A sensação que dá é de que ela bateu com a merda de um martelo na minha cabeça.

— Foi uma contusão bem feia. Amanhã vai aparecer um galo. Melhor ficar de olho. — Yuri balançou a cabeça. — Eu não devia ter deixado você sozinho com ela.

— Você não teve escolha.

— Isso é verdade — resmungou ele.

— Obrigado por não dizer "eu avisei". Fico muito satisfeito.

Yuri deu de ombros.

— Eu não preciso dizer nada, parceiro. O professor vai fazer isso por mim. Ele quer ver você no escritório dele.

— Ah...

— Pelo olhar dele, que bom que não é o meu na reta.

Comecei a me levantar.

Yuri me observava com atenção.

— Vai com calma. Leva o tempo que precisar. Vê se você já está em condições. Me avisa se sentir qualquer tontura ou dor de cabeça.

— Eu estou bem. Eu juro.

O que não era totalmente verdade, mas eu também não me sentia tão mal quanto parecia estar. Escoriações, contusões no pescoço, onde ela tentara me estrangular — Alicia havia enfiado os dedos com tanta força que tinha arrancado sangue.

Bati à porta do professor. Diomedes arregalou os olhos ao me ver. E estalou a língua em reprovação.

— Precisou levar pontos?

— Não, não, é claro que não. Eu estou bem.

Diomedes me encarou com descrença no olhar e me conduziu para dentro.

— Entre, Theo. Sente-se.

Os outros estavam lá. Christian e Stephanie de pé. Indira sentada perto da janela. Parecia uma recepção formal, e eu me perguntei se seria demitido.

Diomedes se sentou à sua mesa. Fez um gesto me convidando a sentar na cadeira que restava. Eu me sentei. Ele ficou me olhando em silêncio por um momento, tamborilando sobre a mesa, pensando no que dizer, ou em como dizer. Antes que pudesse se decidir, entretanto, Stephanie tomou a dianteira.

— Um incidente lamentável. Extremamente lamentável. — Ela se virou para mim. — Claro que estamos todos aliviados de vê-lo ainda inteiro. O que não muda o fato de que são muitas questões a serem avaliadas. E a primeira é saber o que você estava fazendo sozinho com Alicia.

— Foi culpa minha. Eu pedi a Yuri que se retirasse. Assumo plena responsabilidade.

— Com que autoridade você tomou essa decisão? Se um de vocês dois tivesse se ferido gravemente...

Diomedes interrompeu.

— Por favor, não sejamos dramáticos. Felizmente ninguém saiu ferido. — E apontou com desdém para mim. — Alguns arranhões não justificam uma corte marcial.

Stephanie não pareceu ter gostado do comentário.

— Não acho que seja hora de fazer piadas, professor. Eu realmente não acho.

— Quem está fazendo piadas? — Diomedes se voltou para mim. — Estou falando com toda seriedade. E então, Theo. O que aconteceu?

Senti todos os olhares voltados para mim, e me dirigi a Diomedes, escolhendo cuidadosamente as palavras.

— Bem, ela me atacou. Foi isso que aconteceu.

— Isso é óbvio. Mas por quê? Devo presumir que não foi provocada?

— Claro. Pelo menos não conscientemente.

— E inconscientemente?

— Bom, Alicia estava reagindo a mim em algum nível, o que é natural. Acredito que isso mostra o quanto ela quer se comunicar.

Christian riu.

— Você chama isso de comunicação?

— Sim, chamo. A raiva é uma forma poderosa de comunicação. Os outros pacientes, esses zumbis que ficam por aí sentados, vazios por dentro, desistiram. Mas Alicia não. Esse ataque nos diz algo que ela não é capaz de articular diretamente, algo da sua dor, do seu desespero, da sua angústia. Ela estava pedindo que eu não desistisse dela, que não desistisse ainda.

Christian revirou os olhos.

— Uma interpretação menos poética poderia ser que ela estava sem a medicação e totalmente transtornada. — Ele se virou para Diomedes. — Eu disse que isso ia acontecer, professor. Eu avisei que era perigoso baixar a dose.

— É mesmo, Christian? — intervim. — Achei que a ideia tivesse sido sua.

Christian dispensou meu comentário com um olhar de desprezo. Ele era psiquiatra até a raiz do cabelo, pensei. Com isso queria dizer que psiquiatras tendem a desconfiar do pensamento psicodinâmico. Eles preferem uma abordagem mais biológica, química e, acima de tudo, prática — como, por exemplo, os copinhos de pílulas que Alicia tomava em todas as refeições. Os olhos semicerrados e nada amistosos de Christian diziam que eu não tinha nenhuma contribuição a dar ali.

Diomedes, no entanto, me enxergava com mais consideração.

— Parece que o ocorrido não deixou você desmotivado, Theo.

Eu acenei negativamente com a cabeça.

— Pelo contrário, serviu para me estimular.

Diomedes assentiu, parecendo satisfeito.

— Ótimo. Concordo, uma reação tão intensa sem dúvida merece ser investigada. Acho que você deve prosseguir.

Ao ouvir isso, Stephanie não conseguiu mais se conter.

— Isso está totalmente fora de cogitação.

Diomedes continuou falando como se ela não tivesse dito nada. Ele ainda olhava para mim.

— Você acha que consegue fazer com que ela fale?

Antes que eu pudesse responder, uma voz se fez ouvir atrás de mim.

— Acho que consegue, sim.

Era Indira. Quase havia me esquecido de que ela estava ali. Então me virei.

— E, de certa forma — prosseguiu Indira —, Alicia já começou a falar. Ela está se comunicando por meio de Theo, ele intercede a favor dela. Isso já está acontecendo.

Diomedes concordou. Ele pareceu pensativo por um momento. Eu sabia o que passava pela sua cabeça: Alicia Berenson era uma paciente famosa, uma excelente forma de barganhar com a Fundação. Se pudéssemos apresentar progressos comprovados com ela, teríamos muito mais chances de evitar o fechamento do Grove.

— Em quanto tempo vamos poder ter resultados? — perguntou Diomedes.

— Não tenho como dizer ao certo — respondi. — Você sabe tanto quanto eu. Leva o tempo que for necessário. Seis meses. Um ano. Talvez mais... Podem ser anos.

— Você tem seis semanas.

Stephanie se empertigou e cruzou os braços.

— Eu sou responsável por essa unidade, e simplesmente não posso permitir...

— Eu sou o diretor clínico do Grove. A decisão cabe a mim, não a você. Assumo plena responsabilidade pelas lesões sofridas pelo nosso resignado terapeuta aqui — avisou Diomedes, piscando para mim.

Stephanie não disse mais nada. Encarou Diomedes com fúria no olhar, depois olhou para mim. Ela se virou e se retirou.

— Caramba — disse Diomedes. — Parece que você ganhou uma inimiga. Que pena. — Ele compartilhou um sorriso com Indira, depois se virou para mim com um olhar sério. — Seis semanas. Sob a minha supervisão. Entendido?

Concordei — não tinha escolha.

— Seis semanas.

— Muito bem.

Christian se levantou, visivelmente contrariado.

— Alicia não vai falar em seis semanas, nem em seis décadas. Vocês estão perdendo tempo.

Ele se retirou. Eu me perguntava por que Christian tinha tanta certeza do meu fracasso.

Mas isso me deixou ainda mais decidido a ter êxito.

CAPÍTULO 6

Entrei em casa exausto. Por força do hábito, tentei acender a lâmpada do hall de entrada, embora estivesse queimada. Vivíamos falando que tínhamos que trocá-la, mas sempre esquecíamos.

Logo percebi que Kathy não estava em casa. Estava tudo muito silencioso, e ela era incapaz de fazer silêncio. Kathy não era barulhenta, mas seu mundo era repleto de sons — conversar ao telefone, decorar falas, ver filmes, cantar, cantarolar, ouvir bandas das quais eu nunca tinha ouvido falar. Mas agora o apartamento estava silencioso feito um túmulo. Chamei por ela. Força do hábito, outra vez — ou talvez sentimento de culpa, querendo me certificar de estar sozinho para poder cometer uma transgressão.

— Kathy?

Nada.

Avancei devagar pelo escuro até a sala de estar. Acendi a luz.

A sala saltou aos meus olhos daquele jeito que sempre acontece quando se tem mobília nova até que se acostume com ela: cadeiras novas, almofadas novas; novas cores, vermelhos e amarelos, onde antes havia preto e branco. Sobre a mesa, um vaso de lírios cor-de-rosa, as flores favoritas de Kathy; seu perfume almiscarado forte tornava o ar pesado e difícil de respirar.

Que horas eram? Oito e meia. Onde ela estava? Algum ensaio? Kathy estava numa nova produção de *Otelo* na Royal Shakespeare Company, e a coisa não estava evoluindo muito bem. Os ensaios infindáveis já estavam cobrando seu preço. Ela andava visivelmente cansada, pálida, mais magra, tentando não sucumbir a um resfriado.

— Parece que eu estou doente o tempo todo. Que merda — queixou-se. — Eu estou exausta.

E era verdade; a cada noite ela voltava mais e mais tarde do ensaio, com um aspecto terrível; ela chegava bocejando e ia direto para a cama. Então era provável que ainda fosse demorar mais uma ou duas horas. Decidi arriscar.

Peguei o pote de maconha no esconderijo e comecei a enrolar um baseado.

Eu fumava desde a faculdade. Tinha fumado pela primeira vez no primeiro período, sozinho e sem amigos numa festa de calouros, tão paralisado de medo que nem pensava em puxar conversa com algum daqueles jovens bonitos e confiantes ao meu redor. Já estava planejando uma fuga estratégica quando a garota ao meu lado me ofereceu algo. Achei que era um cigarro comum, até sentir o cheiro forte e picante da fumaça. Tímido demais para recusar, aceitei e levei o baseado à boca. Tinha sido muito mal apertado e toda hora descolava, se desfazendo na ponta acesa. A outra ponta estava molhada e com uma mancha vermelha de batom. Era diferente do gosto de cigarro; mais forte e encorpado, mais exótico. Engoli aquela fumaça espessa tentando não tossir. Inicialmente, senti apenas uma leveza nos pés. Como acontecia com sexo, era evidente que faziam em torno da maconha todo um escarcéu que não se justificava. Até que, mais ou menos um minuto depois, algo aconteceu. Uma coisa surpreendente. Era como ser engolido por uma enorme onda de bem-estar. Eu me sentia seguro, relaxado, à vontade, meio bobo e espontâneo.

E pronto. Não demorou para que estivesse fumando maconha todo dia. Ela se tornou minha melhor amiga, minha inspiração, meu consolo.

Um infindável ritual para enrolar, lamber, acender. Eu já ficava doidão com o simples barulhinho da seda e a expectativa daquele barato inebriante e acolhedor.

Existem as mais diversas teorias sobre as causas do vício. Poderia ser genético; poderia ser químico; poderia ser psicológico. Mas a maconha estava fazendo muito mais que apenas me acalmar: o mais importante era que alterava a maneira como eu vivia minhas emoções; me acolhia e fazia com que eu me sentisse seguro feito uma criança amada.

Em outras palavras, me continha.

O psicanalista W. R. Bion cunhou o termo *contenção* para se referir à capacidade da mãe de administrar a dor do bebê. Vale lembrar que a primeira infância não é uma época de alegria, mas de terror. Quando bebês, estamos presos num mundo estranho, incapazes de enxergar direito, constantemente surpreendidos pelo nosso corpo, alarmados com a fome, o vento, os movimentos intestinais, sobrecarregados pelos sentimentos. Estamos quase literalmente sendo atacados. Precisamos da mãe para aplacar o nosso sofrimento e conferir sentido à nossa experiência. À medida que ela o faz, lentamente vamos aprendendo a administrar os nossos estados físicos e emocionais por conta própria. Mas a nossa capacidade de nos conter depende da capacidade da nossa mãe de nos conter: se ela nunca tiver sido beneficiada pela contenção da própria mãe, como poderá nos ensinar algo que desconhece? Uma pessoa que nunca tenha aprendido a se conter é acometida de sentimentos de ansiedade pelo resto da vida, sentimentos muito adequadamente chamados de *terror sem nome* por Bion. Essa pessoa está permanentemente em busca dessa insaciável contenção em fontes externas: precisa de bebida ou de um baseado para acalmar a ansiedade infinita. Daí vem a minha dependência.

Eu falava muito de maconha na terapia. Resistia à ideia de parar e me perguntava por que a perspectiva me assustava tanto. Ruth dizia que imposição e coerção nunca davam bom resultado, e que, em vez de me forçar a viver sem a erva, seria melhor começar reconhecendo que agora eu era dependente e não queria ou não era capaz de abrir mão dela. O que quer que a maconha fizesse por mim, ainda estava funcionando, argumentava ela — até o dia em que perderia a utilidade, e então eu provavelmente deixaria de usá-la.

Ruth tinha razão. Quando conheci Kathy e me apaixonei, a maconha ficou de lado. Eu estava naturalmente de barato com o amor, sem precisar induzir nenhum bem-estar de modo artificial. E também foi bom que Kathy não fumasse. Para ela, quem gostava de ficar chapado era gente sem força de vontade, preguiçosa e que vivia em câmera lenta: se alguém desse uma cutucada, a pessoa diria "ai" seis dias depois. Parei de fumar no dia em que Kathy se mudou para o meu apartamento. E, como Ruth tinha previsto, ao me sentir seguro e feliz, o hábito foi desaparecendo de forma natural, como lama ressecada no sapato.

Eu poderia nunca mais ter fumado se não tivéssemos ido a uma festa de despedida de uma amiga de Kathy, Nicole, que estava de mudança para Nova York. Kathy foi monopolizada pelos amigos artistas na festa, e eu me vi sozinho. Um sujeito atarracado usando um par de óculos de armação rosa neon me cutucou e perguntou: "Quer um pouco?" Eu ia recusar o baseado que ele tinha entre os dedos quando algo me deteve. Não sei bem o quê. Um capricho momentâneo? Ou uma reação inconsciente a Kathy por me obrigar a ir àquela festa horrível e ainda por cima me abandonar? Olhei ao redor e ela não estava por perto. Foda-se, pensei. Levei o baseado à boca e traguei.

E com esse simples gesto eu estava outra vez onde havia começado, como se não tivesse havido nenhuma interrupção. Minha dependência tinha esperado por mim pacientemente aquele tempo todo, como um cão fiel. Eu não disse nada a Kathy e esqueci aquilo. Na verdade, eu estava esperando uma oportunidade, e seis semanas depois ela surgiu. Kathy foi passar uma semana em Nova York, para visitar Nicole. Longe da influência de Kathy, solitário e entediado, cedi à tentação. Eu não tinha mais um fornecedor, e então fiz o que fazia quando estudante: fui até Camden Market.

Ao sair da estação, já senti o cheiro de maconha no ar, misturado ao incenso e ao odor das barracas de cebola frita. Fui até a ponte, passando por Camden Lock. Lá fiquei, meio desajeitado, levando empurrões e encontrões do infindável fluxo de turistas e adolescentes atravessando a ponte.

Eu passava os olhos pela multidão. Nem sombra de nenhum dos traficantes que costumavam ficar por lá, chamando quem passava. Vi dois policiais, impossíveis de não serem vistos com seus casacos de um amarelo fosforescente, patrulhando a multidão. Eles se afastaram da ponte e foram em direção à estação. Então ouvi uma voz baixa ao meu lado:

— Está a fim de uma erva, parceiro?

Olhei e vi um sujeito baixinho. Primeiro achei que fosse uma criança, de tão pequeno e magro que era. Mas seu rosto era um terreno acidentado, marcado, como se fosse um menino que envelheceu prematuramente. Não tinha os dois dentes da frente, o que conferia um leve sibilo às palavras.

— Erva? — repetiu ele.

Fiz que sim.

Ele indicou com a cabeça que o seguisse. Foi se esgueirando pela multidão, virou a esquina e desceu uma rua isolada. Entrou num velho pub e eu o segui. Estava deserto lá dentro, um ambiente encardido e escuro, fedendo a vômito e fumaça de cigarro.

— Pede um chope pra mim — disse ele, esticando-se junto ao bar. Baixo como era, mal conseguia enxergar por cima do balcão. Com relutância, paguei por uma caneca para ele, que a levou até uma mesa no canto. Sentei em frente ao sujeito. Ele olhou furtivamente ao redor e me passou por baixo da mesa um pacotinho de celofane. E eu lhe dei o dinheiro.

Fui para casa e abri o pacotinho, em parte achando que tinha sido passado para trás, mas um cheiro forte bastante familiar entrou pelo meu nariz. E vi as ervinhas verdes com listras amarelas. Meu coração disparou como se estivesse encontrando um amigo que não via fazia muito tempo, e parece que eu estava mesmo.

Desde aquele dia, eu volta e meia buscava esse barato, sempre que ficava sozinho no apartamento por algumas horas, quando tinha certeza de que Kathy não voltaria tão cedo.

Ao entrar em casa naquela noite, cansado e frustrado, e vendo que Kathy estava no ensaio, logo tratei de enrolar um baseado. Fumei na janela do banheiro. Mas fumei demais, rápido demais, e a coisa bateu forte, feito um soco na testa. Fiquei tão chapado que até andava com dificuldade, como se estivesse atravessando melaço. Passei pelo ritual de higienização de sempre — odorizador de ambiente, dentes escovados, banho — e fui com cuidado para a sala de estar. Me joguei no sofá.

Procurei o controle remoto da TV mas não o encontrava. Até que o achei atrás do laptop aberto de Kathy na mesinha de centro. Estendi o braço para pegá-lo, mas estava tão chapado que caí por cima do laptop. Tratei de colocá-lo no lugar — e a tela se acendeu. Estava aberto no e-mail dela. Por algum motivo fiquei encarando a tela. Estava paralisado, a caixa de entrada diante de mim parecendo um buraco vertiginoso. Eu não conseguia desviar o olhar. As coisas mais variadas saltavam aos olhos sem que eu entendesse o que estava lendo: palavras como "sexy" e "assanhada" nos assuntos das mensagens — e muitos e-mails de BADBOY22.

Ah, se eu tivesse parado por ali! Se tivesse me levantado e saído dali... Mas não foi isso que eu fiz.

Cliquei no e-mail mais recente e ele se abriu.

Assunto: RE: putinha assanhada
De: Katerama_1
Para: BADBOY22

No ônibus. Cheia de tesão por você. Sinto seu cheiro em mim. Me sentindo uma piranha! bjs K

Enviado do meu iPhone

Assunto: RE: RE: putinha assanhada
De: BADBOY22
Para: Katerama_1

Vc eh uma piranha! rsrs A gente vai se ver? Depois do ensaio?

Assunto: RE: RE: RE: putinha assanhada
De: Katerama_1
Para: BADBOY22

Ok. 830? 9? bjs

Enviado do meu iPhone

Assunto: RE: RE: RE: RE: putinha assanhada
De: BADBOY22
Para: Katerama_1

Ok. Vou ver que horas consigo sair. Mando msg.

Peguei o laptop da mesa. Eu me sentei com ele no colo, encarando-o. Nem sei quanto tempo fiquei lá. Dez minutos? Vinte? Meia hora? Talvez mais. O tempo parecia se arrastar.

Eu tentava processar o que havia acabado de ver, mas ainda estava tão chapado que nem tinha certeza do que *tinha* visto. Era mesmo real? Ou algum mal-entendido? Alguma brincadeira que eu não estava entendendo por causa do barato?

Me forcei a ler outro e-mail.

E mais outro.

Acabei percorrendo todos os e-mails de Kathy para BADBOY22. Alguns eram sexuais, até obscenos. Outros, mais longos, mais confessionais, emocionais, e ela parecia bêbada — talvez tivessem sido escritos tarde da noite, depois de eu ir para a cama. Eu me via no quarto, dormindo, enquanto Kathy estava lá, mandando mensagens íntimas para um estranho. Esse estranho com quem estava fodendo.

O tempo voltou ao normal num solavanco. De repente eu não estava mais chapado. Estava extrema e dolorosamente sóbrio.

Sentia uma dor no estômago violenta. Joguei o laptop de lado. Corri para o banheiro

Caí de joelhos na frente do vaso e vomitei.

CAPÍTULO 7

— A sensação é outra se comparada à última vez — comentei.

Nenhuma reação.

Alicia estava sentada à minha frente, a cabeça ligeiramente voltada para a janela. Imóvel, a coluna rígida e ereta. Parecia uma violoncelista. Ou um soldado.

— Estou me referindo ao fim da última sessão. Quando você me agrediu e teve que ser contida.

Silêncio. Hesitei.

— Fico me perguntando se foi uma forma de me testar. Para ver como eu reagiria. Acho importante você saber que eu não me deixo intimidar com facilidade. Eu encaro qualquer coisa que vier de você.

Alicia olhava para o céu cinzento para além da grade da janela. Esperei um momento.

— Preciso dizer uma coisa a você, Alicia. Eu estou do seu lado. Espero que um dia você acredite nisso. Claro que leva tempo para se estabelecer uma relação de confiança. Minha antiga terapeuta costumava dizer que, para se ter intimidade, é preciso sentir repetidas vezes que encontramos correspondência na outra pessoa, o que não acontece da noite para o dia.

Alicia agora olhava fixamente para mim, sem piscar, um olhar impenetrável. Minutos se passaram. Parecia mais um teste de resistência que uma sessão de terapia.

Aparentemente eu não estava avançando em direção nenhuma. Talvez não houvesse esperança mesmo. Christian teve razão ao lembrar que os ratos abandonam o navio que está afundando. O que diabos eu pretendia escalando aquela carcaça naufragada, agarrado ao mastro, pronto para me afogar?

A resposta estava sentada diante de mim. Como disse Diomedes, Alicia era uma sirena muda, me atraindo para minha ruína.

De repente, fui dominado pelo desespero. Eu quis gritar: *Diz alguma coisa. Qualquer coisa. Fala.*

Mas não disse nada disso. O que fiz foi romper com a tradição terapêutica. Parei de pisar em ovos e fui direto ao ponto.

— Gostaria de falar do seu silêncio. Do que significa... Do que pode significar. E especificamente por que você parou de falar.

Alicia baixou o olhar. Ela ao menos estava me ouvindo?

— Enquanto a gente está aqui, uma imagem me ocorre constantemente: uma pessoa mordendo o punho, contendo um grito, engolindo um berro. Lembro que, quando comecei a fazer terapia, eu achava muito difícil chorar. Tinha medo de ser levado por uma torrente, de não conseguir resistir a ela. Talvez você esteja se sentindo assim. Por isso é importante esperar até se sentir segura e acreditar que não vai estar sozinha nessa torrente, que eu estou aqui para acompanhar você.

Silêncio.

— Eu me considero um terapeuta relacional. Você sabe o que isso significa?

Silêncio.

— Significa que eu acho que Freud estava equivocado em alguns pontos. Eu não acredito que o terapeuta possa ser um quadro em branco, como ele pretendia que fosse. Sem querer, a gente deixa transparecer todo tipo de informação a nosso respeito: a cor das meias, a maneira como me sento ou falo. Só de estar aqui sentado com você, estou revelando muito sobre mim. Por mais que me esforce para ser invisível, estou mostrando a você quem eu sou.

Alicia ergueu o olhar. Ela me encarou, o queixo levemente inclinado — haveria um desafio naquele olhar? Enfim eu merecia sua atenção. Me ajeitei na cadeira.

— A questão é saber o que fazer a respeito disso. A gente pode ignorar, negar e fingir que a terapia é toda sobre você. Ou então reconhecer que essa é uma via de mão dupla e trabalhar nesse sentido. E aí então de fato a gente pode começar a avançar.

Ergui a mão. Fiz um gesto com a cabeça para a minha aliança.

— Esse anel diz alguma coisa para você, não é?

Os olhos de Alicia muito lentamente se moveram para a aliança.

— Ele diz que eu sou casado, que eu tenho uma esposa. A gente é casado há quase nove anos.

Nenhuma reação, mas ela ainda encarava o anel.

— Você foi casada por sete anos, não é mesmo?

Nenhuma resposta.

— Eu amo muito a minha mulher. Você amava o seu marido?

Os olhos de Alicia se moveram. Direto para o meu rosto. Ficamos nos encarando.

— O amor engloba todo tipo de sentimento, certo? Bons e maus. Eu amo a minha esposa... Ela se chama Kathy... Mas às vezes fico furioso com ela. Às vezes... *eu a odeio*.

Alicia continuava me encarando; eu me sentia como um coelho diante do farol de um carro, paralisado, incapaz de desviar o olhar ou sair do lugar. O alarme estava em cima da mesa, ao meu alcance. Eu me esforçava para não olhar para ele.

Eu sabia que não devia continuar falando, que devia me calar, mas não conseguia parar. E fui em frente, compulsivamente.

— E, quando digo que a odeio, não significa que *tudo* em mim a odeie. Apenas uma parte de mim. O importante é nunca perder de vista as duas partes. Uma parte sua amava Gabriel. Uma parte sua o odiava.

Alicia balançou a cabeça: não. Um movimento breve, mas claro. Finalmente uma reação. De repente me empolguei. Devia ter parado por ali, mas não parei.

— Uma parte sua o odiava — repeti com mais firmeza.

Ela balançou a cabeça outra vez. Seu olhar era fulminante. Ela esta ficando com raiva, pensei.

— É verdade, Alicia. Caso contrário você não o teria matado.

De repente, Alicia se levantou. Achei que ia avançar sobre mim. Meu corpo se contraiu. Mas ela se virou e caminhou até a porta. E começou a bater com os punhos.

Yuri abriu a porta por fora. Ele pareceu aliviado ao ver que Alicia não estava me estrangulando no chão. Ela forçou a passagem por ele e saiu correndo pelo corredor.

— Calminha, querida, devagar. — Ele voltou o olhar para mim. — Tudo certo? O que aconteceu?

Não respondi. Yuri me olhou de um jeito estranho e se foi. Fiquei sozinho.

Burro, pensei. Você é mesmo muito burro. No que eu estava pensando? Forcei demais a barra com ela, pressão demais, cedo demais. Foi extremamente antiprofissional, além de ter sido de uma completa incompetência. Revelou muito mais do meu estado mental que do dela.

Mas foi isso que Alicia fez por mim. O silêncio dela foi como um espelho, que refletia a minha própria imagem.

E em muitos momentos o que vi refletido não foi muito agradável.

CAPÍTULO 8

NÃO É PRECISO SER TERAPEUTA para desconfiar que Kathy tinha deixado o laptop aberto — no mínimo inconscientemente — porque queria que eu descobrisse sua infidelidade.

Bem, eu tinha descoberto. Agora eu sabia.

Eu não falava com Kathy desde a noite anterior — fingi que estava dormindo quando ela voltou e saí pela manhã antes que acordasse. Eu a estava evitando; evitando a mim mesmo. Estava em choque. Sabia que precisava fazer uma autoanálise; caso contrário corria o risco de me perder. Se controla, sussurrava para mim mesmo, enrolando um baseado. Fumei na janela, e, em seguida, devidamente chapado, me servi de uma taça de vinho na cozinha.

Quando fui pegar a taça, ela escorregou da minha mão. Tentei impedir que caísse, mas tudo que consegui foi acertar a mão num caco de vidro ao bater na mesa, cortando o meu dedo.

De repente, havia sangue por todo lado — escorrendo pelo meu braço, na taça quebrada, misturado ao vinho branco na mesa. Com dificuldade, arranquei algumas folhas de papel-toalha e envolvi o dedo com elas para conter o sangramento. Com a mão erguida acima da cabeça, fiquei observando o sangue escorrer pelo braço em minúsculos filetes divergentes, imitando o desenho das veias por baixo da pele.

Pensei em Kathy.

Era a ela que eu recorreria num momento de crise — quando precisava de solidariedade ou de consolo ou de alguém para amenizar a minha dor. Eu queria que ela cuidasse de mim. Pensei em ligar, mas na mesma hora imaginei uma porta se fechando bruscamente, deixando-a trancada e longe de mim. Kathy se fora, eu a havia perdido. Queria chorar, mas não conseguia, estava bloqueado por dentro, cheio de lama e merda.

— Caralho — repetia para mim mesmo —, caralho.

Minha atenção foi atraída pelo tique-taque do relógio. Por algum motivo, parecia mais alto agora. Tentei focar nele para que os pensamentos tivessem onde se fixar em meio àquele turbilhão: tique-taque, tique-taque, tique-taque — mas o coro de vozes na minha cabeça ficava mais alto, não se deixava calar. Ela só podia mesmo me trair, pensei, isso ia acontecer, era inevitável... Eu nunca estive à altura dela, um imprestável, feio, inútil, um nada... Ela só podia mesmo acabar se cansando de mim... Eu não merecia Kathy, eu não merecia nada... E por aí vai, uma sucessão sem fim de pensamentos terríveis.

Como eu a conhecia pouco. Aqueles e-mails mostravam que eu vivia com uma estranha. Agora estava vendo a verdade. Kathy não tinha me salvado — ela não era capaz de salvar ninguém. Não era nenhuma heroína digna de admiração, apenas uma garota despirocada e assustada, uma traidora mentirosa. Toda aquela mentira do *nós* que eu tinha inventado, os nossos sonhos e esperanças, as coisas de que gostávamos e que não gostávamos, nossos planos para o futuro; uma vida que parecia tão segura, tão firme, desmoronava em segundos, feito um castelo de cartas ao vento.

Minha mente foi até aquele quarto frio na faculdade, tantos anos antes, abrindo caixas de paracetamol desajeitadamente, os dedos dormentes. Fui tomado pela mesma sensação de entorpecimento, aquele mesmo desejo de ficar em posição fetal e morrer. Pensei na minha mãe. Eu poderia ligar para ela? Recorrer a ela no meu momento de desespero e necessidade? Imaginei-a atendendo o telefone, a voz trêmula; a intensidade do tremor da voz dependeria do humor do meu pai e de se ela havia bebido. Ela podia me ouvir com empatia, mas estaria com a cabeça em outro lugar, um olho atento ao meu pai e ao seu temperamento difícil. Como ela seria capaz de me ajudar? Como um rato se afogando vai salvar outro?

Eu precisava sair. Não conseguia respirar dentro daquele apartamento com aqueles lírios fedorentos. Eu precisava de ar. Eu precisava respirar.

Saí do apartamento. Enfiei as mãos nos bolsos, a cabeça baixa. Andava pelas ruas com passos pesados, indo a lugar nenhum. Ficava repassando mentalmente o nosso relacionamento, cena por cena, recordando, examinando, revirando, em busca de pistas. Me lembrei de brigas não resolvidas, ausências não explicadas e atrasos frequentes. Mas também de pequenos gestos de bondade — bilhetes afetuosos que ela deixava para mim em lugares inesperados, momentos de doçura e amor aparentemente genuíno. Como era possível? Ela estava representando o tempo todo? Em algum momento ela havia me amado de verdade?

Então me lembrei da sombra de dúvida que me veio quando conheci os amigos dela. Todos atores; barulhentos, narcisistas, cheios de si, falando o tempo todo de si mesmos e de gente que eu não conhecia. De repente, fui transportado de volta à escola, andando sozinho pelos cantos do pátio, vendo as crianças brincando. Eu me convenci de que Kathy era totalmente diferente deles, mas é claro que não era. Se os tivesse conhecido naquela primeira noite no bar, quando a conheci, será que teriam me dissuadido de me aproximar dela? Duvido. Nada poderia ter impedido nossa união — desde a primeira vez que vi Kathy, meu destino estava selado.

O que fazer agora?

Confrontá-la, naturalmente. Contar tudo o que eu tinha visto. A reação dela seria negar, mas, vendo que não adiantava, admitiria a verdade e se prostraria, cheia de remorso. E imploraria meu perdão, certo?

Mas e se isso não acontecesse? Se zombasse de mim? Se começasse a rir, desse meia-volta e fosse embora? E aí?

De nós dois, era eu quem mais tinha a perder, isso era evidente. Kathy sobreviveria — ela gostava de dizer que era dura na queda. Ela iria se recompor, dar a volta por cima e me esquecer. Mas eu não a esqueceria. Como poderia? Sem Kathy, eu voltaria àquela vida vazia e solitária que até então apenas suportava. Nunca mais conheceria alguém como Kathy, nem teria a mesma ligação ou experimentaria aqueles sentimentos profundos por outro ser humano. Ela era o amor da minha vida — ela *era* a minha vida —, e eu não estava preparado para abrir mão de Kathy. Ainda não. Embora tivesse me traído, eu ainda a amava.

Talvez eu fosse louco, no fim das contas.

Um pássaro solitário piou acima de mim, me assustando. Parei e olhei ao redor. Eu tinha ido muito mais longe do que havia imaginado. Chocado, vi aonde meus pés me levaram — eu tinha caminhado até poucas ruas da casa de Ruth.

Inconscientemente, eu tinha me dirigido até minha antiga terapeuta num momento de crise, como tantas vezes no passado. O fato de ter contemplado a possibilidade de bater à sua porta e pedir ajuda era uma clara indicação do meu grau de perturbação.

E por que não?, pensei de repente. Sim, seria uma conduta nada profissional e extremamente imprópria, mas eu estava desesperado e precisava de ajuda. Quando me dei conta, estava diante da porta verde da casa de Ruth, vendo minha mão se aproximar da campainha e tocá-la.

Ela levou algum tempo para atender. Uma luz se acendeu no hall de entrada, e Ruth abriu a porta, sem tirar a corrente.

Ruth espiou pelo vão. Parecia mais velha. Devia estar na casa dos 80 anos; menor, mais frágil que na minha lembrança, ligeiramente corcunda. Usava um casaco de lã cinza sobre uma camisola de um cor-de-rosa pálido.

— Olá? — disse, nervosa. — Quem é?

— Oi, Ruth. — Eu me adiantei para ficar na luz.

Ela me reconheceu e pareceu surpresa.

— Theo? Mas o que... — Seus olhos passaram do meu rosto à bandagem improvisada no dedo, suja de sangue. — Você está bem?

— Não muito. Posso entrar? Eu preciso... Eu gostaria de conversar com você.

Ruth não hesitou, parecendo apenas preocupada. Fez que sim com a cabeça.

— Claro. Entre.

Ela retirou a corrente e abriu a porta.

Eu entrei.

CAPÍTULO 9

RUTH ME LEVOU À SALA de estar.

— Aceita uma xícara de chá?

A sala ainda era como sempre foi, como me lembrava que era: o tapete, as cortinas pesadas, o relógio de prata tiquetaqueando na lareira, a poltrona, o sofá azul desbotado. Eu me senti bem imediatamente.

— Para ser franco, eu gostaria de algo mais forte.

Ruth me dirigiu um breve olhar penetrante, mas não disse nada. Nem recusou a minha sugestão, como eu em parte esperava.

Serviu uma taça de xerez e me entregou. Eu me sentei no sofá. A força do hábito me levou a sentar onde sempre sentava na terapia, no canto esquerdo, repousando o braço no braço do sofá. O tecido debaixo dos meus dedos estava desgastado por causa dos muitos pacientes que o cutucavam em sua ansiedade, entre eles eu.

Tomei um gole do xerez. Quente, doce e meio enjoativo, mas bebi tudo, ciente de que Ruth me observava o tempo todo. Seu olhar era óbvio mas não pesava nem incomodava; em vinte anos, Ruth jamais fora capaz de fazer com que eu me sentisse desconfortável. Não voltei a falar até terminar o xerez, deixando a taça vazia.

— É estranho estar sentado aqui com uma taça na mão. Eu sei que você não costuma oferecer bebida aos pacientes.

— Você não é mais meu paciente. Só um amigo, e, pelo que parece — acrescentou gentilmente —, está precisando de uma amiga no momento.

— Eu pareço tão mal assim?

— Infelizmente sim. E deve ser sério, caso contrário você não apareceria desse jeito. Certamente não às dez da noite.

— Você tem razão. Eu achei... Eu achei que não tinha escolha.

— O que foi, Theo? O que aconteceu?

— Eu nem sei como dizer. Não sei por onde começar.

— Que tal do começo?

Fiz que sim. Respirei fundo e comecei. Contei tudo que havia acontecido; sobre ter voltado à maconha, que estava fumando escondido e que, assim, tinha acabado descobrindo os e-mails de Kathy e sua traição. Falava rápido, ofegante, querendo tirar aquilo do peito. Tinha a sensação de estar me confessando.

Ruth ouviu até o fim sem me interromper. Era difícil interpretar sua expressão. Por fim, ela disse:

— Eu lamento que isso tenha acontecido, Theo. Sei o quanto Kathy significa para você. O quanto a ama.

— Sim. Eu amo... — E me detive, sem conseguir dizer seu nome. Minha voz tremia. Ruth entendeu e me estendeu a caixa de lenços de papel. Eu sempre reclamava quando ela fazia isso nas nossas sessões; eu a acusava de querer me fazer chorar. E, em geral, ela conseguia. Mas não dessa vez. Minhas lágrimas estavam congeladas. Um reservatório de gelo.

Eu já me tratava com Ruth fazia muito tempo quando conheci Kathy, e dei prosseguimento à terapia nos três primeiros anos da nossa relação. Eu me lembro do conselho que Ruth me deu quando Kathy e eu nos conhecemos: "Escolher um parceiro num relacionamento amoroso é muito parecido com escolher um terapeuta. Temos que nos perguntar se a pessoa vai ser honesta com a gente, capaz de ouvir críticas, reconhecer erros e não prometer o impossível."

Na época, eu repeti isso para Kathy, e ela propôs que fizéssemos um pacto. Juramos nunca mentir um para o outro. Nunca fingir. Sermos sempre honestos.

— O que foi que aconteceu? — questionei. — O que deu errado?

Ruth hesitou antes de responder. E o que ela disse me surpreendeu.

— Eu desconfio que você saiba a resposta, se tiver coragem de admiti-la.

— Eu não sei. — Balancei a cabeça. — Não mesmo.

E, indignado, mergulhei no silêncio — mas de repente me veio a imagem de Kathy escrevendo aqueles e-mails, tão apaixonados e carregados de emoção, como se ficasse drogada com o simples fato de os escrever, com a natureza secreta da relação com aquele homem. Ela gostava de mentir e se esconder: era como representar, só que fora do palco.

— Eu acho que ela está entediada — falei, por fim.

— Por que você diz isso?

— Porque ela precisa de emoção. Drama. Sempre precisou. Ela tem reclamado, acho que já tem um tempo, de que a gente não se diverte mais, de que eu estou sempre estressado, de que eu trabalho demais. Isso foi motivo de briga recentemente. Ela ficava falando de *chama*.

— *Chama*?

— Querendo dizer que não havia mais uma. Entre nós.

— Ah. Entendo. — Ruth fez que sim com a cabeça. — Já falamos disso antes, não é?

— Sobre essa chama?

— Sobre o amor. Que muitas vezes confundimos amor com essa chama, com o drama, com o desequilíbrio. Mas o verdadeiro amor é tranquilo, silencioso. Tedioso, se encarado do ponto de vista da intensidade dramática. O amor é profundo e calmo... E constante. Acredito que você de fato dê amor a Kathy, no verdadeiro sentido da palavra. Outra coisa é saber se ela é capaz de pagar na mesma moeda.

Fiquei olhando para a caixa de lenços na mesa à minha frente. Não estava gostando do rumo que Ruth dava à conversa. Tentei desviá-lo.

— Os dois lados têm culpa. Eu também menti para ela. A maconha.

Ruth abriu um sorriso triste.

— Não sei se traição de forma constante, envolvendo-se sexual e emocionalmente com outro ser humano, está no mesmo patamar de ficar chapado de vez em quando. Acho que revela um tipo muito diferente de indivíduo, alguém capaz de mentir reiteradas vezes e de mentir bem, capaz de trair o parceiro sem sentir remorso...

— Você não tem como saber isso. — Eu soei tão patético quanto me sentia. — Ela pode estar se sentindo péssima.

Mas mesmo ao dizê-lo eu não acreditei nisso.

Tampouco Ruth.

— Imagino que não seja o caso. O comportamento de Kathy indica que ela tem muitos problemas: nenhuma empatia nem integridade, ou mesmo pura e simples bondade... Qualidades que você tem de sobra.

Balancei a cabeça.

— Isso não é verdade.

— É verdade, Theo. — Ruth hesitou. — Você não acha que talvez já tenha passado por isso?

— Com Kathy?

Ruth acenou negativamente com a cabeça.

— Não foi isso que eu quis dizer. Com os seus pais. Quando você era mais jovem. Se por acaso não estaria repetindo aqui uma dinâmica da sua infância.

— Não. — De repente, fiquei irritado. — O que está acontecendo com Kathy não tem nada a ver com a minha infância.

— É mesmo? — Ruth parecia descrente. — Tentar agradar uma pessoa imprevisível, sem disponibilidade emocional, indiferente, cruel... Tentar fazê-la feliz, conquistar o seu amor... Essa não é uma história antiga, Theo? Uma história familiar?

Cerrei o punho e não disse nada.

Hesitante, Ruth prosseguiu:

— Eu sei o quanto você está se sentindo triste. Mas quero que considere a possibilidade de ter sentido essa tristeza muito antes de conhecer Kathy. Uma tristeza que vem carregando há muitos anos. Você sabe, Theo, que uma das coisas mais difíceis de admitir é que não fomos amados quando mais precisávamos. É um sentimento terrível, a dor de não ser amado.

Ruth tinha razão. Eu buscava as palavras certas para expressar esse sentimento confuso de traição, essa dor terrível e vazia, e, ao ouvir Ruth dizer — "a dor de não ser amado" —, percebi como isso impregnava toda a minha consciência, sendo ao mesmo tempo a história do meu passado, do meu presente e do meu futuro. Isso não tinha só a ver com Kathy, mas com meu pai e meus sentimentos de abandono na infância; minha dor por tudo que nunca tivera e, bem lá no fundo do coração, ainda achava que jamais teria. Ruth estava dizendo que por isso eu havia escolhido Kathy. Que melhor maneira eu teria de provar que meu pai estava certo — que eu não valho nada, que não mereço ser amado —, senão indo atrás de alguém que jamais me amará?

Mergulhei a cabeça nas mãos.

— Então tudo isso era inevitável? É isso que você está dizendo? Eu mesmo armei tudo? Tudo está perdido?

— Não está perdido. Você não é mais um menino à mercê do pai. É um adulto e pode fazer escolhas. Você pode usar tudo isso como mais uma confirmação de que não tem valor ou romper com o passado. Se libertar do círculo vicioso.

— E o que eu faço? Você acha que devo terminar com ela?

— Eu acho que é uma situação muito difícil.

— Mas você acha que eu devo terminar com ela, não é?

— Você já avançou demais e lutou muito para agora voltar a ter uma vida de desonestidade, negação e abuso emocional. Você merece alguém que o trate melhor, *muito* melhor...

— É só dizer, Ruth. Me diz. Você acha que eu deveria dar um fim a isso.

Ruth olhou bem nos meus olhos. Ela encarou meu olhar.

— Eu acho que você *tem* que dar um fim a isso. E não digo isso como sua antiga terapeuta, mas como velha amiga. Não acho que as coisas possam voltar a ser como antes, ainda que quisesse. Talvez durasse um pouco, mas daqui a alguns meses algo mais vai acontecer e você vai estar de novo aqui nesse sofá. Seja honesto com você mesmo, Theo, com relação a Kathy e a essa situação, e tudo que se construiu sobre mentiras e inverdades vai se afastar de você. Lembre-se: um amor que não inclui a honestidade não merece ser chamado de amor.

Suspirei, vazio, deprimido e cansado.

— Obrigado, Ruth, por sua sinceridade. Significa muito para mim.

Ela me abraçou ao se despedir à porta. Nunca tinha feito isso antes. Parecia frágil nos meus braços, com seus ossos tão delicados; respirei naquele leve perfume floral e na lã do seu casaco, e outra vez tive vontade de chorar. Mas não chorei, ou não consegui chorar.

O que fiz foi me afastar, sem me virar.

Peguei um ônibus de volta para casa. Sentado à janela, olhava para fora, pensando em Kathy, na sua pele branca, naqueles lindos olhos verdes. E sentia um desejo enorme — da doçura dos seus lábios, da sua suavidade. Mas Ruth estava certa. Um amor sem honestidade não merece ser chamado de amor.

Eu tinha que voltar para casa e confrontar Kathy.

Eu tinha que deixá-la.

CAPÍTULO 10

KATHY ESTAVA EM CASA QUANDO cheguei. Estava sentada no sofá, trocando mensagens no celular.

— Onde você estava? — perguntou, sem levantar os olhos.

— Fui dar uma caminhada. E o ensaio?

— Tudo certo. Cansativo.

Eu a observava trocando mensagens, tentando imaginar para quem estava escrevendo. Sabia que era o meu momento de falar. *Eu sei que você está tendo um caso, quero o divórcio.* Abri a boca para dizer. Mas não saiu nada. Antes que conseguisse recuperar minha voz, Kathy se manifestou. Ela parou de digitar e deixou o telefone de lado.

— Theo, a gente precisa conversar.

— Sobre o quê?

— Você não tem nada para me dizer?

Havia uma dureza em sua voz. Eu evitava olhar para ela, para que não lesse os meus pensamentos. Eu me sentia envergonhado e dissimulado, como se fosse eu que tivesse cometido um pecado.

E, para ela, era isso mesmo. Kathy estendeu o braço para trás do sofá e pegou alguma coisa. Meu coração parou. Ela segurava o potinho onde eu guardava a maconha. Eu tinha me esquecido de escondê-lo de novo no quarto desocupado depois de cortar o dedo.

— O que é isso? — Ela o segurava à sua frente.

— Maconha.

— Isso eu sei. Mas o que isso está fazendo aqui?

— Comprei um pouco. Estava com vontade.

— Com vontade? De um barato? Você está falando sério?

Dei de ombros, evitando seu olhar, feito uma criança travessa.

— Mas que merda! Meu Deus do céu! — Kathy balançava a cabeça, indignada. — Às vezes tenho a sensação de que não te conheço de verdade.

Eu queria bater nela. Saltar em cima dela e esmurrá-la. Destruir a sala inteira, jogar os móveis nas paredes. Queria chorar e urrar e cair em seus braços.

Mas não fiz nada disso.

— Vamos para a cama — disse, e saí da sala.

Fomos para a cama em silêncio. Fiquei deitado no escuro ao seu lado. Acordado durante horas, sentindo o calor do seu corpo, olhando para ela enquanto dormia.

Por que você não veio até mim?, eu queria perguntar. Por que não conversou comigo? Eu sou o seu melhor amigo. Bastava ter dito uma palavra, a gente podia ter superado isso. Por que você não conversou comigo? Eu estou aqui. *Eu estou bem aqui.*

Eu queria puxá-la para perto. Queria abraçá-la. Mas não conseguia. Kathy se fora, a pessoa que eu tanto amava tinha desaparecido para sempre, deixando em seu lugar aquela estranha.

Senti um nó na garganta. Finalmente as lágrimas vieram, escorrendo pelo meu rosto.

Em silêncio, no escuro, eu chorei.

Na manhã seguinte, levantamos e seguimos a rotina de sempre: ela foi para o banheiro enquanto eu fazia café. Entreguei-lhe uma xícara quando ela entrou na cozinha.

— Você fez uns barulhos muito estranhos durante a noite — comentou ela. — Ficou falando enquanto dormia.

— O que eu disse?

— Não sei. Nada. Coisas sem sentido. Provavelmente por estar tão *chapado*. — Ela me lançou um olhar fulminante e deu uma olhada no relógio. — Tenho que ir. Vou chegar tarde.

Kathy terminou o café e botou a xícara na pia. Me deu um beijo rápido na bochecha. O toque dos seus lábios quase me fez recuar.

Depois que ela saiu, tomei um banho. Aumentei a temperatura até a água ficar quase escaldante. A água quente açoitava o meu rosto enquanto eu chorava, queimando as lágrimas infantis de confusão. Ao me enxugar, me vi de relance no espelho. Fiquei chocado — eu estava pálido, encolhido, trinta anos mais velho da noite para o dia. Estava velho, exaurido, minha juventude tinha evaporado.

E ali mesmo tomei uma decisão.

Me separar de Kathy seria como arrancar um membro. Eu simplesmente não estava preparado para me mutilar dessa maneira. Não importava o que Ruth tinha dito. Ela não era infalível. Kathy não era o meu pai; eu não estava condenado a repetir o passado. Podia mudar o futuro. Kathy e eu tínhamos sido felizes e podíamos voltar a sê-lo. Um dia ela poderia me confessar tudo, contar tudo, e eu a perdoaria. A gente superaria isso junto.

Eu não deixaria Kathy ir embora. Não diria nada. Fingiria jamais ter esbarrado naqueles e-mails. Daria um jeito de esquecer. Enterraria o assunto. Eu não tinha alternativa senão seguir em frente. Me recusava a aceitar aquilo e entrar em colapso.

Afinal, eu não era responsável apenas por mim. E os pacientes aos meus cuidados? Havia pessoas que dependiam de mim.

Eu não podia deixá-los na mão.

CAPÍTULO 11

— Estou procurando Elif. Alguma ideia de onde ela esteja?

Yuri me encarou com curiosidade no olhar.

— Algum motivo para estar atrás dela?

— Só para dar um alô. Quero conhecer todas as pacientes, quero que saibam quem sou eu, que estou aqui.

Yuri pareceu duvidar de mim.

— Certo. Mas não leve para o lado pessoal se ela não se mostrar muito receptiva. — Ele olhou para o relógio na parede. — Já tem mais de meia hora, então ela deve ter saído da arteterapia. O mais provável é que esteja na sala de recreação.

— Obrigado.

A área de recreação era uma grande sala redonda com sofás surrados, mesas baixas e uma estante repleta de livros velhos que ninguém queria ler. Tinha cheiro de chá rançoso e da fumaça dos cigarros impregnada nos objetos. Duas pacientes estavam num canto jogando gamão. Elif estava sozinha à mesa de bilhar. Eu me aproximei com um sorriso.

— Oi, Elif.

Ela levantou os olhos assustada, desconfiada.

— O que foi?

— Não se preocupe, não tem nada de errado. Eu só queria ter uma palavrinha com você.

— Você não é o meu médico. Eu já tenho um.

— Eu não sou médico. Sou psicoterapeuta.

Elif rosnou com desdém.

— Também já tenho.

Eu sorri, comemorando em segredo que ela fosse paciente de Indira, e não minha. De perto, Elif era ainda mais intimidadora. Não era apenas a corpulência, mas a raiva entalhada naquele rosto, uma carranca permanente, o olhar sombrio, visivelmente o olhar de uma pessoa perturbada. Cheirava a suor e aos cigarros de palha que estava sempre fumando e que deixavam seus dedos enegrecidos e as unhas e os dentes amarelados.

— Eu só queria fazer umas perguntas, se não for um problema... Sobre Alicia.

Elif fez cara feia e deu com o taco na mesa. Começou a posicionar as bolas para mais uma partida. E parou. Ficou ali parada, com ar perdido, em silêncio.

— Elif?

Nenhuma reação. Pela sua expressão, dava para deduzir o que havia de errado.

— Você está ouvindo vozes, Elif?

Um olhar desconfiado. Um dar de ombros.

— O que elas estão dizendo?

— Você não está segura. Me dizendo para tomar cuidado.

— Entendo. Está certo. Você não me conhece, por isso faz sentido não confiar em mim. Por enquanto. Talvez com o tempo isso mude.

Elif me olhou como quem diz que tinha lá suas dúvidas.

Indiquei com a cabeça a mesa de bilhar.

— Quer jogar?

— Não.

— Por quê?

Ela deu de ombros.

— O outro taco está quebrado. Ainda não compraram um novo.

— Mas eu não posso usar o seu?

O taco estava em cima da mesa. Fiz menção de apanhá-lo — e ela o pegou e tirou do meu alcance.

— Essa porra desse taco é meu! Arruma um pra você!

Recuei, intimidado com a virulência da reação. Ela deu uma tacada com considerável força. Observei-a jogando por um momento. E me arrisquei de novo.

— Eu estava me perguntando se você poderia me falar de uma coisa que aconteceu quando Alicia veio para o Grove. Você se lembra?

Elif fez que não com a cabeça.

— Li na pasta dela que vocês tiveram uma discussão no refeitório. Você foi vítima de uma agressão?

— Sim, sim, ela tentou me matar, tá sabendo? Queria cortar a merda do meu pescoço.

— De acordo com o registro, uma enfermeira viu você sussurrando alguma coisa para Alicia antes da agressão. Eu estava me perguntando o que teria sido.

— Não. — Elif balançava a cabeça furiosamente. — Eu não disse nada.

— Não estou querendo dizer que você a provocou. Só estou curioso. O que foi?

— Eu perguntei um negócio pra ela. E daí, porra?

— Perguntou o quê?

— Perguntei se ele tinha merecido.

— Quem?

— Ele. O cara dela.

Elif sorriu, embora não fosse de fato um sorriso; estava mais para uma careta.

— Está se referindo ao marido dela? — Eu hesitava, sem saber ao certo se havia entendido. — Você perguntou a Alicia se o marido dela tinha merecido ser assassinado?

Elif fez que sim e deu uma tacada.

— E perguntei como ele tinha ficado. Depois que ela atirou nele, com o crânio todo estourado e o cérebro derramado. — Elif riu.

Senti uma forte onda de repugnância, semelhante ao sentimento que imaginava que Elif tinha provocado em Alicia. Elif fazia qualquer um sentir repulsa e ódio; era sua patologia, exatamente como sua mãe a havia feito se sentir ainda criancinha. Odiosa e repulsiva. De modo que Elif inconscientemente levava os outros a odiá-la — e quase sempre conseguia.

— E como estão as coisas agora? Você e Alicia se dão bem?

— Ah, claro, parceiro. A gente é amigona. Assim, ó. — Elif riu de novo.

Eu ia responder, mas senti o celular vibrando no bolso. Verifiquei, mas não reconheci o número.

— Preciso atender. Obrigado. Me ajudou bastante.

Elif resmungou algo ininteligível e voltou ao jogo.

Fui para o corredor atender ao telefone.

— Alô?

— É Theo Faber?

— Ele mesmo. Quem está falando?

— Aqui é Max Berenson, retornando a sua ligação.

— Ah, sim. Como vai? Obrigado por retornar. Eu gostaria de saber se a gente pode ter uma conversa sobre Alicia.

— Por quê? Aconteceu alguma coisa? Tem algo errado?

— Não. Quer dizer, não exatamente... Eu estou tratando dela e queria fazer algumas perguntas. Quando for conveniente.

— E não pode ser por telefone? Eu ando bem ocupado.

— Preferia que fosse pessoalmente, se possível.

Max Berenson suspirou e murmurou alguma coisa para alguém perto dele. E em seguida disse:

— Amanhã à noite, sete horas, no meu escritório.

Eu ia perguntar o endereço, mas ele desligou.

CAPÍTULO 12

A RECEPCIONISTA DE MAX BERENSON estava bastante resfriada. Pegou um lenço de papel, assoou o nariz e fez um gesto para que eu esperasse.

— Ele está ao telefone. Só um minutinho.

Assenti e me sentei na sala de espera. Algumas cadeiras desconfortáveis, uma mesa de centro com uma pilha de revistas velhas. Toda sala de espera é igual, pensei; eu poderia muito bem estar esperando um médico ou um agente funerário.

A porta do outro lado da sala se abriu. Max Berenson apareceu e me chamou. E desapareceu de novo no escritório. Eu me levantei e o segui.

Estava esperando o pior, considerando seu jeito grosseiro ao telefone. Para minha surpresa, contudo, ele começou pedindo desculpas.

— Lamento se fui meio rude quando nos falamos. Tem sido uma semana daquelas, e eu não ando lá muito bem. Não quer se sentar?

Eu me sentei na cadeira em frente à mesa dele.

— Obrigado. E obrigado por me receber.

— Bem, no início fiquei meio reticente. Achei que você fosse um jornalista querendo me fazer falar de Alicia. Mas liguei para o Grove e confirmei que você trabalha lá.

— Entendo. Acontece muito? De jornalistas ligarem, digo.

— Recentemente não. Mas era comum. Aprendi a não baixar a guarda... — Ele ia dizer alguma coisa, mas espirrou. Pegou uma caixa de lenços. — Desculpe, estou com um resfriado que acabou pegando todo mundo lá em casa.

Assoou o nariz. Eu o examinei melhor. Ao contrário do irmão mais novo, Max Berenson não era atraente. Grandalhão, calvo, o rosto cheio de cicatrizes de acne. Usava uma colônia masculina forte e antiquada, do tipo que meu pai usava. O escritório também era bem tradicional, com aquele cheiro reconfortante de móveis de couro, madeira, livros. Não podia ser mais diferente do mundo em que Gabriel vivia — um mundo de cores e de beleza. Ele e Max claramente não tinham nada a ver um com o outro.

Em cima da mesa havia um porta-retratos com uma foto de Gabriel. Uma foto não posada, possivelmente tirada por Max. Gabriel sentado numa cerca no campo, cabelos ao vento, uma câmera pendurada no pescoço. Mais parecia um ator que um fotógrafo. Ou um ator fazendo o papel de fotógrafo.

Max me surpreendeu olhando para a foto e assentiu, como se lesse meus pensamentos.

— Meu irmão ficou com a beleza. E eu fiquei com o cérebro. — E deu uma risada. — Estou brincando. Na verdade, eu fui adotado. A gente não era irmão de sangue.

— Não sabia. Vocês dois foram adotados?

— Não, só eu. Nossos pais achavam que não podiam ter filhos. Mas logo depois de me adotarem tiveram Gabriel. Parece que é muito comum. Tem algo a ver com o fim do estresse.

— Você era próximo de Gabriel?

— Mais que a maioria dos irmãos. Embora ele fosse o centro das atenções, claro. Eu tendia a ficar à sombra dele.

— Por quê?

— Bom, era difícil não ficar. Gabriel era especial, mesmo na infância. — Max ficava brincando com a aliança, girando-a no dedo enquanto falava. — Gabriel levava a câmera para todo lado, tirando fotos. Meu pai achava que ele era maluco. Mas, no fim das contas, meu irmão era mesmo meio gênio. Você conhece o trabalho dele?

Sorri diplomaticamente. Não estava com a menor vontade de entrar num papo sobre os méritos de Gabriel como fotógrafo. E tratei de conduzir a conversa de volta para Alicia.

— Você deve tê-la conhecido muito bem.

— Alicia? Devo? — Algo nele mudou à menção do nome dela. A cordialidade foi para o espaço. O tom agora era frio. — Não sei se vou poder ajudar. Eu não representei Alicia no julgamento. Posso colocar você em contato com meu colega Patrick Doherty se quiser detalhes do processo.

— Não é o tipo de informação que estou buscando.

— Não? — Max me olhou com curiosidade. — Terapeutas não costumam conversar com o advogado dos pacientes, certo?

— Não se o paciente é capaz de falar por si mesmo.

Max parecia digerir a informação.

— Entendi. Muito bem, como eu disse, não sei como posso ajudar, então...

— Queria apenas fazer algumas perguntas.

— Muito bem. Pode mandar.

— Eu me lembro de ter lido nos jornais na época que você esteve com Gabriel e Alicia na noite anterior ao crime.

— Sim, jantamos juntos.

— E como eles estavam?

Os olhos de Max ficaram vazios. Provavelmente deviam ter feito a mesma pergunta centenas de vezes, e sua resposta era automática, sem pensar.

— Normais, perfeitamente normais.

— E Alicia?

— Normal. — Ele deu de ombros. — Talvez um pouco mais agitada que de costume, mas...

— Mas...?

— Nada.

Eu sentia que havia mais. Esperei.

Passado um instante, Max prosseguiu:

— Não sei o quanto você sabe do relacionamento deles.

— Só o que li nos jornais.

— E o que você leu?

— Que eram felizes.

— Felizes? — Max abriu um sorriso frio. — Ah, sim, felizes. Gabriel fazia tudo o que podia para deixar Alicia feliz.

— Entendo. — Mas eu não entendia. Não sabia aonde ele queria chegar.

Devo ter parecido intrigado, porque Max deu de ombros.

— Não vou me estender. Se está em busca de fofocas, converse com Jean-Felix, não comigo.

— Jean-Felix?

— Jean-Felix Martin. O galerista de Alicia. Eles se conheciam havia muitos anos. Feito unha e carne. Nunca gostei muito dele, para ser sincero.

— Não estou interessado em fofocas. — Registrei na agenda mental ter uma conversa com Jean-Felix o mais rápido possível. — Estou mais interessado na sua opinião pessoal. Posso fazer uma pergunta direta?

— Achei que já tivesse feito.

— Você gostava de Alicia?

Max me lançou um olhar inexpressivo ao responder:

— Claro que gostava.

Eu não acreditei nele.

— Tenho a impressão de que você está atuando em duas frentes. A do advogado, compreensivelmente discreto. E a do irmão. Foi o irmão que eu vim ver.

Houve uma pausa. Eu me perguntava se Max ia me convidar a me retirar. Ele parecia prestes a dizer algo, mas mudou de ideia. Até que de repente se levantou da mesa e foi até a janela. Abriu-a. Entrou uma lufada de ar frio. Max respirou fundo, como se ele se sentisse sufocado no ambiente.

Por fim, disse em voz baixa:

— A verdade... A verdade é que eu odiava Alicia... Eu realmente detestava aquela mulher.

Eu não disse nada. Esperei que prosseguisse.

Ele continuava olhando pela janela, e acrescentou lentamente:

— Gabriel não era só meu irmão, era meu melhor amigo. Era o sujeito mais bondoso do mundo. Bondoso demais. E todo aquele talento, toda aquela bondade, toda aquela paixão pela vida, tudo acabou por causa *daquela piranha*. Ela não destruiu só a vida dele, mas a minha também. Graças a Deus meus pais já tinham morrido para não terem que ver uma coisa daquelas. — Max ficou com a voz embargada, subitamente emotivo.

Era difícil não perceber sua dor, e fiquei com pena dele.

— Deve ter sido bastante difícil para você organizar a defesa de Alicia.

Max fechou a janela e retornou à mesa. Tinha conseguido se controlar. Voltara a ser o advogado. Neutro, equilibrado, sem emoções.

Deu de ombros.

— Era o que Gabriel teria desejado. Ele queria sempre o melhor para Alicia. Gabriel era louco por ela. E ela, apenas louca.

— Você acha que ela era desequilibrada?

— Você é que tem que saber, você é o terapeuta.

— E o que você acha?

— Eu sei o que vi.

— E o que foi?

— Oscilações de humor. Acessos de raiva. Explosões violentas. Ela quebrava as coisas. Gabriel me contou que várias vezes ela ameaçou matá-lo. Eu devia ter dado atenção, feito alguma coisa... Depois que ela tentou se matar, eu devia ter interferido, insistido em que buscasse ajuda. Mas não fiz nada. Gabriel estava decidido a protegê-la, e eu, burro, deixei.

Max suspirou e consultou o relógio, um sinal para que eu encerrasse a conversa.

Mas me limitei a ficar olhando fixamente para ele.

— Alicia tentou se matar? Como assim? Quando? Depois do crime?

Max acenou negativamente com a cabeça.

— Não, muitos anos antes. Você não sabia disso? Achei que soubesse.

— Quando foi isso?

— Depois da morte do pai dela. Tomou uma overdose... Pílulas, alguma coisa assim. Não lembro exatamente. Teve uma espécie de colapso.

Eu ia pressioná-lo mais quando a porta foi aberta. Apareceu a recepcionista, falando em voz fanhosa.

— Querido, temos que ir. A gente vai se atrasar.

— Certo. Já vou, meu bem.

A porta se fechou. Max levantou, me olhando como quem pede desculpas.

— Nós vamos ao teatro. — Devo ter parecido surpreso, porque ele achou graça. — Nós, Tanya e eu, nos casamos ano passado.

— Ah, sim.

— A morte de Gabriel nos aproximou. Eu não teria conseguido sem ela.

O telefone de Max tocou, distraindo-o.

Indiquei que atendesse.

— Obrigado, foi de grande ajuda.

E me retirei. Olhei melhor para Tanya na recepção — loira, bonita, pequena e delicada. Ela assoou o nariz, e reparei no grande diamante da aliança.

Para minha surpresa, ela se levantou e me acompanhou até a saída, franzindo a testa. Falava em voz baixa e rápido.

— Se quiser saber mais sobre Alicia, você tem que conversar com o primo dela, Paul. Ele conhece Alicia melhor que ninguém.

— Eu liguei para a tia, Lydia Rose. Ela não se mostrou muito receptiva.

— Esquece Lydia. Vai até Cambridge. Conversa com Paul. Pergunta sobre Alicia e a noite depois do acidente, e...

A porta do escritório se abriu. Tanya ficou em silêncio imediatamente. Max apareceu e ela correu até ele com um sorriso largo.

— Pronto, querido?

Tanya sorria, mas parecia nervosa. Ela tem medo dele, pensei. E me perguntei por quê.

CAPÍTULO 13

O diário de Alicia Berenson

22 DE JULHO

Odeio o fato de ter uma arma em casa.

Ontem à noite discutimos outra vez por causa disso. Pelo menos acho que era por isso que estávamos brigando... Mas já não sei muito bem.

Gabriel disse que a gente estava discutindo por minha culpa. Imagino que devia ser. Odeio vê-lo tão chateado, com tristeza no olhar. Odeio fazê-lo sofrer, e, no entanto, às vezes tudo que quero é fazê-lo sofrer, e não sei por quê.

Ele disse que eu entrei em casa com um humor péssimo. Que subi a escada gritando com ele. Talvez eu tenha feito isso. Imagino que eu estivesse chateada. Não tenho muita certeza do que aconteceu. Eu tinha acabado de voltar do parque. Não me lembro de grande parte do tempo que caminhei — eu estava sonhando acordada, pensando no trabalho, no quadro de Jesus. Lembro que passei por uma casa na volta. Tinha dois garotos brincando com uma mangueira. Não deviam ter mais de 7 ou 8 anos. O mais velho estava jogando água no menor, um arco-íris de cores cintilando na luz. Um arco-íris perfeito. O menorzinho estendia os braços, rindo. Enquanto passava por eles percebi que meu rosto estava molhado de lágrimas.

Na hora, não dei importância, mas, pensando bem, parece até óbvio. Não quero admitir a verdade para mim mesma — que falta uma parte importantíssima da minha vida. Que tenho negado que quero filhos, fingindo que não tenho interesse, que só me interesso pela minha arte. Isso não é verdade. Não passa de uma desculpa — a verdade é que tenho medo de ter filhos. Uma criança não pode ser confiada a mim.

Não, caso corra nas minhas veias o sangue da minha mãe...

Era isso que passava na minha cabeça, consciente ou inconscientemente, quando voltei para casa. Gabriel tinha razão, eu estava péssima.

Mas eu não teria explodido se não o tivesse encontrado limpando a espingarda. Fico tão nervosa por ele ter uma arma dentro de casa. E chateada porque ele não se livra desse negócio, por mais que eu implore. Gabriel sempre diz a mesma coisa: que era uma das velhas espingardas da fazenda do pai dele, que lhe foi dada quando tinha 16 anos, e por isso tem valor sentimental, blá-blá-blá... Eu não acredito nisso. Acho que ele a guarda por outro motivo. E foi o que eu disse. E Gabriel respondeu que não tinha nada de errado em querer segurança, em querer proteger a casa e a mulher. E se alguém invadisse a casa?

"A gente chama a polícia", retruquei. "Não vamos atirar em ninguém, porra!"

Eu levantei a voz, mas ele levantou ainda mais, e, quando vi, estávamos gritando um com o outro. Talvez eu estivesse meio descontrolada. Mas estava apenas reagindo a ele — Gabriel tem um lado agressivo, uma parte sua de que tenho uns vislumbres de vez em quando, e, quando acontece, fico assustada. Nesses breves momentos, é como se eu vivesse com um estranho. O que é assustador.

Passamos o resto da noite sem nos falar. Fomos para a cama em silêncio.

Hoje de manhã, fizemos sexo e esquecemos isso. Parece que a gente sempre resolve os nossos problemas na cama. De alguma forma, é mais fácil — quando se está sem roupa e ainda com sono debaixo das cobertas — sussurrar um "me desculpa" sincero. As defesas e as justificativas furadas são deixadas de lado, amontoadas no chão junto com as roupas.

"Talvez a gente devesse transformar numa regra sempre discutir na cama." Ele me beijou. "Eu te amo. E vou me livrar dessa espingarda, eu prometo."

"Não. Não importa, esquece isso. Está tudo bem. De verdade."

Gabriel me beijou outra vez e me puxou para perto. Eu me agarrei a ele, meu corpo nu grudado ao seu. Fechei os olhos e me espreguicei numa rocha acolhedora moldada à minha forma. E, enfim, me senti em paz.

23 DE JULHO

Estou escrevendo isso no Caffè dell'Artista. Agora venho aqui quase todo dia. Sinto necessidade de sair de casa. Quando tem gente por perto, mesmo que seja apenas essa garçonete entediada, me sinto conectada com o mundo, um ser humano.

Caso contrário, corro o risco de deixar de existir. Como se pudesse desaparecer.

Às vezes eu gostaria de desaparecer, como essa noite. Gabriel convidou o irmão dele para jantar. Ele me avisou hoje de manhã.

"Tem séculos que a gente não vê o Max. Desde o open house do Joel. Vou fazer um churrasco." Gabriel me olhou de um jeito estranho. "Tudo bem para você?"

"Por que não estaria?"

Gabriel riu.

"Você mente muito mal, sabia? Dá para perceber só pelo seu olhar."

"E o que dá para perceber?"

"Que você não gosta do Max. Nunca gostou."

"Isso não é verdade." Dava para sentir que eu estava ruborizando. Dei de ombros e desviei o olhar. "É claro que eu gosto do Max. Vai ser ótimo estar com ele. Quando você vai posar para mim de novo? Preciso terminar o quadro."

Gabriel sorriu.

"Que tal no fim de semana? E, falando do quadro, vou pedir um favor. Não mostra pro Max, ok? Não quero que ele me veja como Jesus. Eu vou ser motivo de piada para sempre."

"Max não vai ver o quadro. Ainda não está pronto."

E, mesmo que estivesse, Max é a última pessoa que eu quero no meu ateliê. Foi o que pensei, mas não disse.

Agora estou com medo de voltar para casa. Quero ficar aqui nesse café com ar-condicionado, escondida até Max ir embora. Mas a garçonete já está fazendo barulhinhos impacientes e olhando ostensivamente para o relógio. Daqui a pouco vou ser colocada para fora. O que significa que, se não quiser ficar perambulando pelas ruas à noite inteira feito uma louca, não vou ter escolha senão voltar para casa e encarar a realidade. Encarar Max.

24 DE JULHO

Estou mais uma vez no café. Tinha uma pessoa sentada à minha mesa, e a garçonete me lançou um olhar de solidariedade — ou pelo menos foi o que pensei ter visto, certa empatia, mas posso estar equivocada.

Escolhi outra mesa, voltada para dentro, não para fora, perto do ar--condicionado. Sem muita luz, um canto frio e escuro, bem condizente com o meu estado de espírito.

A noite passada foi um horror. Pior do que eu esperava.

Nem reconheci Max quando ele chegou; acho que nunca o tinha visto sem terno. Estava meio ridículo de bermuda. Suava muito por causa da caminhada desde o metrô — a careca vermelha e lustrosa, manchas escuras sob as axilas. Assim que chegou, não cruzava o olhar com o meu. Ou era eu que não olhava para ele?

Ele fez um escarcéu elogiando a casa, dizendo que estava muito diferente, que a gente não o convidava havia muito tempo e que já estava achando que nunca mais íamos chamá-lo. Gabriel pediu desculpa, dizendo que andávamos muito ocupados — eu com a próxima exposição e ele no trabalho — e que a gente não estava convidando ninguém. Gabriel sorriu, mas deu para perceber que tinha ficado incomodado com o fato de Max ter batido tanto nessa tecla.

No início mantive muito bem as aparências. Estava esperando o momento certo. E ele chegou. Max e Gabriel foram para o jardim adiantar o churrasco. Eu fiquei na cozinha com a desculpa de preparar uma salada. Sabia que Max encontraria uma desculpa para vir até mim. E estava certa. Passados uns cinco minutos, ouvi seus passos pesados. Seu jeito de andar não tem nada a ver com o de Gabriel, que é tão silencioso, parece um gato, eu nunca o ouço caminhando pela casa.

"Alicia", Max chamou.

Percebi que minhas mãos tremiam enquanto cortava o tomate. Deixei a faca de lado. Me virei para encará-lo.

Max mostrou a garrafa de cerveja vazia e sorriu. Ainda não olhava para mim.

"Vim buscar mais uma."

Fiz que sim. Não disse nada. Ele abriu a geladeira e pegou outra cerveja. Começou a procurar o abridor. Apontei para o lugar onde estava, na bancada.

Ele me lançou um sorriso estranho ao abrir a garrafa, como se fosse dizer alguma coisa. Mas eu me adiantei:

"Eu vou contar para o Gabriel o que aconteceu. Achei que seria bom você saber."

Max parou de sorrir. Pela primeira vez, olhou para mim, um olhar traiçoeiro.

"O quê?"

"Eu vou contar para o Gabriel o que aconteceu na casa do Joel."

"Eu não sei do que você está falando."

"É mesmo?"

"Eu não me lembro. Acho que estava muito bêbado."

"Mentira."

"É verdade."

"Você não lembra que me beijou? Não lembra que me agarrou?"

"Alicia, por favor."

"Por favor o quê? Não conte isso para ninguém? Você me assediou."

Eu sentia a raiva subindo. Me esforçava para controlar a voz e não começar a gritar. Olhei pela janela. Gabriel estava do outro lado do jardim, cuidando do churrasco. A fumaça e o ar quente distorciam sua imagem.

"Você é um exemplo para ele", falei. "Você é o irmão mais velho. Ele vai ficar arrasado quando eu contar."

137

"Então não conta. Não tem nada para contar."

"Ele precisa saber a verdade. Precisa saber quem o irmão é na verdade. Você..."

Mas não consegui concluir a frase. Max agarrou meu braço com força e me puxou para perto. Perdi o equilíbrio e caí em cima dele, que ergueu o punho. Pensei que fosse me dar um soco.

"Eu te amo", ele disse. "Eu te amo, eu te amo, eu te amo..."

Antes que eu conseguisse reagir, ele me beijou. Tentei me desvencilhar, mas ele não me soltava. Eu sentia seus lábios ásperos, a língua entrando na minha boca. O instinto tomou conta de mim.

Mordi a língua dele com toda a força.

Max deu um grito e me empurrou para longe. Quando se deu conta, sua boca estava cheia de sangue.

"Sua piranha do caralho!" A voz distorcida, os dentes vermelhos. Ele olhava para mim como um animal ferido.

Não consigo acreditar que Max seja irmão de Gabriel. Ele não tem nenhuma das qualidades de Gabriel, nem a decência, a bondade. Ele me dá nojo — e foi isso que eu disse.

"Alicia, não conta nada para o Gabriel. Ouve o que estou dizendo. Eu estou avisando."

Eu não disse mais uma palavra. Sentia seu sangue na língua, e então me virei para a torneira e lavei a boca. Em seguida, fui para o jardim.

De vez em quando sentia Max olhando para mim durante o jantar. Eu olhava e ele desviava o olhar. Não comi nada. A simples ideia de comer me deixava enjoada. Eu ainda sentia o gosto do seu sangue.

Não sei o que fazer. Não quero mentir para Gabriel. Nem quero manter isso em segredo. Mas, se eu contar, ele nunca mais vai falar com Max.

Ele ficaria arrasado ao saber que o irmão traiu sua confiança. Porque ele confia em Max e o idolatra. E não devia fazer nenhuma dessas duas coisas.

Não acredito que Max esteja apaixonado por mim. Eu acho que ele odeia Gabriel, só isso. Tem um ciúme louco do irmão e quer pegar tudo de Gabriel, inclusive a mim. Porém, agora que o enfrentei, acho que ele não vai mais me incomodar — pelo menos é o que eu espero. Por algum tempo, pelo menos.

Assim, por enquanto, vou me manter em silêncio.

Claro que Gabriel consegue saber tudo que estou pensando. Ou talvez eu não saiba disfarçar muito bem. Ontem à noite, quando estávamos indo para a cama, ele disse que eu parecia estranha o tempo todo na presença de Max.

"Eu estava cansada."

"Não, era mais que isso. Você estava muito distante. Podia ter se esforçado mais. A gente quase nunca vê o Max. Não entendo por que você tem esse problema."

"Não tenho. Não tinha nada a ver com ele. Eu estava preocupada, pensando no trabalho. Estou atrasada com a exposição, só consigo pensar nisso." Falei com o máximo de convicção possível.

Gabriel me olhou descrente, mas deixou pra lá, por enquanto. Vou ter que encarar isso de novo da próxima vez que encontrarmos Max, mas algo me diz que não vai ser tão cedo.

Me sinto melhor por ter escrito isso. Mais segura por ter colocado no papel. Significa que tenho provas.

Se um dia for necessário.

26 DE JULHO

Hoje é meu aniversário. Faço 33 anos.

Engraçado, mas jamais imaginei chegar a essa idade. Já ultrapassei a idade da minha mãe — dá uma sensação de insegurança, ser mais velha que ela. Ela chegou aos 32 e acabou. Agora já fui mais longe e não vou parar. Vou ficar cada vez mais velha, mas ela não.

Gabriel foi um amor essa manhã — ele me acordou com um beijo e me ofereceu trinta e três rosas vermelhas. Lindas. E sem querer espetou o dedo num espinho. Uma lágrima vermelho-sangue. Foi perfeito.

Depois, me levou para tomar café da manhã num piquenique no parque. O sol ainda estava nascendo e o calor não estava insuportável. Uma brisa fresca vinha da água e o ar cheirava a grama aparada. Nos deitamos debaixo de um salgueiro-chorão perto do lago, usando o cobertor azul que compramos no México. Os galhos formavam um dossel sobre nós, e a luz do sol era filtrada pelas folhas. Bebemos champanhe e comemos fatias de pão com salmão defumado e tomates-cereja. Não sei o motivo, mas eu estava com uma vaga sensação de familiaridade, uma incômoda impressão de déjà-vu que não conseguia explicar. Talvez fosse apenas alguma lembrança de histórias da infância, contos de fadas e árvores mágicas servindo de portal para outros mundos. Ou talvez algo mais prosaico. Até que me veio a lembrança:

Eu me vi ainda muito jovem, sob os galhos de um salgueiro no nosso jardim em Cambridge. Passava horas escondida lá. Posso não ter sido uma criança feliz, mas, quando estava debaixo do salgueiro, sentia uma satisfação semelhante a estar aqui com Gabriel. E agora era como se o passado e o presente convivessem num instante perfeito. Eu queria que aquele momento durasse para sempre. Gabriel caiu no sono e eu o desenhei, tentando capturar a luz do sol salpicada em seu rosto. Dessa vez me saí melhor com os olhos. Era mais fácil porque estavam fechados — mas pelo menos acertei na forma. Ele parecia um menininho, entregue ao sono, a respiração leve, com migalhas de pão em torno da boca.

Terminamos o piquenique, voltamos para casa e fizemos sexo. E Gabriel, enquanto me abraçava, me disse algo incrível:

"Alicia, querida, tem uma coisa que ando querendo dizer para você."

Seu jeito de falar imediatamente me deixou nervosa. Me preparei, temendo o pior.

"Pode dizer."

"Eu gostaria que a gente tivesse um filho."

Levei uns segundos até conseguir falar. Fiquei tão chocada que nem sabia o que dizer.

"Mas... Você não queria ter filhos... Você dizia..."

"Esquece isso. Mudei de ideia. Quero que a gente tenha um filho. E aí? O que me diz?"

Gabriel me olhava esperançoso, cheio de expectativa, esperando minha resposta. Eu sentia meus olhos se enchendo de lágrimas.

"Sim", eu disse por fim. "Sim, sim, sim..."

Nós nos abraçamos, choramos, rimos.

Agora ele está dormindo. Tive que escapulir para escrever tudo isso — quero me lembrar desse dia pelo resto da vida. De cada segundo.

Estou feliz. Cheia de esperança.

CAPÍTULO 14

FIQUEI PENSANDO NO QUE MAX Berenson tinha dito — sobre a tentativa de suicídio de Alicia depois da morte do pai. Não havia nenhuma menção a respeito na pasta dela, e eu me perguntava por quê.

No dia seguinte, liguei para Max, que já estava saindo do escritório.

— Eu queria só fazer mais uma ou duas perguntas, se possível.

— Estou literalmente passando pela porta.

— É rápido.

Max suspirou e afastou o telefone da boca para dizer algo ininteligível a Tanya.

— Cinco minutos — avisou. — Nem um a mais.

— Obrigado, fico grato. Você falou da tentativa de suicídio de Alicia. Eu estava me perguntando em que hospital ela foi tratada.

— Ela não foi internada.

— Não?

— Não. Ela se recuperou em casa. Meu irmão cuidou dela.

— Mas... Ela deve ter ficado aos cuidados de um médico... Não foi uma overdose?

— Sim. Claro que Gabriel chamou um médico. E ele, o médico, concordou em não fazer nenhum alarde.

— Quem era o médico? Você lembra o nome dele?

Houve uma pausa enquanto Max pensava.

— Lamento... Não sei dizer, não me lembro.

— Pode ter sido o médico da família?

— Não, sei que não foi. Meu irmão e eu temos o mesmo médico. Lembro que Gabriel fez questão de pedir a mim que não mencionasse esse fato a ele.

— E tem certeza de que você não se lembra do nome?

— Sinto muito. Era só isso? Preciso desligar.

— Só mais uma coisa... Fiquei curioso com os termos do testamento de Gabriel.

Max inspirou e imediatamente endureceu o tom.

— O testamento? Não entendo por que isso vem ao caso...

— Alicia era a principal herdeira?

— Devo dizer que acho essa pergunta bem estranha.

— É que estou tentando entender...

— Entender o quê? — Max continuou falando sem esperar resposta, parecendo irritado. — Eu era o principal herdeiro. Alicia tinha herdado muito dinheiro do pai, e Gabriel achava que a situação dela já estava bem confortável. Por isso ele deixou a maior parte dos bens para mim. Naturalmente, ele não tinha a menor ideia de que o espólio iria se tornar tão valioso depois da sua morte. Era isso que você queria saber?

— E o testamento de Alicia? Quando ela morrer, quem vai herdar?

— Isso eu já não posso dizer — retrucou Max com firmeza. — E sinceramente espero que tenha sido nossa última conversa.

E desligou. Mas algo em seu tom me dizia que não seria a última vez que ouviria falar de Max Berenson.

E não precisei esperar muito.

Diomedes me convocou à sua sala depois do almoço. Ergueu os olhos quando entrei, mas não sorriu.

— O que está acontecendo?

— Como assim?

— Não se faça de burro. Você sabe quem me ligou hoje de manhã? Max Berenson. Ele disse que você entrou em contato com ele duas vezes e fez um monte de perguntas pessoais.

— Eu pedi algumas informações sobre Alicia. E ele deu, sem problemas.

— Mas houve problemas, sim. Ele está falando de assédio.

— Ora, por favor...

— A última coisa que precisamos é de um advogado criando caso. Suas atividades devem se limitar a esse prédio, e sob minha supervisão. Estamos entendidos?

Fiquei indignado, mas assenti. Olhava para o chão, como um adolescente contrariado.

Diomedes reagiu de acordo, me dando um tapinha paternal no ombro.

— Theo. Vou lhe dar um conselho. Você está encarando esse negócio do jeito errado. Fazendo perguntas, buscando pistas, como se fosse um caso de polícia. — Ele riu e balançou a cabeça. — Você não vai chegar lá assim.

— Chegar aonde?

— À verdade. Lembre-se de Bion: "Sem memória, sem desejo." Nenhum projeto preconcebido: como terapeuta, seu único objetivo é estar presente e receptivo aos próprios sentimentos durante a sessão. Essa é a única coisa que você precisa fazer. O resto se resolve por si mesmo.

— Eu sei. Você tem razão.

— Tenho sim. E não quero saber de mais nenhuma visita a parentes de Alicia, entendido?

— Dou a minha palavra.

CAPÍTULO 15

NAQUELA TARDE, FUI A CAMBRIDGE visitar o primo de Alicia, Paul Rose.

À medida que o trem se aproximava da estação, a paisagem ficava cada vez mais plana e os campos irradiavam uma fria luz azul. Estava feliz por me afastar de Londres — o céu era menos opressivo, e eu conseguia respirar com mais facilidade.

Saltei do trem com uns poucos estudantes e turistas, usando o mapa do celular para me guiar. As ruas estavam tranquilas; eu ouvia meus passos no calçamento. De repente, a rua acabou. Um terreno baldio à frente, terra lamacenta e grama até o rio.

À beira do rio, uma casa solitária. Obstinada e imponente, como um enorme tijolo vermelho atirado na lama. Era feia, um monstro vitoriano. As paredes cobertas de hera, o jardim quase todo tomado por ervas daninhas. Me deu a sensação de uma invasão da natureza, retomando um território que já fora seu. Era a casa onde Alicia tinha nascido. Onde havia passado os primeiros 18 anos de vida. Por trás daquelas paredes se formara sua personalidade: as raízes da sua vida adulta, todas as causas e posteriores escolhas estavam enterradas ali. Às vezes é difícil entender por que as respostas para o presente estão no passado. Uma analogia simples pode ajudar: uma eminente psiquiatra no campo do abuso sexual me disse certa vez que, em trinta anos de trabalho com pedófilos, jamais havia encontrado algum que não tivesse sofrido abuso na infância. Isso não significa que todas as crianças que sofrem abuso venham a fazer o mesmo quando adultas, mas que é impossível que alguém que não tenha sofrido abuso venha a praticá-lo. Ninguém nasce mau. Já dizia Winnicott: "O bebê não é capaz de odiar a mãe se antes a mãe não odiá-lo." O bebê é uma esponja inocente, um quadro em branco, tendo presentes apenas as necessidades mais básicas: comer, defecar, amar e ser amado. Mas alguma coisa acaba dando errado, dependendo das circunstâncias nas quais nascemos, da casa em que crescemos. Uma criança atormentada, sofrendo abusos, não é capaz de se vingar no mundo real, impotente e sem defesas, mas pode — e tem uma tendência a — alimentar fantasias de vingança na imaginação. A raiva, assim como o medo, é reativa. Algo ruim aconteceu com Alicia, provavelmente na primeira infância, e provocou os impulsos assassinos que se manifestariam tantos anos depois. Qualquer que tenha sido o fator provocador, nem todo mundo teria pego uma arma de fogo e atirado à queima-roupa no rosto do marido — a maioria das pessoas não o faria. O fato de Alicia tê-lo feito indica algum comprometimento em seu mundo interior. Por isso era fundamental, para mim, entender como foi sua vida nessa casa, descobrir o que aconteceu na sua formação, tornando-a a pessoa que veio a ser: alguém capaz de matar.

Entrei no jardim abandonado, em meio ao mato e às flores silvestres balançando ao vento, e cheguei à lateral da casa. Nos fundos havia um grande salgueiro, uma árvore linda, majestosa, com longos galhos nus varrendo o chão. Imaginei Alicia brincando ali na infância, no mundo mágico e secreto por baixo daqueles galhos. E sorri.

De repente me senti desconfortável. Tive a sensação de que alguém estava me observando.

Olhei para a casa. Um rosto apareceu numa janela do andar de cima. Um rosto feio de uma mulher velha, pressionado no vidro — e olhando fixamente para mim. Senti um estranho e inexplicável calafrio de medo.

Quando ouvi os passos atrás de mim já era tarde demais. Uma pancada forte e uma dor aguda atrás da cabeça.

Tudo ficou preto.

CAPÍTULO 16

Recobrei a consciência deitado no chão duro e frio. A primeira sensação foi de dor. A cabeça latejava, com pontadas, como se meu crânio estivesse rachado. Estendi a mão para tocar cuidadosamente a parte de trás da cabeça.

— Não tem sangue — disse uma voz. — Mas amanhã você vai estar com um baita galo. Sem falar de uma dor de cabeça daquelas.

Levantando os olhos, vi Paul Rose pela primeira vez. Estava de pé perto de mim, segurando um taco de beisebol. Tinha mais ou menos a minha idade, mas era mais alto e mais corpulento. Um rosto meio infantil e uma cabeleira ruiva, como Alicia. Fedia a uísque.

Tentei me sentar, mas não consegui.

— Melhor ficar aí mesmo. Fica um tempinho se recuperando.

— Acho que estou com uma concussão.

— Possível.

— Por que você fez isso?!

— O que você esperava, meu camarada? Achei que fosse um ladrão.

— Mas não sou.

— Agora eu sei disso. Já olhei na sua carteira. Você é terapeuta.

Ele levou a mão ao bolso de trás, pegou a minha carteira e a jogou para mim. Ela caiu no meu peito, e eu a peguei.

— Vi a sua identificação. Você trabalha naquele hospital... O Grove?

Fiz que sim com a cabeça, e o movimento a fez latejar.

— Trabalho.

— Então você sabe quem sou eu.

— O primo de Alicia?

— Paul Rose. — Ele estendeu a mão. — Vamos. Vou ajudar você.

E me botou de pé com incrível facilidade. Era um homem forte. Minhas pernas estavam meio bambas.

— Você podia ter me matado — murmurei.

Paul deu de ombros.

— Você podia estar armado. Invadiu a minha propriedade. O que esperava? Por que você está aqui?

— Vim procurar você. — E fiz uma careta de dor. — E já me arrependi.

— Entra, senta um pouco.

Era dor demais para não obedecer. Minha cabeça latejava a cada passo. Entramos pela porta dos fundos.

O interior da casa era tão decadente quanto o exterior. As paredes da cozinha eram cobertas por figuras geométricas laranja que estiveram na moda há uns quarenta anos. O papel de parede se desprendia em tiras que se enrolavam e se retorciam, enegrecidas como se tivessem pegado fogo. Insetos mumificados pendiam de teias de aranha nos cantos do teto. A poeira estava acumulada de tal maneira no piso que parecia um tapete sujo. E o cheiro de urina de gato já estava me deixando enjoado. Contei pelo menos cinco gatos andando pela cozinha, dormindo em cadeiras e outras superfícies. No chão, sacos plásticos cheios de latas de ração de gato fedendo.

— Senta. Vou fazer um chá.

Paul deixou o taco de beisebol encostado na parede, junto à porta. Fiquei de olho nele. Eu não me sentia seguro com aquele sujeito por perto.

Ele me entregou uma caneca rachada cheia de chá.

— Bebe isso.

— Você tem algum analgésico?

— Tenho aspirina por aí em algum lugar, vou dar uma olhada. Toma. — E me mostrou uma garrafa de uísque. — Vai ajudar.

Colocou uísque na caneca. Beberiquei. Quente, doce e forte. Houve uma pausa enquanto Paul bebia seu chá, olhando para mim — e me lembrei de Alicia com aquele seu olhar penetrante.

— Como ela está? — perguntou ele por fim. Mas continuou antes que eu pudesse responder. — Ainda não consegui visitar Alicia. Não é fácil sair daqui... Mamãe não está bem, não gosto de deixar ela sozinha.

— Entendo. Quando você esteve com Alicia pela última vez?

— Ah, tem anos já... Muito tempo. A gente perdeu contato. Eu fui ao casamento deles, e depois estive com ela uma ou duas vezes, mas... Gabriel era muito possessivo, eu acho. De qualquer maneira, ela parou de ligar depois que se casou. Parou de visitar a gente. Mamãe ficou bastante chateada, para falar a verdade.

Eu não falava. Mal conseguia pensar, com a cabeça latejando. Sentia que ele me observava.

— Então, por que você veio me procurar?

— Eu só queria fazer algumas perguntas... Queria perguntar sobre Alicia. Sobre... a infância dela.

Paul assentiu e pôs uísque na própria caneca. Agora ele parecia estar relaxando; o uísque também fazia efeito em mim, amenizando a dor, e eu já raciocinava melhor. Mantém o foco, dizia a mim mesmo. Tenta extrair alguns fatos dele. E dá o fora daí.

— Vocês cresceram juntos?

Paul fez que sim.

— Mamãe e eu nos mudamos para cá quando papai morreu. Eu devia ter 8 ou 9 anos. Era para ser temporário, eu acho... Mas aí a mãe da Alicia morreu no acidente. E mamãe ficou, para cuidar de Alicia e do tio Vernon.

— Vernon Rose... O pai de Alicia?

— Exato.

— E Vernon morreu aqui alguns anos atrás?

— Sim. Muitos anos atrás. — Paul franziu a testa. — Ele se matou. Ele se enforcou. Lá em cima, no sótão. Eu encontrei o corpo.

— Deve ter sido terrível.

— Sim, foi difícil, principalmente para Alicia. Pensando bem, foi a última vez que a vi. No enterro do tio Vernon. Ela estava péssima. — Paul se levantou. — Quer outra dose?

Tentei recusar, mas ele não parava de falar enquanto servia mais uísque.

— Eu nunca acreditei de verdade. Que ela matou Gabriel. Para mim não fazia sentido.

— Por quê?

— Ora, ela não era assim, de jeito nenhum. Alicia nunca foi uma pessoa violenta.

Mas agora é, pensei. Porém, não disse nada. Paul bebericava o uísque.

— Ela continua sem falar?

— Sim, continua.

— Isso não faz sentido. Nada disso. Sabe, eu acho que ela...

Fomos interrompidos por uma pancada no piso de cima. Uma voz abafada, a voz de uma mulher; as palavras eram ininteligíveis.

Paul se levantou de súbito.

— Um segundinho.

E saiu, apressando-se até o pé da escada. E em voz bem alta perguntou:

— Tudo bem, mamãe?

Uma resposta engrolada veio lá de cima, sem que eu conseguisse entender.

— O quê? Ah, sim, tudo bem. Espera... Espera só um minutinho.

Ele parecia constrangido. Olhou para mim de longe, franzindo a testa. E acenou a cabeça.

— Ela quer que você vá lá em cima.

CAPÍTULO 17

Já COM MAIS FIRMEZA, MAS ainda me sentindo tonto, fui atrás de Paul pela escada coberta de poeira.

Lydia Rose esperava no alto. A mesma cara feia que eu tinha visto na janela. Cabelos brancos longos, caindo sobre os ombros como uma teia de aranha. Incrivelmente gorda — pescoço inchado, antebraços balofos, pernas grossas. Apoiava-se numa bengala, que vergava sob seu peso, parecendo prestes a ceder.

— Quem é ele? Quem é ele?

A pergunta em voz estridente se dirigia a Paul, embora ela olhasse para mim. Não tirava os olhos de mim. Mais uma vez, o mesmo olhar intenso que se via em Alicia.

Paul falou em voz baixa.

— Mamãe. Não fica nervosa. É o terapeuta da Alicia, só isso. Do hospital. Ele veio falar comigo.

— Com você? E por que ele quer falar com você? O que foi que você fez?

— Ele só quer saber um pouco de Alicia.

— Ele é jornalista, seu imbecil de merda. — Ela já estava quase gritando. — Coloca ele pra fora daqui!

— Ele não é jornalista. Eu vi a identificação dele, tá bem? Vamos lá, mamãe, por favor. Vou levar você de volta para a cama.

Resmungando, ela se deixou conduzir de volta ao quarto. Paul fez sinal para que os seguisse.

Lydia largou seu peso com um baque. A cama estremeceu. Paul ajeitou os travesseiros para ela. Um gato muito velho dormia aos pés de Lydia, o gato mais feio que eu já tinha visto — cheio de cicatrizes, com vários pontos sem pelo, uma orelha arrancada. E rosnava enquanto dormia.

Passei os olhos pelo quarto. Cheio de lixo — pilhas de revistas velhas e jornais amarelados, montes de roupas surradas. Perto da parede, um balão de oxigênio; e uma lata de remédios na mesa de cabeceira.

O tempo todo eu sentia o olhar hostil de Lydia. E havia loucura naquele olhar, disso eu estava certo.

— O que ele quer? — Seus olhos, se movimentando febrilmente, me avaliavam. — Quem é ele?

— Eu já disse, mamãe. Ele quer informações sobre Alicia, para ajudar no tratamento dela. É o terapeuta dela.

Lydia deixou bem claro como se sentia em relação a terapeutas. Ela virou a cabeça, pigarreou e cuspiu no chão à minha frente.

Paul grunhiu.

— Mamãe, por favor...

— Cala a boca! — Lydia me olhava fixamente. — Alicia não merece estar no hospital.

— Não? — questionei. — Onde ela deveria estar?

— E onde você acha? Na prisão. — Lydia me olhava com desprezo. — Quer saber de Alicia? Pois eu vou contar. Ela é uma piranhazinha. Sempre foi, desde criança.

Eu ouvia, a cabeça latejando, enquanto Lydia se exaltava cada vez mais.

— Meu pobre irmão, Vernon. Ele nunca se recuperou da morte de Eva. Eu cuidei dele. Cuidei de Alicia. E ela ficou agradecida?

Naturalmente, não era preciso responder. Nem ela esperou por resposta alguma.

— Sabe como ela me retribuiu? Com todos os meus cuidados? Sabe o que ela fez comigo?

— Mamãe, por favor...

— Cala a boca, Paul! — Lydia se voltou para mim. Me espantava todo aquele ódio em sua voz. — A piranha *me pintou*. Me pintou, sem que eu soubesse nem tivesse autorizado. Eu fui à exposição... E lá estava, pendurado na parede. Pavoroso, nojento, uma caricatura obscena.

Lydia tremia de ódio, e Paul parecia preocupado. Ele me olhou com ar infeliz.

— Acho que é melhor você ir embora, parceiro. Mamãe não pode se alterar assim.

Assenti. Lydia Rose não estava nada bem, não restava a menor dúvida. Me retirei de lá de bom grado.

Saí da casa e voltei para a estação de trem, a cabeça inchada e uma dor de cabeça lancinante. Que perda de tempo! Eu não tinha descoberto nada, apenas que era óbvio por que Alicia havia saído daquela casa assim que pôde. O que me lembrou que eu mesmo tinha saído de casa aos 18 anos, fugindo do meu pai. E era óbvio também de quem Alicia estava fugindo: Lydia Rose.

Fiquei pensando no retrato que ela havia feito de Lydia. "Uma caricatura obscena", dissera ela. Bem, então vamos visitar a galeria de Alicia e ver por que o retrato incomodava tanto a tia.

Ao deixar Cambridge, eu pensava em Paul. E o sentimento era de pena, por ter que viver com aquela mulher monstruosa, escravizado. Uma vida solitária, pois eu não conseguia imaginar que ele tivesse muitos amigos. Nem namorada. Não me surpreenderia se ainda fosse virgem. Parecia faltar alguma coisa em Paul, apesar do tamanho; ele passava uma sensação de frustração.

Eu tinha sido tomado por uma imediata e violenta aversão a Lydia, provavelmente por que ela lembrava o meu pai. Eu teria acabado como Paul se tivesse ficado naquela casa, se tivesse permanecido com meus pais em Surrey, nas mãos de um louco.

Me senti deprimido por toda a viagem de volta a Londres. Triste, cansado, à beira das lágrimas. Não dava para saber se sentia a tristeza de Paul ou a minha.

CAPÍTULO 18

KATHY NÃO ESTAVA EM CASA quando cheguei.

Abri seu laptop e tentei acessar seus e-mails, mas não consegui. A conta estava desconectada.

Precisava aceitar que talvez ela nunca mais repetisse o erro. E eu ficaria verificando *ad nauseam*, obcecado, enlouquecendo? Estava autoconsciente o bastante da situação para perceber que tinha me transformado num clichê — o marido ciumento —, e não me escapara a ironia de Kathy estar ensaiando para interpretar Desdêmona em *Otelo*.

Na outra noite eu devia ter encaminhado os e-mails para mim. Assim, disporia de provas concretas. Foi o meu erro. E comecei até a questionar o que tinha visto. Será que podia confiar na minha memória? Eu estava completamente chapado, afinal de contas; será que não tinha interpretado mal? E de repente lá estava eu elaborando as mais absurdas teorias para provar a inocência de Kathy. Podia ser apenas um exercício de interpretação — ela escrevia na pele do personagem, se preparando para *Otelo*. Kathy tinha passado seis meses falando com um sotaque americano quando se preparou para *Todos eram meus filhos*. Talvez estivesse acontecendo algo semelhante. Exceto que os e-mails eram assinados por Kathy, e não Desdêmona.

Se tudo fosse obra da minha imaginação, eu poderia apenas esquecer, como se esquecem os sonhos: acordaria e tudo iria desaparecer. Mas estava preso naquele pesadelo interminável de desconfiança e paranoia. Embora, nas aparências, pouco tivesse mudado. Ainda saímos para dar a caminhada de domingo. Parecíamos um casal como outro qualquer passeando no parque. Talvez os silêncios fossem mais longos, mas não pareciam desconfortáveis. Por trás deles, contudo, minha mente era dominada por um monólogo febril. Eu ficava ensaiando milhões de perguntas. Por que ela havia feito aquilo? Como tinha sido capaz? Por que dizer que me amava, casar comigo, transar comigo, compartilhar a cama comigo — e mentir na minha cara, continuar mentindo, ano após ano? Quando é que isso havia começado? Ela amava esse homem? Ia me trocar por ele?

Espiei seu celular algumas vezes quando ela estava no banho, em busca de mensagens, mas não encontrei nada. Se tinha recebido mensagens comprometedoras, foram apagadas. Ela não era boba, só descuidada às vezes.

Era possível que eu nunca viesse a saber a verdade. Talvez jamais descobrisse.

E, de certa forma, era o que eu queria que tivesse acontecido.

Kathy ficou me olhando quando nos sentamos no sofá depois da caminhada.

— Está tudo bem?

— Como assim?

— Não sei. Você parece meio seco.

— Hoje?

— Não. Ultimamente.

Eu evitava seu olhar.

— Trabalho. Muita coisa na cabeça.

Kathy concordou. Apertou a minha mão, solidária. Uma excelente atriz. Eu quase estava acreditando que ela se preocupava mesmo.

— Como vão os ensaios?

— Melhor. Tony teve umas ideias muito boas. Semana que vem a gente vai ensaiar até tarde para tentar colocar essas ideias em prática.

— Que bom.

Eu não acreditava mais numa palavra que ela dissesse. Analisava cada frase, como faria com qualquer paciente. Buscava o subtexto, lendo nas entrelinhas para tentar encontrar pistas não verbais: inflexões sutis, evasivas, omissões. Mentiras.

— E como vai o Tony?

— Bem.

Ela deu de ombros, como se não se importasse. Mas eu não acreditava. Ela idolatrava Tony, seu diretor, e estava sempre falando dele — pelo menos era o que costumava fazer; ultimamente, não o mencionava tanto assim. Eles conversavam sobre peças, interpretação, teatro... Um mundo totalmente alheio ao meu. Eu já ouvira muito sobre Tony, mas só o tinha visto uma vez, de relance, quando fui encontrar Kathy depois de um ensaio. Achei estranho que ela não tivesse nos apresentado. Ele era casado com uma atriz; fiquei com a sensação de que Kathy não gostava muito dela. Talvez a mulher dele tivesse ciúme da relação dos dois, como eu. Sugeri que saíssemos os quatro para jantar, mas Kathy não foi uma grande entusiasta da ideia. Às vezes eu me perguntava se ela não estava tentando nos manter a distância.

Fiquei observando Kathy abrir o laptop. Ela posicionou a tela de modo que eu não a visse enquanto digitava. Eu ouvia as teclas sendo pressionadas. Para quem estaria escrevendo? Tony?

— Fazendo o quê? — perguntei enquanto bocejava.

— Mandando um e-mail para a minha prima... Ela está em Sydney.

— Ah, é? Manda um beijo para ela.

— Vou mandar.

Kathy digitou mais um pouco, parou e deixou o laptop de lado.

— Vou tomar banho.

Fiz que sim.

— Tá bom.

Ela me lançou um olhar divertido.

— Se anima, meu amor. Você tem certeza de que está tudo bem?

Sorri, acenando positivamente com a cabeça. Ela se levantou e foi para o banheiro. Esperei até ouvir a porta se fechar e o som da água correndo. Deslizei até o lugar onde ela estivera sentada. Peguei o laptop. Meus dedos tremiam. Acessei de novo o navegador e fui até o log-in do e-mail.

Mas ela havia desconectado.

Afastei o laptop, indignado. Isso precisava acabar, pensei. Essas mentiras tão loucas. Ou será que eu é que estava louco?

Enquanto me deitava, puxando as cobertas, Kathy entrou no quarto escovando os dentes.

— Esqueci de contar. Nicole volta para Londres semana que vem.

— Nicole?

— Você lembra. Aquela da festa de despedida.

— Ah, tá. Achei que ela tivesse se mudado para Nova York.

— E se mudou. Mas está voltando. — Uma pausa. — Ela quer se encontrar comigo na quinta... Quinta à noite depois do ensaio.

Não sei por que fiquei desconfiado. Talvez a maneira como ela olhava na minha direção, mas sem fazer contato visual. Senti que Kathy estava mentindo. Não falei nada. Nem ela. Kathy desapareceu outra vez no banheiro. Dava para ouvi-la cuspindo a pasta de dente e bochechando.

Talvez não houvesse nada. Talvez fosse uma situação perfeitamente inocente e Kathy de fato fosse se encontrar com Nicole na quinta.

Talvez.

Só havia um jeito de descobrir.

CAPÍTULO 19

DESSA VEZ NÃO HAVIA FILA do lado de fora da galeria de Alicia, como naquele dia, seis anos antes, quando eu tinha ido ver *Alceste*. Havia uma exposição de outro pintor, e, apesar de possivelmente talentoso, ele não tinha a notoriedade de Alicia nem sua posterior capacidade de atrair multidões.

Ao entrar na galeria, comecei a tiritar; estava ainda mais frio que na rua. Havia no ambiente algo tão gélido quanto a temperatura, com aquelas vigas de aço expostas e o piso de concreto aparente. Uma coisa sem alma, pensei. Vazia.

O galerista estava sentado diante de uma mesa. Levantou-se quando me aproximei.

Jean-Felix Martin tinha 40 e poucos anos, um sujeito bonito de cabelos e olhos pretos, usando uma camisa de malha justa com um crânio vermelho estampado. Eu me apresentei e expliquei o motivo da minha visita. Para minha surpresa, ele pareceu prontamente disposto a falar de Alicia. Tinha certo sotaque. Perguntei se era francês.

— Sim, eu nasci em Paris. Mas estou aqui desde que estudava... Pelo menos uns vinte anos. Hoje me considero mais britânico. — Ele sorriu e apontou para uma sala nos fundos. — Vem, vamos tomar um café.

— Obrigado.

Jean-Felix me conduziu a um escritório que era basicamente um depósito cheio de quadros empilhados.

— Como vai Alicia? — perguntou, manuseando uma máquina de café que parecia bastante complicada. — Ainda está sem falar?

Fiz que sim com a cabeça.

— Ainda.

Ele meneou a cabeça e suspirou.

— Tão triste. Não quer se sentar? O que você precisa saber? Vou fazer o possível para responder. — Jean-Felix deu um sorriso irônico, repleto de curiosidade. — Embora não entenda muito bem por que eu.

— O senhor e Alicia não eram próximos? À parte a relação profissional...

— Quem disse isso?

— O irmão de Gabriel, Max Berenson. Ele que sugeriu que eu viesse procurar pelo senhor.

Jean-Felix revirou os olhos.

— Ah, quer dizer que você esteve com Max! Sujeitinho *enfadonho*.

Ele carregou o comentário com tanto desprezo que eu não consegui deixar de rir.

— O senhor conhece Max Berenson?

— O suficiente. Mais do que gostaria. — E me entregou uma xicarazinha de café. — Alicia e eu éramos amigos. Muito próximos. Nos conhecíamos havia anos, muito antes de ela conhecer Gabriel.

— Eu não sabia disso.

— Sim, sim. Fizemos faculdade de belas-artes juntos. E, depois de formados, passamos a pintar juntos.

— Quer dizer que vocês faziam trabalhos colaborativos?

— Não exatamente. — Ele riu. — Nós pintávamos paredes de casas. Sorri.

— Entendi.

— E ficou claro que eu era melhor pintando paredes que quadros. Então desisti da pintura, mais ou menos na mesma época que Alicia começou a deslanchar. Quando assumi a direção aqui, fazia todo o sentido exibir o trabalho dela. Foi um processo completamente natural e orgânico.

— Sim, é o que parece. E Gabriel?

— O que tem ele?

Senti certa reserva, uma reação defensiva que me disse que valia a pena seguir por esse caminho.

— Me pergunto como ele se encaixou nessa dinâmica. Imagino que o senhor o conhecesse bem.

— Na verdade, não.

— Não?

— Não. — Jean-Felix hesitou um instante. — Gabriel não quis se aproximar. Ele era muito... ensimesmado.

— Parece que o senhor não gostava dele.

— Não gostava muito. E acho que ele não gostava de mim. Na verdade, eu sei que ele não gostava.

— Por quê?

— Não faço a menor ideia.

— Talvez ciúme da sua relação com Alicia?

Jean-Felix bebericou o café e assentiu.

— Sim, é. É uma possibilidade.

— Talvez ele visse o senhor como uma ameaça...?

— É você quem está dizendo. Parece que você tem todas as respostas.

Percebi o que eu estava fazendo. Não forcei mais. Busquei outra abordagem.

— Parece que o senhor esteve com Alicia dias antes do crime.

— Sim. Eu estive na casa deles.

— Pode me falar um pouco disso?

— Bem, Alicia estava preparando uma exposição e estava atrasada. Ela estava preocupada de verdade.

— O senhor ainda não tinha visto os quadros?

— Não. Ela vivia criando obstáculos. Achei melhor ver como as coisas estavam. Eu esperava que ela estivesse no ateliê nos fundos do jardim. Mas não estava.

— Não?

— Não, ela estava dentro de casa.

— Como o senhor entrou?

Jean-Felix pareceu surpreso com a pergunta.

— Como assim? — Dava para ver que ele fazia uma rápida avaliação mental. Até que concordou. — Ah, entendi o que você quer dizer. Tinha um portão que dava da rua para o jardim dos fundos. Normalmente ficava destrancado. E do jardim eu entrei na cozinha pela porta dos fundos. Que também estava destrancada. — Ele sorriu. — Puxa, você parece mais um detetive que um psiquiatra.

— Eu sou psicoterapeuta.

— Faz diferença?

— Só estou tentando entender o estado mental de Alicia. Como estava o humor dela?

Jean-Felix deu de ombros.

— Parecia bem. Meio estressada com o trabalho.

— Só isso?

— Ela não parecia que ia matar o marido dias depois, se é o que está querendo saber. Alicia parecia... bem. — Ele terminou o café e hesitou ao pensar em algo. — Gostaria de ver algumas pinturas dela?

E, sem esperar pela resposta, Jean-Felix se levantou e foi até a porta, fazendo sinal para que eu o seguisse.

— Vem.

163

CAPÍTULO 20

Segui Jean-Felix até um depósito. Ele se dirigiu a uma estante grande, puxou um painel retrátil e tirou dele três quadros envoltos em cobertores, desembrulhando-os cuidadosamente. Em seguida, recuou um passo e me apresentou o primeiro com um floreio.

— *Voilà*.

Observei-o. A pintura era fotorrealista, como as outras obras de Alicia. Representava o acidente de carro que matou a mãe dela. O corpo de uma mulher na carcaça, debruçado sobre o volante. Ensanguentada, ela estava evidentemente morta. Seu espírito, sua alma, se desprendia do cadáver como um enorme pássaro de asas amarelas, levantando voo para o céu.

— Não é glorioso? — Jean-Felix olhava para o quadro. — Todos esses amarelos e verdes e vermelhos... Eu seria capaz de me perder neles. É radiante!

"Radiante" não era exatamente a palavra que eu escolheria. "Perturbador", talvez. Não sabia ao certo o que sentir.

Passei então à pintura seguinte. Uma imagem de Jesus na cruz. Quer dizer...

— É Gabriel — comentou Jean-Felix. — Bem semelhante.

Era Gabriel, mas retratado como Jesus, crucificado, o sangue pingando das feridas, uma coroa de espinhos na cabeça. Os olhos não estavam voltados para baixo, mas arregalados, torturados, decididamente acusativos. Pareciam me atravessar. Olhei mais de perto, examinando o objeto extravagante preso por uma bandoleira ao torso de Gabriel. Uma espingarda.

— É a arma que o matou?

Jean-Felix fez que sim.

— Sim. Era dele, eu acho.

— E o quadro foi pintado antes do crime?

— Mais ou menos um mês antes. Mostra o que ela já tinha em mente, certo?

Jean-Felix passou à terceira pintura. Uma tela maior que as outras.

— Esse é o melhor. Recue um pouco para ter uma boa visão.

Eu fiz o que ele sugeriu, recuando alguns passos. E me voltei para olhar. No momento em que vi o quadro, involuntariamente dei uma risada.

Ele retratava a tia de Alicia, Lydia Rose. E era evidente por que a havia irritado tanto. Lydia estava nua, reclinada numa cama minúscula. A cama vergava sob seu peso. Ela era monstruosamente gorda, uma explosão de carnes se derramando pela cama e chegando ao chão, espalhando-se pelo quarto, formando ondas e dobras como ondas de creme de ovos.

— Meu Deus! Isso foi cruel.

— Eu acho encantador. — Jean-Felix me olhava com interesse. — Você conhece Lydia?

— Sim, fui fazer uma visita.

— Entendo. — Ele sorriu. — Você está fazendo o seu dever de casa direitinho. Eu não conheci Lydia. Alicia odiava a tia, como você bem sabe.

— Pois é. — Eu olhava para o quadro. — É, dá para sentir.

Jean-Felix começou a embrulhar de novo os quadros.

— E *Alceste*? — perguntei. — Posso ver?

— Claro. Vem comigo.

Ele me conduziu por uma passagem estreita até o fim da galeria, onde *Alceste* ocupava sozinha uma parede. Bela e misteriosa como na minha lembrança. Alicia no ateliê, diante de uma tela em branco, pintando com um pincel vermelho-sangue. Analisei sua expressão. Que, como sempre, escapava a qualquer interpretação. Franzi a testa.

— É impossível de ler.

— É exatamente esse o ponto, a recusa de qualquer comentário. É uma pintura sobre o silêncio.

— Não sei se entendi o que o senhor está dizendo.

— No cerne de toda arte tem sempre um mistério. O segredo de Alicia é o seu segredo, seu mistério, no sentido religioso. Por isso ela deu o nome de *Alceste*. Você já leu? Eurípides. — Ele me lançou um olhar curioso. — Leia. Você vai entender.

Fiz que sim, e notei na pintura algo que não havia observado antes. Me inclinei para ver melhor. No fundo do quadro havia uma fruteira em cima da mesa, com peras e maçãs. E nas cascas das maçãs e saindo de dentro delas pequenas massas brancas escorregadias.

Apontei para elas.

— Isso são...?

— Larvas? — Jean-Felix assentiu. — Sim.

— Fascinante. Me pergunto o que significam.

— Essa obra é uma maravilha. Uma verdadeira obra-prima. — Jean-Felix suspirou e olhou para mim. Baixou a voz, como se Alicia pudesse nos ouvir. — É uma pena que você não tenha conhecido Alicia na época. Era a pessoa mais interessante que eu já havia conhecido. A maioria das pessoas não vive realmente, passando pela vida como sonâmbulas. Mas Alicia vivia com uma intensidade incrível... Era difícil tirar os olhos dela. — Jean-Felix se virou para o quadro outra vez e observou o corpo nu de Alicia. — Tão linda.

Olhei de novo para o corpo de Alicia. Entretanto, onde ele via beleza, eu só via sofrimento; feridas e escoriações de automutilação.

— Ela alguma vez falou com o senhor da tentativa de suicídio?

Eu estava apenas sondando, mas Jean-Felix mordeu a isca.

— Ah, você sabe disso? Sim, claro.

— Depois da morte do pai?

— Ela ficou devastada. — Jean-Felix fez que sim com a cabeça. — A verdade é que a cabeça de Alicia estava toda fodida. Não como artista, mas como pessoa; ela era extremamente vulnerável. E quando o pai se enforcou foi demais para ela. Não deu para aguentar.

— Ela devia amar muito o pai.

Jean-Felix conteve uma risada. Ele me olhou como se eu fosse louco.

— Do que você está falando?

— Como assim?

— Alicia não amava o pai. Ela o odiava. Ela o desprezava.

Fui pego de surpresa.

— Ela disse isso?

— Claro que disse. Ela odiava o pai desde pequena, desde a morte da mãe.

— Mas... Por que então tentar se matar depois da morte dele? Se não era de tristeza, por que então?

Jean-Felix deu de ombros.

— Culpa, talvez? Como é que podemos saber?

Ele estava escondendo algo de mim. Alguma coisa não encaixava. Alguma coisa estava errada.

O celular de Jean-Felix tocou.

— Com licença um instantinho.

Ele me deu as costas para atender. Do outro lado, uma voz feminina. Os dois marcaram uma hora para se encontrar.

— Depois eu ligo, querida.

Jean-Felix se virou para mim de novo.

— Me desculpe.

— Sem problema. Namorada?

Ele sorriu.

— Só uma amiga... Eu tenho muitos amigos.

Aposto que tem mesmo, pensei. E senti uma leve aversão, não sei por quê.

Depois que ele me levou até a saída, fiz uma última pergunta.

— Só mais uma coisa: Alicia alguma vez mencionou um médico?

— Um médico?

— Parece que ela recebeu um médico na época da tentativa de suicídio. Estou tentando localizá-lo.

— Humm... — Jean-Felix franziu a testa. — Possivelmente... havia mesmo...

— O senhor se lembra do nome dele?

Jean-Felix pensou por um segundo e acenou negativamente com a cabeça.

— Não, sinto muito. Sinceramente, não lembro.

— Bom, se lembrar em algum momento poderia me informar?

— Claro. Mas duvido. — Ele olhou de relance para mim e hesitou. — Quer um conselho?

— Seria muito bem-vindo.

— Se você realmente quer fazer Alicia falar... bote tintas e pincéis na mão dela. Deixe Alicia pintar. Só assim ela vai falar com você. Por meio da arte.

— É uma ideia interessante... Muito obrigado pela ajuda, sr. Martin.

— Ah, e pode me chamar de Jean-Felix. E, quando estiver com Alicia, diga que a amo.

Ele sorriu, e mais uma vez senti uma leve repulsa; alguma coisa em Jean-Felix era difícil de engolir. Dava para perceber que ele de fato havia sido muito próximo de Alicia; os dois se conheciam há muito tempo, e era óbvio que ele se sentia atraído por ela. Estaria apaixonado? Não dava para saber. Eu me lembrei do rosto de Jean-Felix ao contemplar *Alceste*. Sim, havia amor em seus olhos, mas amor pela pintura, não necessariamente pela pintora. Jean-Felix cobiçava *a arte*. Caso contrário, teria visitado Alicia no Grove. Teria ficado ao seu lado, disso eu tinha certeza. Um homem jamais abandona uma mulher desse jeito.

Pelo menos não quando a ama.

CAPÍTULO 21

FUI À WATERSTONES A CAMINHO do trabalho e comprei um exemplar de *Alceste*. Na introdução, li que foi a primeira tragédia de Eurípides a chegar até nós e uma das suas obras menos encenadas.

Comecei a ler no metrô. Não era exatamente um livro para ser devorado. Uma peça bem estranha. O herói, Admeto, é condenado à morte pelas Moiras. Entretanto, por intervenção de Apolo, uma escapatória lhe é oferecida: Admeto poderá evitar a morte se convencer alguém a morrer no lugar dele. Pede à mãe e ao pai que morram em seu lugar, e eles recusam categoricamente. Fica difícil, então, formar uma opinião sobre Admeto. Não é exatamente um comportamento heroico, e os gregos antigos deviam considerá-lo um tanto tolo. Já Alceste é um tipo de pessoa completamente diferente e se oferece para morrer pelo marido. Talvez não espere que Admeto aceite a oferta, mas ele aceita, e Alceste morre, descendo ao Hades.

Mas a coisa não termina por aí. De certa maneira, acabamos chegando a um final feliz, um *deus ex machina*. Héracles resgata Alceste do Hades e triunfantemente a conduz de volta ao mundo dos vivos. Ela nasce de novo. Admeto vai às lágrimas ao reencontrar a esposa. Já as emoções de Alceste não ficam tão claras — ela se mantém em silêncio. Ela não fala.

Me sobressaltei ao ler isso. Não conseguia acreditar.

Voltei a ler a última página da peça lentamente, com toda a atenção:

"Alceste retorna do mundo dos mortos, novamente viva. E se mantém em silêncio, sem poder ou querer falar de sua experiência. Desesperado, Admeto recorre a Héracles:

— Aqui está minha mulher, mas por que ela não fala?"

Nenhuma resposta. A tragédia termina no momento em que Alceste é conduzida de volta à casa por Admeto. Em silêncio.

Por quê? Por que ela não fala mais?

CAPÍTULO 22

O diário de Alicia Berenson

2 DE AGOSTO

Hoje está ainda mais quente. Está mais quente em Londres que em Atenas, ao que parece. Mas Atenas pelo menos tem praias.

Paul me ligou de Cambridge hoje. Fiquei surpresa ao ouvir sua voz. Há meses não nos falávamos. A primeira coisa que me ocorreu foi que tia Lydia devia ter morrido — e não tenho vergonha em admitir que senti certo alívio.

Mas não era por isso que ele estava ligando. Paul estava bem evasivo. Fiquei esperando que ele dissesse o que queria dizer, mas nada. Paul não parava de perguntar como eu estava, se Gabriel estava bem, e disse alguma coisa indicando que com Lydia andava tudo como sempre. Eu falei:

"Vou aí um dia desses. Já faz muito tempo, ando querendo fazer uma visita mesmo."

A verdade é que a simples ideia de ir até lá, de estar na casa com Lydia e Paul, abarca muitos sentimentos complicados. Portanto evito voltar a Cambridge, mas me sinto culpada; ou seja, no fim das contas, acabo me sentindo mal com qualquer uma das decisões.

"Seria bom a gente se rever", eu disse. "Vou fazer uma visita logo, logo. Eu estava agorinha mesmo prestes a sair, por isso..."

Então Paul disse algo tão baixinho que eu não consegui ouvir.

"O quê? O que foi que você disse?"

"Eu disse que estou com um problemão, Alicia. Eu preciso da sua ajuda."

"O que aconteceu?"

"Não posso dizer pelo telefone. Preciso falar com você pessoalmente."

"É que... Acho que agora não vai dar para ir a Cambridge."

"Eu posso ir aí. Hoje de tarde. Tudo bem?"

Alguma coisa na voz dele me fez concordar sem hesitar. Ele parecia desesperado.

"Tá bom. Tem certeza de que não pode dizer agora?"

"A gente se vê mais tarde."

E desligou.

Passei o resto da manhã pensando nisso. O que poderia ser tão sério assim para fazer Paul recorrer logo a mim? Teria a ver com Lydia? Ou talvez com a casa. Não fazia sentido para mim.

Não consegui trabalhar depois do almoço. Colocava a culpa no calor, mas a verdade é que estava com a cabeça longe. Fiquei zanzando pela cozinha, olhando pela janela, até que vi Paul na rua.

Ele acenou para mim.

"Alicia, oi."

A primeira coisa que me chamou atenção foi o aspecto péssimo dele. Paul tinha perdido muito peso, especialmente na face, nas têmporas e nas mandíbulas. Estava esquelético, visivelmente doente. Exaurido. Assustado.

172

A gente se sentou na cozinha com o ventilador ligado. Ofereci uma cerveja, mas ele disse que preferia algo mais forte, o que me surpreendeu, porque eu não me lembrava de ele ser muito de beber. Servi uma dose de uísque, pequena, e Paul colocou mais no copo quando achou que eu não estava olhando.

De início, ele não disse nada. Ficamos lá em silêncio por um instante. Até que ele repetiu o que tinha dito ao telefone. As mesmas palavras.

"Eu estou com um problemão."

Perguntei o que ele queria dizer com isso. Tinha a ver com a casa?

Paul me olhou sem entender. Não, não era a casa.

"Então o quê?"

"Sou eu." Ele hesitou, mas por fim conseguiu botar para fora. "Eu tenho apostado. E perdido muito, na verdade."

Havia anos que ele gostava de apostar. Disse que começou como uma forma de sair de casa, de ter algum lugar para ir, algo para fazer, se divertir um pouco — o que era perfeitamente compreensível. Diversão não é algo que se encontra em abundância quando se vive com Lydia. Mas ele vinha perdendo mais e mais, e agora a situação estava fora de controle. Ele já tem limpado a poupança, onde já não havia grande coisa, para começo de conversa.

"De quanto você precisa?"

"Vinte mil."

Não acreditei no que tinha ouvido.

"Você perdeu vinte mil?"

"Não foi de uma vez só. E eu peguei emprestado com algumas pessoas, e agora elas querem que eu pague."

"Que pessoas?"

"Se eu não pagar, vou ter problemas."

"Você já contou isso para a sua mãe?"

Eu sabia a resposta. A vida de Paul estava uma bagunça, mas ele não era burro.

"Claro que não. Ela me mataria. Preciso que você me ajude, Alicia. Por isso vim até aqui."

"Eu não tenho esse dinheiro, não, Paul."

"Eu pago. Não preciso de tudo de uma vez. Só um pouco."

Eu não disse mais nada, e ele continuou pedindo. Essas pessoas queriam algo naquela mesma noite. Paul não tinha coragem de voltar de mãos vazias. Qualquer coisa que eu pudesse dar, não importava. Eu não sabia o que fazer. Queria ajudá-lo, mas desconfiava que lhe dar dinheiro não seria a melhor maneira de enfrentar o problema. Também sabia que seria muito difícil continuar impedindo que tia Lydia tomasse conhecimento do seu segredo. Eu nem sabia o que faria se estivesse na pele dele. Enfrentar Lydia provavelmente seria ainda mais apavorante que os agiotas.

"Vou fazer um cheque para você", falei por fim.

Paul ficou num estado patético de gratidão, murmurando:

"Obrigado, obrigado."

Entreguei a ele um cheque de duas mil libras, ao portador. Sei que não era o que Paul queria, mas aquilo tudo era novidade para mim. Eu nem tinha certeza de que acreditava em tudo o que ele estava dizendo. Alguma coisa naquela história não parecia verdade.

"Talvez eu possa dar mais dinheiro a você depois de conversar com Gabriel. Mas é melhor a gente encontrar outra maneira de cuidar desse assunto. O irmão de Gabriel é advogado, você sabe. Talvez ele possa..."

Paul deu um salto, apavorado, balançando a cabeça.

"Não, não, não. Não conta para o Gabriel. Não envolve ele nisso. Por favor. Vou dar um jeito de resolver a situação. Eu vou dar um jeito."

"E Lydia? Talvez você devesse..."

Paul fez que não com a cabeça furiosamente e pegou o cheque. Ficou decepcionado com o valor, mas não disse nada. E logo depois se retirou.

Estou com a sensação de tê-lo deixado na mão. É um sentimento que sempre tive em relação a ele, desde quando éramos pequenos. Eu nunca estive à altura das expectativas que ele tinha em relação a mim, de que eu fosse uma figura materna para ele. Mas Paul devia saber como eu sou. Não tenho instinto materno.

Quando Gabriel voltou, eu contei para ele essa história. E ele ficou aborrecido comigo. Disse que não devia ter dado dinheiro a Paul, que não devo nada a ele, que ele não é responsabilidade minha.

Eu sei que Gabriel tem razão, mas não consigo deixar de me sentir culpada. Eu consegui fugir daquela casa, de Lydia; mas Paul, não. Ele continua preso lá. É como se ele ainda tivesse 8 anos. E eu quero ajudá-lo.

Mas não sei como.

6 DE AGOSTO

Passei o dia todo pintando, experimentando com o fundo do retrato de Jesus. Tenho feito esboços usando as fotos que tiramos no México — terra vermelha e ressecada, arbustos escuros repletos de espinhos —, tentando imaginar como captar aquele calor, aquela aridez agressiva... E de repente ouvi Jean-Felix me chamando.

Por um segundo pensei em ignorá-lo, fingir que não estava em casa. Mas ouvi o tinido da fechadura do portão, e já era tarde. Botei a cabeça para fora da janela, e ele estava atravessando o jardim.

Jean-Felix acenou para mim.

"Oi, meu bem. Estou atrapalhando? Você está trabalhando?"

"Estou sim."

"Ótimo, ótimo. Continue. Só seis semanas até a exposição, sabe? Você está bastante atrasada." E deu aquela sua risada irritante. Minha expressão deve ter me denunciado, porque ele logo tratou de acrescentar: "Estou só brincando. Não vim aqui controlar o seu trabalho."

Eu não disse nada. Voltei para o ateliê e ele foi atrás de mim. Colocou uma cadeira em frente ao ventilador. Acendeu um cigarro, e o vento fazia a fumaça dar voltas ao seu redor. Voltei ao cavalete e peguei meu pincel. Jean-Felix começou a falar enquanto eu trabalhava. Queixou-se do calor, dizendo que Londres não estava preparada para esse tipo de clima, comparando com Paris e outras cidades que lidariam melhor com essas condições. Depois de algum tempo, parei de ouvir. E ele continuava se queixando, se justificando, cheio de autocomiseração, e eu ali morrendo de tédio. Ele nunca me pergunta nada. Jean-Felix não se interessa por mim de verdade. Mesmo depois de todos esses anos, eu sou apenas um meio para alcançar um fim: um público para o Programa do Jean-Felix.

Talvez seja injustiça minha. Jean-Felix é um velho amigo, e sempre esteve ao meu lado. Mas ele é solitário, só isso. E eu também. E prefiro ficar sozinha a estar com a pessoa errada. Por isso nunca tive nenhum relacionamento sério antes de Gabriel. Estava esperando por ele, por alguém real, tão sólido e verdadeiro quanto os outros eram falsos. Jean-Felix sempre teve ciúme da nossa relação. Tentava esconder, e ainda tenta, mas para mim é mais que óbvio que ele odeia Gabriel. Está sempre falando mal dele, dando a entender que Gabriel não tem o meu talento, que é vaidoso e egocêntrico. Acho que Jean-Felix pensa que um dia eu vou passar para o lado dele e cair de joelhos aos seus pés. O que não percebe é que, a cada comentário maldoso e depreciativo que faz, ele me joga ainda mais nos braços de Gabriel.

Jean-Felix sempre faia da nossa amizade antiga. É o jeito que ele tem de ressaltar a nossa ligação, a intensidade daqueles primeiros anos, na época em que estávamos sempre juntos. Mas acho que não se dá conta de que está se prendendo a uma época da minha vida em que eu era infeliz. E a afeição que tenho por ele é por causa daquela época. Somos como duas pessoas casadas que não se amam mais. Hoje percebi o quanto não gosto dele.

Eu avisei:

"Estou trabalhando. Preciso adiantar isso aqui, se não se importa..."

Jean-Felix fez cara feia.

"Você está pedindo que eu me retire? Eu acompanho você pintando desde a primeira vez que pegou um pincel. Se fui um incômodo esses anos todos, você bem que podia ter dito antes."

"Estou dizendo agora."

Meu rosto ficou quente, eu estava ficando furiosa. Não dava para controlar. Eu tentava pintar, mas minha mão tremia. Sentia que ele estava me observando — eu praticamente ouvia os pensamentos de Jean-Felix, tiquetaqueando, sibilando, rodopiando.

Então ele concluiu por fim:

"Você ficou chateada comigo. Por quê?"

"Eu acabei de dizer. Não dá para você ficar aparecendo assim, do nada. Você precisa ligar antes ou mandar uma mensagem."

"Eu não sabia que precisava de um convite formal para me encontrar com a minha melhor amiga."

Houve um momento de silêncio. Ele não tinha levado numa boa. Imagino que não teria como ser de outro jeito. Eu não pretendia dizer as coisas daquela maneira, queria passar a mensagem mais delicadamente. Mas não consegui me conter, não sei por quê. E o engraçado é que eu queria magoá-lo. Eu queria ser cruel.

"Jean-Felix, olha só."

"Diga."

"Não é fácil dizer isso, mas, depois da exposição, é hora de fazer algumas mudanças."

"Mudar o quê?"

"Mudar de galeria. Eu quero mudar."

Jean-Felix ficou me olhando, surpreso. Parecia um menininho, pensei, prestes a irromper em lágrimas, e tudo o que eu sentia era irritação.

"Está na hora de recomeçar do zero. Nós dois."

"Entendi." Ele acendeu outro cigarro. "E imagino que isso tenha sido ideia de Gabriel."

"Gabriel não tem nada a ver com isso."

"Ele tem um ódio profundo de mim."

"Não seja bobo."

"Ele colocou você contra mim. Eu vi isso acontecendo. Já vem rolando há anos."

"Isso não é verdade."

"E qual seria a outra explicação? Que outro motivo você teria para me apunhalar pelas costas?"

"Não seja tão dramático. A gente só está falando da galeria. Não tem nada a ver com você e eu. Vamos continuar sendo amigos. Podemos continuar nos encontrando."

"Se eu mandar uma mensagem ou ligar antes?" Ele riu e começou a falar rápido, como se quisesse soltar tudo antes de ser interrompido. "Tsc-tsc! Esse tempo todo eu realmente acreditava que havia alguma coisa entre nós, e agora você diz que não era nada. Assim, de repente. Ninguém se preocupa com você como eu. Ninguém."

"Jean-Felix, por favor..."

"Não acredito que você fez isso."

"Já tem um tempo que eu queria dizer isso para você."

Evidentemente foi a pior coisa que eu podia ter dito. Jean-Felix ficou atordoado.

"Como assim 'tem um tempo'? Quanto tempo?"

"Não sei. Um tempo."

"E você tem me enganado esse tempo todo? É isso? Meu Deus, Alicia. Não acaba com tudo desse jeito. Não me descarta assim."

"Eu não estou descartando você. Não seja tão dramático. Nós sempre vamos ser amigos."

"Vamos parar por aqui agora. Sabe por que eu vim aqui hoje? Para convidar você para ir ao teatro na sexta." Ele tirou dois ingressos do bolso do casaco e mostrou: eram para uma tragédia de Eurípides, no National Theatre. "Gostaria que fosse comigo. Uma forma mais civiliza-da de nos despedirmos, concorda? Pelos velhos tempos. Não diga não."

Hesitei. Era a última coisa que eu queria fazer. Mas não queria contra-riá-lo ainda mais. Acho que teria concordado com qualquer coisa, só para me livrar de Jean-Felix. Então concordei.

22H30

Quando Gabriel voltou para casa, conversei com ele sobre o que tinha acontecido com Jean-Felix. Ele disse que, de qualquer forma, jamais havia entendido a nossa amizade, que Jean-Felix é meio repulsivo e que não gosta do jeito como ele me olha.

"E como ele me olha?"

"Como se fosse seu dono ou coisa assim. Acho que você deveria se desligar da galeria agora, antes da exposição."

"Não posso, está muito em cima. Não quero que ele me odeie. Você não sabe como ele pode ser vingativo."

"Você parece estar com medo dele."

"Não. Só é mais fácil assim, me afastar aos poucos."

"Quanto antes, melhor. Ele está apaixonado por você. Você sabe disso, não é?"

Não entrei nessa discussão, mas Gabriel está enganado. Jean-Felix não está apaixonado por mim. Ele se interessa mais pelas minhas pinturas que por mim. O que é outro motivo para me afastar dele. Jean-Felix não está nem aí para mim. Mas Gabriel tinha razão num ponto.

Eu tenho medo dele.

CAPÍTULO 23

Encontrei Diomedes em sua sala. Ele estava sentado num banco em frente à harpa. A enorme estrutura de madeira ornamentada enquadrando toda aquela chuva de cordas douradas.

— Que belo objeto — comentei.

Diomedes assentiu.

— E muito difícil de tocar.

Ele fez uma demonstração, passando os dedos carinhosamente pelas cordas. Uma suave escala ressoou pela sala.

— Gostaria de experimentar?

Sorri, acenando negativamente com a cabeça.

Ele riu.

— Como vê, continuo perguntando, na esperança de que você mude de ideia. Ninguém pode dizer que não sou persistente.

— Não sou muito musical. Foi o que disse sem rodeios o meu professor de música na escola.

— Como a terapia, a música é uma questão de relacionamento, dependendo inteiramente do professor que se tem.

— Sem dúvida.

Ele olhou de relance pela janela, fazendo um gesto com o queixo para o céu que escurecia.

— Essas nuvens estão carregadas de neve.

— Me parecem mais nuvens de chuva.

— Não, é neve. Pode ter certeza, meus antepassados todos eram pastores na Grécia. Essa noite vai nevar.

Diomedes lançou um último olhar esperançoso às nuvens e se virou de novo para mim.

— Em que posso ajudá-lo, Theo?

— É o seguinte.

Deslizei o exemplar da peça sobre a mesa para o outro lado. Ele deu uma espiada.

— O que é isso?

— Uma tragédia de Eurípides.

— Estou vendo. E por que você está me mostrando isso?

— Bem, é *Alceste*, o título que Alicia deu ao autorretrato, pintado depois do assassinato de Gabriel.

— Ah, sim, sim, claro. — Diomedes olhou para o livro com mais interesse. — Colocando-se no lugar de uma heroína trágica.

— Possivelmente. Devo reconhecer que estou meio empacado. Achei que você podia lidar melhor com isso.

— Por ser grego? — Ele deu uma risada. — Você acha que toda tragédia grega me é familiar?

— Bom, de qualquer forma, mais familiar do que para mim.

— Não sei por quê. É como partir do pressuposto de que todo inglês conhece as obras de Shakespeare. — Diomedes me lançou um olhar de compaixão. — Felizmente para você, essa é a diferença entre os nossos países. Todo grego conhece as tragédias. As tragédias são nossos mitos, nossa história, nosso sangue.

— Então vai poder me ajudar com essa.

Diomedes pegou o livro e começou a folheá-lo.

— E qual é a sua dificuldade?

— Minha dificuldade é o fato de ela não falar. Alceste morre pelo marido. E no fim retorna à vida, mas se mantém em silêncio.

— Ah, como Alicia.

— É.

— Então volto a fazer a pergunta: qual é a sua dificuldade?

— Bom, parece claro que há alguma ligação, mas eu não consigo entender. Por que Alceste não fala no fim.

— Por que você acha?

— Não sei. Talvez ela tenha sido dominada pelas emoções.

— Talvez. Que emoções?

— Alegria?

— Alegria? — Ele riu. — Theo, pense bem. Como você se sentiria? A pessoa que você mais ama no mundo o condenou a morrer, por pura covardia. É uma traição.

— Quer dizer que ela estava irritada?

— Você nunca foi traído?

A pergunta me atravessou feito uma lança. Senti que ruborizava. Meus lábios se moveram, mas não saía nenhum som.

Diomedes sorriu.

— Dá para ver que sim. Então... Me diga. Como Alceste se sente?

Dessa vez eu sabia a resposta.

— Furiosa. Ela está... furiosa.

— Sim. — Diomedes concordou. — Mais que furiosa. Ela sente uma fúria assassina. — Ele deu uma risada. — É impossível não se perguntar como vai ser a relação dos dois no futuro, de Alceste e Admeto. Confiança, uma vez perdida, é difícil de ser recuperada.

Levei alguns segundos para me recompor outra vez e falar.

— E Alicia?

— O que tem Alicia?

— Alceste foi condenada a morrer pela covardia do marido. E Alicia...

— Não, Alicia não morreu... Não fisicamente. — Ele deixou as palavras ressoarem. — Já *psiquicamente*...

— Você está dizendo que aconteceu alguma coisa que matou o espírito dela, a vontade de estar viva?

— É uma possibilidade.

Eu não estava satisfeito. Peguei o livro e dei uma olhada. Na capa havia uma estátua clássica, uma linda mulher imortalizada no mármore. Fiquei olhando, pensando no que Jean-Felix tinha me dito.

— Se Alicia morreu... como Alceste, precisamos trazê-la de volta à vida.

— Exatamente.

— Me ocorreu que, se o jeito de Alicia se expressar é por meio da arte, que tal darmos uma voz para ela?

— E como faríamos isso?

— Que tal deixar que ela pinte?

Diomedes me encarou com surpresa no olhar, e logo descartou a ideia num gesto de desdém com a mão.

— Ela já faz arteterapia.

— Não estou falando de arteterapia, mas de deixar Alicia trabalhar do jeito dela, sozinha, com um espaço próprio para criar. Deixar que ela se expresse, libere as emoções. Isso pode operar maravilhas.

Diomedes ficou um segundo sem responder. Estava refletindo.

— Você vai ter que ver isso com a arteterapeuta. Já cruzou com ela por aí? Rowena Hart. Osso duro de roer.

— Vou falar com ela. Mas com a sua bênção?

Diomedes deu de ombros.

— Se você conseguir convencer Rowena, pode ir em frente. Mas já adianto que ela não vai gostar da ideia. Nem um pouquinho.

CAPÍTULO 24

— Eu acho uma excelente ideia — disse Rowena.

— Sério? — Tentei não parecer surpreso. — De verdade?

— Sim, claro. Só tem um problema: Alicia não vai gostar.

— Como você sabe?

Rowena bufou com sarcasmo.

— Porque Alicia é a piranha menos comunicativa e receptiva com quem eu já trabalhei.

— Ah.

Acompanhei Rowena até a sala de arteterapia. As manchas de tinta no chão formavam um mosaico abstrato, e as paredes estavam cobertas de trabalhos, alguns bons, a maioria apenas esquisito. De cabelos loiros e com rugas profundas entre as sobrancelhas, Rowena tinha um ar cansado, de uma pessoa explorada, sem dúvida por causa do mar de pacientes nada cooperativos. Alicia evidentemente era uma dessas decepções.

— Ela não participa da arteterapia? — perguntei.

— Não. — Rowena continuava empilhando trabalhos dos alunos numa prateleira enquanto falava. — Eu tinha muita expectativa quando ela entrou para o grupo, fazia o possível para que ela se sentisse à vontade, mas Alicia se limita a ficar sentada lá, olhando para a folha em branco. Nada parece convencê-la a pintar ou sequer pegar um lápis para desenhar. Um exemplo terrível para as outras.

Eu acenava que sim com a cabeça, solidário. O objetivo da arteterapia é fazer com que os pacientes desenhem, pintem e, sobretudo, falem dos seus trabalhos, associando-os ao seu estado emocional. É uma excelente maneira de botar o inconsciente no papel, literalmente, e a partir daí pensar e falar a respeito. Como sempre, tudo depende da habilidade do terapeuta. Ruth costumava dizer que pouquíssimos terapeutas eram de fato habilidosos ou intuitivos — a maior parte se limita a ser como um encanador. Na minha opinião, Rowena era uma verdadeira encanadora. Estava claro que ela se sentia afrontada por Alicia. Tentei me mostrar o mais conciliador possível.

— Talvez seja doloroso para ela — sugeri, gentilmente.

— Doloroso?

— Não deve ser fácil para uma artista como Alicia pintar com as outras pacientes.

— Por que não? Não estaria à altura dela? Eu conheço o trabalho de Alicia. E não a considero tão genial assim, não.

Rowena gemeu, como se tivesse comido algo desagradável.

Então era por isso que ela não gostava de Alicia: inveja.

— Qualquer um pode pintar desse jeito — continuou. — Não é difícil fazer uma representação fotorrealista; o mais difícil é ter um ponto de vista.

Eu não queria entrar numa discussão sobre a arte de Alicia.

— Quer dizer então que vai ficar aliviada se eu tirar Alicia de você?

Rowena me lançou um olhar penetrante.

— Sinta-se à vontade.

— Obrigado. Fico grato.

Rowena torceu o nariz, desdenhosa.

— Você vai ter que fornecer o material. Meu orçamento não permite que eu compre tinta a óleo.

CAPÍTULO 25

— TENHO QUE CONFESSAR UMA COISA.

Alicia não olhava para mim. Prossegui, observando-a atentamente.

— Outro dia eu estava no Soho, e por acaso passei em frente à sua antiga galeria. Então resolvi entrar. E o gerente fez a gentileza de me mostrar algumas obras suas. Acho que ele é um velho amigo seu. Jean--Felix Martin.

Fiquei esperando uma reação. Nada.

— Espero que não considere uma invasão da sua privacidade. Talvez eu devesse ter consultado você antes. Espero que não se importe.

Nenhuma reação.

— Vi algumas pinturas que não conhecia. O retrato da sua mãe... E o da sua tia Lydia Rose.

Alicia ergueu lentamente a cabeça e olhou para mim. Nos olhos, uma expressão que eu não tinha visto antes. Não conseguia defini-la muito bem. Estaria achando... divertido?

— Independentemente do meu interesse por estar trabalhando nesse caso, já que sou o seu terapeuta, eu achei as pinturas intensas. São obras muito fortes.

Alicia baixou os olhos. Estava perdendo o interesse.

Tratei de insistir.

— Algumas coisas me impressionaram. No quadro do acidente de carro da sua mãe está faltando uma coisa. Você. Você não se retratou no carro, embora estivesse lá.

Nenhuma reação.

— Fiquei me perguntando se você só consegue pensar no acidente como uma tragédia dela. Por ela ter morrido. Mas na verdade também havia uma menininha no carro. Uma menina com um sentimento de perda que desconfio que não tenha sido reconhecido por ninguém nem plenamente vivido.

Alicia moveu a cabeça. Olhou para mim. Um olhar desafiador. Eu estava tocando em algo importante. Continuei.

— Perguntei a Jean-Felix sobre o seu autorretrato, *Alceste*. Sobre o significado dele. E ele sugeriu que eu lesse isso aqui.

Peguei então o exemplar da peça, *Alceste*. E o deslizei sobre o tampo da mesinha de centro. Alicia olhou para o livro.

— "Por que ela não fala?" é a pergunta que Admeto faz. E eu faço a mesma pergunta a você, Alicia. O que você não consegue dizer? Por que você precisa ficar em silêncio?

Alicia fechou os olhos, me fazendo desaparecer. Fim de papo. Olhei para o relógio na parede atrás dela. A sessão estava quase no fim. Faltavam poucos minutos.

Eu vinha guardando o meu trunfo. E o coloquei na mesa, com um nervosismo que torcia para não estar evidente.

— Jean-Felix fez uma sugestão. Que eu achei muito boa. Ele acha que você devia voltar a pintar. Você gostaria? A gente poderia providenciar um espaço privado para você, com telas, pincéis e tintas.

Alicia piscou. Abriu os olhos. Foi como se uma luz tivesse se acendido dentro deles. Eram olhos infantis, arregalados e inocentes, sem nenhum desdém ou desconfiança. Seu rosto pareceu adquirir alguma cor. De repente, ela parecia incrivelmente viva.

— Conversei com o professor Diomedes, e ele concordou, e Rowena também... Então depende de você, Alicia. O que acha?

Fiquei esperando. Ela olhava para mim.

Até que, finalmente, consegui o que queria: uma reação clara, um sinal de que estava no caminho certo.

Foi um leve movimento. Quase imperceptível, na verdade. Mas dizia muita coisa.

Alicia sorriu.

CAPÍTULO 26

O REFEITÓRIO ERA O AMBIENTE mais quente do Grove. Aquecedores a todo vapor se perfilavam nas paredes, e os bancos mais próximos deles eram sempre os primeiros a ser ocupados. O almoço era a refeição mais movimentada, com funcionários e pacientes comendo lado a lado. O vozerio alto dos comensais gerava uma cacofonia barulhenta, resultado da agitação um tanto desconfortável da reunião de todas as pacientes no mesmo espaço.

Duas serventes caribenhas animadas riam e conversavam enquanto serviam linguiça com purê de batata, *fish and chips* e frango ao curry, tudo com um cheiro muito melhor que o gosto. Escolhi o *fish and chips*, considerando-o a opção menos pior. Enquanto caminhava para me sentar, passei por Elif. Ela estava cercada pela sua gangue, um grupo carrancudo das pacientes mais valentonas. Reclamava da comida quando passei pela sua mesa.

— Eu não vou comer essa merda. — E empurrou a bandeja para longe.

A paciente à sua direita pegou a bandeja, preparando-se para tirá-la das mãos de Elif, que lhe deu um pescoção.

— Piranha fominha! — gritou Elif. — Devolve isso aqui!

O incidente causou uma gargalhada generalizada à mesa. Elif puxou de volta o prato e se atracou com a comida com prazer renovado.

Reparei que Alicia estava sentada sozinha, nos fundos do refeitório. Beliscava um pedaço ínfimo de peixe feito um passarinho anoréxico, movendo-o pelo prato sem levá-lo à boca. Fiquei tentado a me sentar com ela, mas resolvi não fazer isso. Se Alicia tivesse feito contato visual, talvez eu fosse até lá. Mas ela mantinha os olhos baixos, como se quisesse bloquear completamente o ambiente e as pessoas ao redor. Me intrometer no espaço dela iria parecer uma invasão de privacidade, então me sentei na ponta de outra mesa, afastado de todo paciente, e comecei a comer meu *fish and chips*. Comi apenas uma garfada do peixe encharcado de gordura, sem gosto, requentado, e ainda frio no meio. E concordei com a avaliação de Elif. Estava prestes a jogar a comida no lixo quando alguém se sentou à minha frente.

Para minha surpresa, era Christian.

— E aí, tudo certo? — perguntou, com um aceno de cabeça.

— Tudo, e você?

Christian não respondeu. Atacou com voracidade a maçaroca que era o arroz com curry.

— Fiquei sabendo do seu plano de fazer Alicia pintar — comentou entre duas garfadas.

— Já vi que as notícias voam.

— Aqui é assim. Ideia sua?

Hesitei.

— É, foi. Acho que vai ser bom para ela.

Christian parecia duvidar de mim.

— Cuidado, parceiro.

— Obrigado pelo alerta. Mas está tudo bem.

— Só estou dizendo. Borderlines são sedutores. É o que está acontecendo. Acho que você não sacou direito.

— Ela não vai me seduzir, Christian.

Ele riu.

— Acho que já seduziu. Você está dando exatamente o que ela quer.

— Estou dando o que ela precisa. É diferente.

— Como você sabe do que Alicia precisa? Você está se identificando demais com ela. Isso é óbvio. Mas a paciente é ela, e não você.

Olhei para o relógio numa tentativa de disfarçar a raiva.

— Tenho que ir.

Levantei e peguei a bandeja. Comecei a me afastar, mas Christian me interpelou.

— Ela vai se virar contra você, Theo. Espera só. Não diga que não avisei.

Fiquei irritado com isso. E essa irritação me acompanhou pelo resto do dia.

Depois do expediente, saí do Grove e fui à lojinha no fim da rua comprar um maço de cigarros. Coloquei um cigarro na boca, acendi, dei uma tragada profunda, praticamente sem perceber o que estava fazendo. Pensava no que Christian tinha dito, reproduzindo a fala dele mentalmente enquanto os carros passavam. "Borderlines são sedutores", eu o ouvia dizendo.

Seria verdade? Por isso eu havia ficado tão incomodado? Será que Alicia tinha me seduzido emocionalmente? Era evidente que Christian acreditava que sim, e eu não tinha dúvida de que Diomedes também suspeitava disso. E se eles estivessem certos?

Buscando na consciência, me convenci de que a resposta era não. Eu queria ajudar Alicia, sim, mas também era perfeitamente capaz de permanecer objetivo em relação a ela, de me manter vigilante, avançar com cuidado e preservar devidamente as fronteiras.

Mas eu estava errado. Já era tarde demais, embora eu não fosse capaz de admitir isso, nem sequer para mim mesmo.

Liguei para Jean-Felix na galeria. Perguntei o que havia acontecido com o material de pintura de Alicia — tintas, pincéis, telas.

— Ficou tudo em algum guarda-móveis?

Depois de uma breve pausa, ele respondeu:

— Na verdade, não... Eu fiquei com as coisas dela.

— Ah, é?

— É. Eu esvaziei o ateliê de Alicia depois do julgamento e guardei tudo que valia a pena guardar: esboços, cadernos de anotações, cavalete, tintas... Estou guardando tudo para ela.

— Quanta gentileza!

— Quer dizer que você está seguindo o meu conselho? Vai deixar Alicia pintar?

— Vou. Resta saber se isso vai dar em alguma coisa.

— Sim, vai dar em alguma coisa. Você vai ver. Só peço que me deixe dar uma olhada no que ela pintar.

Havia uma estranha ânsia em sua voz. De repente me veio a imagem dos quadros de Alicia enrolados em cobertores feito bebês naquele depósito. Será que ele realmente estava guardando todos em segurança para ela? Ou simplesmente não conseguia se separar deles?

— Você poderia fazer a gentileza de deixar esse material no Grove? — perguntei. — Seria conveniente para você?

— Bem, eu...

Um momento de hesitação. Percebi sua ansiedade. E dei um empurrãozinho.

— Ou então eu posso ir pegar, se for mais fácil.

— Sim, sim, talvez seja melhor.

Jean-Felix tinha medo de vir aqui, medo de ver Alicia. Por quê? O que havia entre eles?

O que ele não queria encarar?

CAPÍTULO 27

— A QUE HORAS VOCÊ vai encontrar a sua amiga? — perguntei.

— Às sete. Depois do ensaio.

Kathy me entregou sua xícara de café.

— Se não consegue lembrar o nome dela, Theo, é Nicole.

— Certo. — E bocejei.

Kathy me encarou com um olhar sério.

— Sabe, fico meio ofendida por você não lembrar. Ela é uma das minhas melhores amigas. Porra, você foi à despedida dela!

— Claro que me lembro da Nicole. Eu só tinha esquecido o nome, só isso.

Kathy revirou os olhos.

— Esquece. Maconheiro. Vou tomar um banho.

E saiu da cozinha.

Sorri comigo mesmo.

Sete horas.

Às quinze para as sete, eu caminhava ao longo do rio em direção ao lugar onde Kathy ensaiava, em South Bank.

Me sentei num banco em frente ao salão de ensaio, de costas para a entrada, para que ela não me visse imediatamente caso saísse cedo. De vez em quando, olhava para trás. Mas a porta continuava fechada.

Até que, às sete e cinco, ela se abriu. Os atores saíam do prédio rindo e conversando animadamente, em grupos de dois ou três. Nenhum sinal de Kathy.

Esperei cinco minutos. Dez minutos. Parou de sair gente, ninguém mais apareceu. Eu podia não tê-la visto sair. Ela podia ter saído antes da minha chegada. A menos que nem estivesse lá.

E se tivesse mentido a respeito do ensaio?

Levantei e me encaminhei para a entrada. Eu precisava me certificar. E se ela ainda estivesse lá dentro e me visse? Que desculpa eu daria? Eu queria fazer uma surpresa? Sim... Eu diria que tinha vindo para levá-la para jantar junto com "Nicole". Kathy ia dar um jeito de se esquivar com mentiras, alguma desculpa esfarrapada — "Nicole está doente, Nicole não veio" — e nós dois acabaríamos passando uma noite juntos, sozinhos, completamente sem jeito um com o outro. Mais uma noite de longos silêncios.

Cheguei à entrada. Hesitei, segurei a maçaneta verde enferrujada e abri a porta. Entrei.

O interior de concreto aparente tinha cheiro de umidade. O espaço de ensaio ficava no quarto andar — Kathy se queixava de precisar subir as escadas todo dia — e segui pela escadaria central. Cheguei ao primeiro andar e já ia subir para o segundo quando ouvi uma voz na escada, no andar de cima. Era Kathy. Estava ao celular.

— Eu sei, sinto muito. Te vejo já, já. Não vou demorar... Tá bom, tá bom, até mais.

Congelei. Estávamos a segundos de nos esbarrar. Desci correndo e me escondi na curva da escada. Kathy passou sem me ver. E atravessou a porta, deixando-a bater.

Saí correndo atrás dela, deixei o prédio. Kathy se afastava com pressa, em direção à ponte. Eu a seguia, me desviando dos transeuntes e dos turistas, tentando manter distância sem perdê-la de vista.

Kathy atravessou a ponte e desceu a escada para a estação de metrô Embankment. Fui atrás dela, me perguntando que linha pegaria.

Mas ela não entrou no metrô. Em vez disso, atravessou a estação e saiu do outro lado. Continuou caminhando em direção à Charing Cross Road. Eu a seguia. Fiquei parado alguns passos atrás dela no sinal de trânsito. Atravessamos a Charing Cross Road e chegamos ao Soho. Eu ia atrás dela pelas ruas estreitas. Ela dobrou à direita, à esquerda, mais uma vez à direita. Até que parou de repente. Na esquina da Lexington Street. E ficou esperando.

Então era ali o ponto de encontro. Um bom lugar, central, movimentado, anônimo. Hesitei e me enfiei num pub na esquina. Me sentei ao bar, de onde, pela vidraça, conseguia ver Kathy do outro lado da rua. O barman de barba revolta com ar entediado olhou para mim.

— O que vai ser?

— Um chope. Guinness.

Ele bocejou e foi para o outro lado do bar servir uma caneca. Fiquei de olho em Kathy. Estava convencido de que ela não conseguiria me ver pelo vidro, mesmo que olhasse na minha direção. Em certo momento, ela de fato olhou, direto para mim. Meu coração parou por um segundo. Tive certeza de que ela havia me visto, mas não foi o caso; o olhar seguiu em outra direção.

Passaram-se dez minutos, e Kathy continuava esperando. Eu também. Bebia meu chope devagar, observando. Ele estava demorando, quem quer que fosse. Ela não devia estar gostando disso. Kathy não gostava que a fizessem esperar, embora estivesse sempre atrasada. Dava para perceber que estava ficando irritada, franzindo a testa e olhando para o relógio.

Um homem atravessou a rua e foi na direção dela. Nos poucos segundos do percurso, eu o avaliei de cima a baixo. Alto e forte. Cabelos loiros na altura dos ombros, o que me surpreendeu, pois Kathy sempre dizia que gostava de homens de cabelos escuros e olhos como os meus... A menos que fosse outra mentira.

Mas o sujeito passou direto por ela, que nem olhou para ele. E logo desapareceu. Não era ele. Eu já me perguntava se Kathy e eu não estávamos pensando a mesma coisa: tinham furado com ela.

Mas então seus olhos se arregalaram. Kathy sorriu. Acenou para o outro lado da rua, para alguém que eu não conseguia ver quem era. Finalmente, pensei. É ele. E estiquei o pescoço para ver...

Para minha surpresa, uma loira bem vulgar, com uns 30 anos, de saia inacreditavelmente curta e saltos incrivelmente altos, se aproximou de Kathy. Imediatamente a reconheci. Nicole. Elas se deram um abraço e um beijo. E se afastaram, conversando e rindo, de braços dados. Portanto, Kathy não tinha mentido sobre o encontro com Nicole.

Fiquei estarrecido ao perceber minhas emoções — eu devia ter ficado aliviado ao constatar que Kathy estava dizendo a verdade. Devia me sentir grato. Mas não foi como eu me senti.

Eu estava decepcionado.

CAPÍTULO 28

— E ENTÃO, ALICIA, o que você acha? Muita luz, hein? Gostou?

Yuri exibia orgulhoso o novo ateliê. Fora ideia dele aproveitar o quarto desocupado ao lado do aquário, e eu concordei; parecia melhor que ficar na sala de arteterapia de Rowena, o que, dada sua clara hostilidade, poderia gerar dificuldades. Agora Alicia disporia de uma sala só para ela, com liberdade de pintar o que bem quisesse sem ser interrompida.

Alicia observou o espaço. Seu cavalete tinha sido desembalado e montado junto à janela, onde havia mais claridade. A caixa de tintas estava aberta sobre uma mesa. Yuri piscou para mim quando Alicia se aproximou dela. Ele estava empolgado com esse arranjo para que ela pintasse, e eu, grato pelo seu apoio — Yuri era um precioso aliado, pois de longe era o integrante mais popular da equipe; pelo menos com as pacientes. Ele acenou a cabeça para mim e disse:

— Boa sorte, agora é com você.

E se retirou. A porta se fechou com uma batida. Mas Alicia não pareceu ouvir.

Ela estava no seu mundinho, inclinada sobre a mesa, examinando as tintas com um leve sorriso. Pegou os pincéis de zibelina e os acariciou como se fossem flores delicadas. Desembrulhou três tubos de tinta — azul prussiano, amarelo indiano, vermelho cádmio — e os alinhou.

Virou-se para a tela em branco no cavalete. Ficou contemplando-a, de pé ali por um longo tempo. Parecia estar entrando em transe, num devaneio — sua mente estava em outro lugar, tinha dado um jeito de escapulir, viajando para bem longe daquela cela —, até que, enfim, voltou à tona e se virou para a mesa. Espremeu um pouco de tinta branca na paleta e misturou com uma pequena quantidade de vermelho. Precisava misturar as tintas com um pincel, pois suas espátulas foram confiscadas imediatamente por Stephanie quando chegaram ao Grove, por motivos óbvios.

Alicia levou o pincel à tela... E deu uma pincelada. Uma única pincelada vermelha no espaço branco.

Ficou analisando por um instante. E deu outra pincelada. Mais outra. E logo estava pintando sem pausa nem hesitação, numa fluidez total de movimentos. Era uma espécie de dança entre ela e a tela. E fiquei observando as formas que Alicia criava.

Eu estava em silêncio, mal ousava respirar. Me sentia diante de um momento íntimo, observando um animal selvagem dar à luz. Apesar de consciente da minha presença, Alicia não parecia se importar. Vez por outra erguia os olhos sem parar de pintar e olhava para mim.

Quase como se me estudasse.

Nos dias subsequentes, a pintura foi tomando forma aos poucos, primeiro incompleta, um rascunho, mas com crescente clareza — para afinal saltar da tela numa explosão de impecável e brilhante fotorrealismo.

Alicia pintou um prédio de tijolos aparentes, um hospital — e era inegável que se tratava do Grove. Estava pegando fogo, completamente envolto em chamas. Havia duas figuras perceptíveis na escada de incêndio. Um homem e uma mulher tentando escapar. A mulher era sem dúvida a própria Alicia, os cabelos ruivos da mesma cor que as chamas. E eu me reconheci no homem. Levava Alicia nos braços, suspendendo-a enquanto o fogo lambia meus tornozelos.

Eu não conseguia dizer ao certo se era representado resgatando Alicia ou prestes a jogá-la nas chamas.

CAPÍTULO 29

— RIDÍCULO! EU VENHO AQUI há anos e ninguém nunca disse que eu precisava ligar antes. Não posso ficar esperando aqui em pé o dia todo. Eu sou uma pessoa muito ocupada.

Uma americana se queixava em voz alta a Stephanie Clarke junto à recepção. Reconheci Barbie Hellmann, dos jornais e da cobertura do crime na televisão. Era vizinha de Alicia em Hampstead, aquela que ouviu os tiros na noite em que Gabriel foi morto e ligou para a polícia.

Barbie era uma loira californiana na casa dos 60 anos, talvez mais velha. Havia tomado um banho de Chanel nº 5 e já tinha passado por algumas cirurgias plásticas. O nome se encaixava perfeitamente: ela parecia uma boneca Barbie assustada. Claramente estava acostumada a conseguir o que queria, daí os protestos barulhentos na recepção ao ser informada de que era preciso agendar visitas a pacientes.

— Quero falar com o gerente — exigiu com um gesto majestoso, como se estivesse num restaurante, e não numa unidade psiquiátrica. — Isso é um absurdo! Onde ele está?

— Eu sou a gerente, sra. Hellmann — respondeu Stephanie. — Nós já nos conhecemos.

Pela primeira vez eu sentia alguma simpatia, ainda que distante, por Stephanie; era difícil não sentir pena dela por estar na mira da fúria de Barbie. A visitante falava muito e rápido, sem pausas, sem dar à adversária tempo de responder.

— Bem, você nunca me disse nada sobre essa história de agendamento. — Barbie deu uma risada alta. — Pelo amor de Deus, é mais fácil conseguir uma mesa no Ivy.

Fui até elas e abri um sorriso inocente para Stephanie.

— Posso ajudar?

Stephanie me lançou um olhar irritado.

— Não, obrigada. Eu resolvo isso.

Barbie me olhou de cima a baixo com certo interesse.

— Quem é você?

— Theo Faber. O terapeuta de Alicia.

— Ah, sério? — fez Barbie. — Interessante!

Ela evidentemente conseguia lidar com terapeutas, e não com gerentes. A partir desse momento, Barbie se dirigiu apenas a mim, deixando Stephanie de lado como se ela não passasse de uma recepcionista, o que, devo reconhecer, apesar de perverso, me deu certo prazer.

— Você deve ser novo aqui... A gente nunca se conheceu. — Abri a boca para responder, mas Barbie se antecipou. — Eu costumo vir aqui mais ou menos de dois em dois meses. Dessa vez demorei um pouco mais, porque fui ver a minha família nos Estados Unidos, mas assim que voltei pensei que devia visitar a minha Alicia... Sinto tanta falta dela! Alicia era a minha melhor amiga, sabia?

— Não, não sabia.

— Era, sim! Quando eles se mudaram para a casa ao lado da minha, eu ajudei Alicia e Gabriel a se adaptarem à vizinhança. Alicia e eu ficamos extremamente próximas. A gente trocava confidências sobre *tudo*.

— Sei.

Yuri apareceu na recepção e eu o chamei.

— A sra. Hellmann veio visitar Alicia — avisei.

— Me chame de Barbie, querido. Yuri e eu somos velhos amigos. — Ela piscou para ele. — Há muito tempo. Com ele não tem problema. É essa moça aqui...

Barbie fez um gesto de desdém para Stephanie, que, por fim, encontrou uma oportunidade de falar.

— Lamento, sra. Hellmann, mas a política do hospital mudou desde que a senhora esteve aqui pela última vez, no ano passado. Adotamos medidas mais rigorosas de segurança. A partir de agora, a senhora vai ter que ligar antes...

— Meu Deus, essa história toda *de novo*? Se voltar a ouvir isso mais uma vez eu vou gritar. Como se a vida já não fosse complicada o suficiente...

Stephanie desistiu, e Yuri foi conduzindo Barbie. Eu os segui.

Entramos na sala de visitas e ficamos esperando Alicia. Havia apenas uma mesa e duas cadeiras, nenhuma janela e uma luz fluorescente fraca amarela. Fiquei de pé no fundo e vi Alicia aparecer na outra porta acompanhada de duas enfermeiras. Alicia não deixou transparecer nenhuma reação ao ver Barbie. Caminhou até a mesa e se sentou sem erguer o olhar.

Barbie se mostrou muito mais emotiva.

— Alicia, querida, tenho sentido a sua falta. Você está tão magra, parece que não restou nada de você. Que inveja! E como vai? Aquela mulher horrível quase não me deixou vir ver você. Um verdadeiro *pesadelo*...

E por aí foi, uma torrente infindável de baboseiras, detalhes da viagem a San Diego para visitar a mãe e o irmão. E Alicia ali em silêncio, o rosto feito uma máscara, sem deixar transparecer nada, sem mostrar nada. Após uns vinte minutos, o monólogo enfim terminou. Alicia foi levada por Yuri, tão desinteressada quanto estava ao entrar.

Eu me aproximei de Barbie quando ela estava prestes a ir embora.

— Posso dar uma palavrinha com você?

Ela fez que sim, como se já estivesse esperando por isso.

— Você quer falar sobre Alicia? Já estava na hora mesmo de alguém me fazer algumas perguntas. A polícia não quis saber de nada, o que foi uma loucura, sabe? Alicia conversava comigo o tempo todo. Sobre tudo. Ela me contava coisas que ninguém *acreditaria*.

Barbie fez esse comentário com clara ênfase e me lançou um sorriso tímido. Sabia que tinha despertado meu interesse.

— Como o que, por exemplo?

Barbie abriu um sorriso enigmático e vestiu o casaco de pele.

— Bom, não posso falar disso aqui. E já estou bastante atrasada. Venha me ver mais tarde hoje... digamos... seis horas?

Não me agradava a perspectiva de visitar Barbie em casa — eu sinceramente esperava que Diomedes não descobrisse. Mas não tinha escolha, queria descobrir o que ela sabia. Dei um sorriso forçado.

— Qual é o seu endereço?

CAPÍTULO 30

A CASA DE BARBIE ERA uma das várias que davam para Hampstead Heath, de frente para um dos lagos. Era grande e, considerando a localização, devia custar uma fortuna.

Barbie já morava em Hampstead havia vários anos quando Gabriel e Alicia se mudaram para a casa ao lado. Seu ex-marido trabalhava num banco de investimentos e dividia o tempo entre Londres e Nova York até se divorciarem. Ele encontrou uma versão mais jovem e mais loira da sua mulher, e Barbie ficou com a casa.

— E assim todo mundo ficou feliz — disse, rindo. — Principalmente eu.

A fachada azul-clara da casa contrastava com as outras da rua, brancas. O jardim era decorado com pequenas árvores e vasos de plantas.

Barbie me recebeu à porta.

— Olá, querido. Que bom que chegou na hora marcada. Isso é um bom sinal. Por aqui.

Ela me conduziu pelo hall de entrada até a sala de estar, falando o tempo todo. Eu ouvia apenas em parte, observando o entorno. A casa tinha cheiro de estufa, repleta de plantas e flores: rosas, lírios, orquídeas, para onde quer que se olhasse. Pinturas, espelhos e fotos emolduradas se amontoavam nas paredes; pequenas estátuas, vasos e outros *objets d'art* disputavam espaço sobre mesas e aparadores. Todos itens caros, mas apinhados daquele jeito pareciam quinquilharia. Visto como representação da mente de Barbie, aquilo parecia indicar um mundo interior desordenado, para dizer o mínimo. As ideias que me vinham eram de caos, entulho, ganância... Um desejo insaciável. Me perguntava como teria sido a infância dela.

Afastei algumas almofadas com franjas para abrir espaço e me sentei no enorme e desconfortável sofá. Barbie abriu um armário de bebidas e pegou um copo e uma taça.

— Então, o que vai beber? Você parece gostar de uísque. Meu ex--marido bebia litros de uísque todo dia. Ele dizia que precisava disso para me aguentar. — Ela riu. — Já eu sou uma *connaisseur* de vinhos, na verdade. Fiz um curso na região de Bordeaux, na França. Tenho um excelente nariz.

Ela fez uma pausa para respirar e aproveitei a oportunidade para falar enquanto podia.

— Eu não gosto de uísque. Não costumo beber muito... Uma cerveja de vez em quando, só.

— Ah... — Barbie pareceu um tanto contrariada. — Eu não tenho cerveja.

— Tudo bem, eu não preciso beber...

— Mas eu preciso, meu bem. Hoje foi um dia daqueles.

Barbie se serviu de uma generosa taça de vinho tinto e se acomodou na poltrona como se estivesse se preparando para uma bela conversa.

— Sou toda sua. — E sorriu como se flertasse. — O que você quer saber?

— Gostaria de fazer algumas perguntas, se concordar.

— Pode mandar ver.

— Alicia alguma vez mencionou ter se consultado com algum médico?

— Um médico? — Barbie ficou surpresa com a pergunta. — Um terapeuta?

— Não, um médico mesmo.

— Bom, nesse caso... Eu não... — Barbie hesitou. — Na verdade, agora que está perguntando, sim, viu sim...

— Você sabe o nome dele?

— Não, não sei... Mas me lembro de ter falado com ela do meu médico, o dr. Monks, que é simplesmente incrível. Ele só precisa olhar para a gente para ver imediatamente o que tem de errado, e diz exatamente o que a gente precisa comer. Incrível mesmo.

Seguiu-se uma longa e complexa explicação das orientações nutricionais do médico de Barbie, acompanhada da insistência em que eu também o procurasse sem demora. Eu estava começando a perder a paciência. Deu algum trabalho fazê-la voltar ao assunto.

— Você esteve com Alicia no dia do crime?

— Estive, poucas horas antes de acontecer. — Barbie fez uma pausa para tomar mais um gole de vinho. — Eu tinha ido fazer uma visitinha. Eu costumava aparecer por lá o tempo todo, para tomar um café... Quer dizer, ela bebia café; eu, em geral, levava uma garrafa de alguma coisa. Nós duas conversávamos por horas. A gente era muito próxima, sabe como é.

É o que você não para de repetir, pensei. Mas de acordo com o meu diagnóstico já estava claro que Barbie era quase irremediavelmente narcisista; eu duvidava de que ela fosse capaz de se relacionar de um modo que não fosse para atender às próprias necessidades. Supus que Alicia não falasse muito nessas visitas.

— Como você descreveria o estado de espírito dela naquela tarde? Barbie deu de ombros.

— Ela parecia bem. Estava com uma dor de cabeça fortíssima, só isso.

— Ela não estava tensa?

— E deveria?

— Bem, considerando as circunstâncias...

Barbie me encarou com espanto no olhar.

— Você não acha que ela é culpada, acha? — E deu uma risada. — Ah, meu bem... Eu achava que você já tinha entendido.

— Acho que não...

— *De jeito nenhum* que Alicia teria coragem de matar alguém. Ela nunca foi uma assassina. Estou dizendo. Ela é inocente. Cem por cento de certeza.

— Eu gostaria de entender como você pode ter tanta certeza, considerando as provas...

— Não me importo nem um pouco com isso. Eu tenho as minhas provas.

— Tem?

— Pode acreditar. Mas primeiro... Eu preciso saber se posso confiar em você.

Os olhos de Barbie buscaram os meus com voracidade.

Eu a encarei com firmeza. E, do nada, ela mandou esta declaração:

— Havia *um homem*.

— Um homem?

— Sim. Observando.

Surpreso, imediatamente fiquei alerta.

— Como assim "observando"?

— Exatamente o que eu disse. Observando. Eu contei à polícia, mas ninguém deu bola. Os policiais deduziram que sabiam tudo no momento em que encontraram Alicia com o corpo de Gabriel e a arma. Eles não queriam saber de mais nenhuma outra história.

— Que história, exatamente?

— Vou contar. E você vai entender por que eu queria que viesse aqui hoje. Vale a pena ouvir.

Desembucha logo de uma vez, pensei. Mas não falei nada, abrindo um sorriso encorajador.

Ela encheu de novo a taça.

— A coisa começou umas duas semanas antes do crime. Eu fui visitar Alicia, a gente bebeu e eu notei que ela estava mais silenciosa que o normal. Aí eu perguntei: "Você está bem?" E ela começou a chorar. Eu nunca tinha visto Alicia daquele jeito. Ela chorava sem parar.

Normalmente era tão reservada... Mas naquele dia ela se abriu. Alicia estava devastada, meu bem, completamente arrasada.

— E o que foi que ela disse?

— Perguntou se eu tinha notado alguém rondando a vizinhança. Alicia tinha visto um homem na rua, observando-a. — Barbie hesitou. — Vou mostrar para você. Ela me mandou essa foto.

As mãos com unhas muito bem-cuidadas de Barbie pegaram o celular, e ela começou a fazer uma busca nas fotos. E mostrou a tela do telefone para mim.

Olhei. Levei um segundo para entender o que estava vendo. Uma foto tremida de uma árvore.

— O que é isso?

— O que parece?

— Uma árvore.

— Atrás da árvore.

Atrás da árvore havia uma mancha cinzenta — podia ser qualquer coisa, um poste, um cachorro grande...

— É *um homem*. Dá para ver nitidamente os contornos.

Eu não estava convencido de que dava para ver tão nitidamente assim, mas não discuti. Não queria que Barbie perdesse o embalo.

— Continue.

— É isso.

— Mas o que aconteceu?

Barbie deu de ombros.

— Nada. Eu falei que Alicia devia chamar a polícia, e foi quando descobri que ela nem tinha contado ao marido.

— Ela não tinha contado para Gabriel? Por que não?

— Não sei. Fiquei com a impressão de que ele não era lá uma pessoa muito sensível. Seja como for, insisti em que ela chamasse a polícia. Eu estava preocupada com o *meu* bem-estar também. E a minha segurança? Um maluco rondando lá fora... Eu sou uma mulher sozinha, sabe? Quero me sentir segura quando vou para a cama à noite.

— Alicia seguiu o seu conselho?

Barbie acenou negativamente com a cabeça.

— Não, ela não fez nada. Dias depois, Alicia me contou que tinha conversado com o marido e chegado à conclusão de que era pura imaginação dela. Disse que eu também devia esquecer isso e pediu que não tocasse no assunto se encontrasse Gabriel. Não sei não, para mim a coisa toda não estava cheirando nada bem. E ela pediu que eu apagasse a foto. Mas eu não apaguei, e mostrei para a polícia quando ela foi presa. Mas eles não quiseram saber. Deram o caso como encerrado. Mas eu tenho certeza de que aí tem coisa. Posso dizer um negócio? — Barbie baixou o tom de voz para um sussurro dramático. — Alicia estava *com medo*.

Veio então uma pausa não menos dramática, enquanto ela terminava o vinho. Pegou a garrafa em seguida.

— Tem certeza de que não quer um pouco?

Voltei a recusar, agradeci, me desculpei e saí. Não havia por que ficar mais; ela não tinha mais nada a me dizer. E já era muita coisa para eu ficar pensando.

Estava escuro quando saí. Parei um instante em frente à casa vizinha, a antiga casa de Alicia. Tinha sido vendida logo depois do julgamento, e agora era habitada por um casal de japoneses — bem antipáticos, segundo Barbie. Ela havia tentado se aproximar deles de várias formas, sempre sem êxito. Me perguntei como eu me sentiria se tivesse Barbie como vizinha, aparecendo na minha casa o tempo todo. E como Alicia se sentia a respeito.

Acendi um cigarro, pensando no que tinha acabado de ouvir. Então Alicia tinha dito a Barbie que estava sendo espionada. A polícia provavelmente achou que Barbie estava inventando histórias para chamar a atenção, e por isso a ignorou. O que não me surpreendia; era difícil mesmo levar Barbie a sério.

Isso significa que Alicia estava com medo o bastante para pedir ajuda a Barbie — e depois a Gabriel. E então? Teria recorrido a mais alguém? Eu precisava saber.

De repente me veio uma imagem de mim mesmo na infância. Um menininho quase explodindo de angústia, tentando conter todos os meus terrores, toda a minha dor; andando para cima e para baixo sem parar, inquieto, assustado; sozinho com medo do meu pai maluco. Ninguém a quem recorrer. Ninguém me daria ouvidos. Alicia deve ter se sentido desesperada do mesmo jeito, caso contrário jamais teria recorrido a Barbie.

Senti um calafrio — a sensação de um par de olhos atrás de mim. Me virei, mas não havia ninguém. Eu estava sozinho. A rua estava vazia, escura e silenciosa.

210

CAPÍTULO 31

NA MANHÃ SEGUINTE, CHEGUEI AO Grove decidido a falar com Alicia sobre o que Barbie havia me contado. Mas, assim que botei o pé na recepção, ouvi uma mulher gritando. Gritos de agonia ecoando pelos corredores.

— O que foi? O que está acontecendo?

O guarda ignorou as minhas perguntas e passou correndo por mim em direção à ala. Fui atrás dele. Os gritos ficavam mais altos à medida que eu me aproximava. Eu esperava que Alicia estivesse bem, que não fosse com ela, mas tive um mau pressentimento.

Ao dobrar à direita no corredor, vi enfermeiras, pacientes e gente da segurança aglomerados em frente ao aquário. No telefone, Diomedes convocava paramédicos. Estava com a camisa salpicada de sangue — mas não era o sangue dele. Duas enfermeiras ajoelhadas no chão socorriam a mulher que gritava. E não era Alicia.

Era Elif.

Elif se contorcia, gritando de dor, as mãos no rosto ensanguentado. De um dos olhos jorrava sangue. Alguma coisa se projetava da cavidade ocular, enfiada na órbita. Parecia um bastão. Mas não era um bastão. Eu imediatamente soube o que era. Um pincel.

Alicia estava de pé junto à parede, contida por Yuri e outro enfermeiro. Mas não era necessário contê-la fisicamente. Ela estava calma, parada, feito uma estátua. Seu rosto me lembrou da pintura — *Alceste*. Vazio, inexpressivo. Ela olhava nos meus olhos.

Pela primeira vez senti medo.

CAPÍTULO 32

— Como Elif está?

Esperando no aquário, interpelei Yuri quando ele voltou da emergência.

— Estável. — Ele deu um suspiro profundo. — E é o melhor que se pode esperar.

— Eu gostaria de vê-la.

— Elif? Ou Alicia?

— Primeiro Elif.

Yuri fez que sim.

— Os médicos querem que ela fique de repouso essa noite, mas de manhã eu o levo até ela.

— O que aconteceu? Você estava lá? Alicia foi provocada?

Yuri suspirou outra vez e deu de ombros.

— Não sei. Elif estava rondando o ateliê de Alicia. As duas devem ter batido de frente. Não tenho a menor ideia do motivo da briga.

— Você tem a chave? Vamos dar uma olhada. Ver se a gente encontra alguma pista.

Saímos do aquário e rumamos para o ateliê de Alicia. Yuri destrancou a porta e a abriu. Acendeu a luz.

E lá estava, no cavalete, a resposta que buscávamos.

213

O quadro de Alicia, a pintura do Grove em chamas, tinha sido vandalizado. Em tinta vermelha, havia sido pintada impiedosamente a palavra PUTA.

Assenti com a cabeça.

— Está explicado.

— Você acha que foi Elif?

— E quem mais seria?

Fui encontrar Elif na emergência. Ela estava deitada, com medicação intravenosa. Ataduras na cabeça, cobrindo um dos olhos. Estava inquieta, nervosa, com dores.

— Vaza daqui — disse ao me ver.

Coloquei uma cadeira perto da cama e me sentei. Falei com suavidade e respeito.

— Eu sinto muito, Elif. Sinto mesmo. Isso foi horrível! Uma tragédia!

— Horrível mesmo, porra. E agora se manda daqui e me deixa em paz.

— O que aconteceu?

— Aquela escrota arrancou o meu olho. Foi isso que aconteceu.

— Mas por quê? Vocês brigaram?

— Está querendo botar a culpa em mim? Eu não fiz nada!

— Não estou querendo botar a culpa em você. Só quero entender por que ela fez isso.

— Porque ela tem a merda de um parafuso solto, foi por isso.

— Não teve nada a ver com a pintura? Eu vi o que você fez. Você estragou o quadro, não foi?

Elif semicerrou o olho que restou, então o fechou com firmeza.

— O que você fez foi terrível, Elif. Não justifica a reação dela, mas ainda assim...

— Não foi por isso que ela fez o que fez!

Elif abriu o olho e me encarou com desprezo. Hesitei.

— Não? Por que então ela agrediu você?

Os lábios de Elif se torceram em algo que parecia um sorriso. Mas ela não falou. Ficamos ali parados por um tempo. Eu estava prestes a desistir quando Elif se manifestou.

— Eu contei a verdade para ela.

— Que verdade?

— Que você está a fim dela.

Fiquei perplexo.

Antes que conseguisse responder, Elif prosseguiu, com frieza e desprezo.

— Você está apaixonado por ela, parceiro. Foi o que eu disse para ela. Eu disse: "Ele *te ama*. Ele *te ama*... Theo e Alicia estão namorando. Theo e Alicia estão namorando..."

Elif começou a rir, uma risada esganiçada horrível. E o resto dava para imaginar — Alicia, num frenesi de ódio, investindo de pincel em punho... E o enfiando no olho da outra.

— Maluca da porra. — Elif parecia à beira das lágrimas. — Uma psicopata.

Vendo Elif com aquela bandagem, eu não podia deixar de me perguntar se ela não teria razão.

215

CAPÍTULO 33

A REUNIÃO TRANSCORRIA NA SALA de Diomedes, mas Stephanie Clarke assumiu o comando desde o início. Agora que tínhamos deixado o mundo abstrato da psicologia para entrar no reino bastante concreto da saúde e da segurança, estávamos sob sua jurisdição, e ela sabia muito bem disso. A julgar pelo silêncio e pelo evidente mau humor de Diomedes, era evidente que ele também sabia.

Stephanie estava de pé, braços cruzados; sua agitação era palpável. Ela adora esse tipo de coisa, pensei — estar no comando, dar a última palavra. Imagino o quanto devia nos odiar, todo mundo passando por cima dela, se unindo contra ela. Agora Stephanie saboreava sua vingança.

— Um incidente como o da manhã de ontem é inaceitável — começou. — Eu avisei que Alicia não devia ser autorizada a pintar, mas fui ignorada. Esse tipo de privilégio sempre provoca ciúmes e ressentimentos. Eu sabia que algo assim aconteceria. A partir de agora, é segurança em primeiro lugar.

— Por isso Alicia foi posta em confinamento? — perguntei. — Pelo bem da segurança?

— Ela é uma ameaça para si mesma e para os outros. Ela agrediu Elif, podia tê-la matado.

— Ela foi provocada.

Balançando a cabeça, Diomedes se manifestou, exausto:

— Não acho que provocação nenhuma justifique uma agressão dessa natureza.

Stephanie assentiu.

— *Exatamente*.

— Foi um incidente isolado — argumentei. — Deixar Alicia em confinamento não é só cruel, é desumano.

Vi pacientes em confinamento quando trabalhei em Broadmoor, trancados num quarto minúsculo e sem janelas, que mal comportavam uma cama, muito menos qualquer outro móvel. Horas ou dias em confinamento levavam qualquer um à loucura, quanto mais alguém já instável.

Stephanie deu de ombros.

— Como administradora da clínica, tenho autoridade para tomar qualquer medida que considere necessária. Eu consultei Christian, e ele concordou comigo.

— É claro que concordou.

Do outro lado da sala, Christian abriu um sorriso presunçoso. Também sentia que Diomedes me observava. E sabia o que estavam pensando: eu estava permitindo que a coisa adquirisse contornos pessoais, deixando transparecer meus sentimentos; mas não me importava.

— Trancafiar Alicia não é a solução. A gente precisa continuar falando com ela. A gente precisa entender.

— Eu entendo perfeitamente — interferiu Christian num tom grave, condescendente, como se estivesse falando com uma criança de raciocínio lento. — É você, Theo.

— Eu?

— Quem mais? É você quem está revirando as coisas.

— Como assim "revirando"?

— É verdade, não é? Você fez campanha para diminuir as doses da medicação dela...

Eu ri.

— Não foi exatamente uma campanha. Foi uma intervenção. Ela estava totalmente drogada. Um zumbi.

— Besteira.

Eu me virei para Diomedes.

— Vocês não estão de fato querendo botar a culpa em mim... É isso que está acontecendo aqui?

Diomedes acenou negativamente com a cabeça, mas desviou o olhar do meu.

— Claro que não. Mas é evidente que a terapia a deixou desestabilizada. Foi muita pressão, ainda não era o momento. Desconfio que esse tenha sido o motivo desse incidente lamentável.

— Eu não aceito isso.

— Talvez você esteja envolvido demais para ver com clareza. — Diomedes jogou os braços para o alto e suspirou, um homem derrotado. — Não podemos nos permitir mais nenhum erro, numa situação crítica dessas... Como você sabe, o futuro da casa está em jogo. Cada erro que cometemos é mais uma desculpa para a Fundação fechar isso aqui.

Fiquei extremamente irritado com esse derrotismo, com essa desistência passiva.

— A solução não é drogar Alicia e jogar a chave fora. Nós não somos carcereiros.

— Concordo. — Indira me lançou um sorriso de apoio e prosseguiu: — O problema é que nos tornamos tão avessos a qualquer tipo de risco que optamos pelo excesso de medicação para não nos expormos. Precisamos ter coragem de conviver com a loucura, encará-la, em vez de tentar trancafiá-la.

Christian revirou os olhos e estava prestes a objetar, mas Diomedes interveio, negando com a cabeça.

— Já é tarde demais para isso. E a culpa é minha. A terapia não é indicada para Alicia. Eu jamais deveria ter permitido.

Diomedes dizia se sentir culpado, mas eu sabia que na verdade ele estava me culpando. Todos os olhares estavam fixados em mim: a cara fechada de decepção de Diomedes; o olhar zombeteiro e triunfante de Christian; a hostilidade de Stephanie; a preocupação de Indira.

Eu me esforçava para não parecer que estava suplicando.

— Se quiserem que Alicia pare de pintar, tudo bem. Mas não suspendam a terapia, é a única maneira de chegar até ela.

Diomedes meneou a cabeça.

— Começo a desconfiar de que não seja possível chegar até ela.

— Me dê mais algum tempo...

— Não.

A determinação na voz de Diomedes me dizia que não adiantava argumentar mais. Era o fim.

CAPÍTULO 34

DIOMEDES HAVIA ERRADO AO PREVER que nevaria. Não nevou; e hoje à tarde começou a chover. Caía uma tempestade com trovoadas estrondosas e raios cortando o céu.

Esperei Alicia na sala de terapia, contemplando a chuva que batia na janela.

Estava cansado e deprimido. Tudo aquilo foi uma enorme perda de tempo. Eu havia perdido Alicia sem conseguir ajudá-la; e agora nunca mais conseguiria fazê-lo.

Uma batida à porta. Yuri fez Alicia entrar na sala. Ela estava com um aspecto pior do que eu esperava. Pálida, cinzenta, um fantasma. Seus movimentos eram desajeitados, a perna direita tremia sem parar. O escroto do Christian, pensei — ela estava completamente dopada.

Houve uma longa pausa depois que Yuri se retirou. Alicia não olhava para mim. Por fim, comecei a falar. Em voz alta e clara, para ter certeza de que era compreendido.

— Alicia. Eu sinto muito que você esteja em confinamento. Lamento que você tenha que passar por isso.

Nenhuma reação.

Hesitei.

— Nossa terapia vai ter que ser suspensa por causa do que você fez com a Elif. Não foi decisão minha, muito pelo contrário, mas não posso fazer nada. Gostaria que você aproveitasse essa oportunidade para falar do que aconteceu, explicar por que você agrediu Elıf. E expressar o remorso que certamente está sentindo.

Alicia não disse nada. Eu não sabia ao certo se minhas palavras atravessavam a névoa da medicação.

— Vou dizer como eu me sinto. Para ser sincero, estou com raiva. Raiva por ver que o nosso trabalho aqui vai acabar antes mesmo de termos começado direito... E raiva por você não ter se esforçado mais.

Alicia moveu a cabeça. Fixou os olhos nos meus.

— Eu sei que você está com medo. Venho tentando ajudar, mas você não deixa. E agora não sei o que fazer.

Fiquei em silêncio, derrotado.

Então Alicia fez algo que jamais vou esquecer.

Ela ergueu a mão trêmula para mim. Estava segurando alguma coisa, um caderninho de anotações com capa de couro.

— O que é isso?

Silêncio. Ela continuava segurando o objeto.

Espiei-o com curiosidade.

— Você quer que eu pegue?

Silêncio. Hesitando, peguei com cuıdado o caderninho dos seus dedos trêmulos. Abri e comecei a folhear as páginas. Era um diário escrito à mão.

O diário de Alicia.

A julgar pela caligrafia, tinha sido escrito num estado de confusão mental, especialmente as últimas páginas, que mal podiam ser lidas: setas interligavam parágrafos escritos em diferentes ângulos na página, rabiscos e desenhos enchendo certas páginas, flores se transformando em trepadeiras, cobrindo o que havia sido escrito, que assim ficava quase indecifrável.

Olhei para Alicia, ardendo de curiosidade.

— O que você quer que eu faça com isso?

A pergunta era totalmente desnecessária. Era evidente o que Alicıa queria.

Ela queria que eu lesse.

TERCEIRA PARTE

Não devo encontrar estranheza onde não há nada. Acho que é este o perigo de se ter um diário: exageramos tudo, ficamos à espreita, constantemente forçando a verdade.

JEAN-PAUL SARTRE

Embora eu não seja naturalmente honesto, às vezes o sou por acaso.

WILLIAM SHAKESPEARE,
Conto do inverno

O diário de Alicia Berenson

8 DE AGOSTO

Hoje aconteceu uma coisa estranha.

Eu estava na cozinha fazendo café enquanto olhava pela janela — olhando sem ver, sonhando acordada —, e aí notei algo lá fora, ou melhor, alguém. Um homem. Notei porque ele estava imóvel, parecia uma estátua, de frente para nossa casa. Estava do outro lado da rua, na entrada do parque. De pé à sombra de uma árvore. Alto, forte. Não dava para ver suas feições, porque ele estava de óculos escuros e boné.

Também não dava para saber se estava me vendo ou não pela janela, mas a sensação era de que olhava fixamente para mim. Achei isso muito estranho; estou acostumada a ver pessoas esperando no ponto de ônibus do outro lado da rua, mas ele não estava esperando o ônibus. Estava olhando para nossa casa.

Até que me dei conta de que ele estava ali fazia vários minutos, e tratei de sair da janela. Fui para o ateliê. Tentei pintar, mas não conseguia me concentrar. Minha mente voltava o tempo todo para aquele sujeito. Decidi esperar mais uns vinte minutos e voltar à cozinha para espiar de novo. E se ele ainda estivesse lá? Ele não estava fazendo nada de errado. Podia ser um ladrão, estudando a casa — acho que foi a primeira coisa que pensei —, mas por que ficaria ali parado daquele jeito, chamando a atenção? Talvez estivesse pensando em se mudar para o bairro. Talvez fosse comprar a casa à venda no fim da rua. Isso explicaria.

Mas, quando voltei à cozinha e espiei pela janela, ele não estava mais lá. A rua estava vazia.

Provavelmente eu nunca vou saber o que ele estava fazendo. Muito estranho.

10 DE AGOSTO

Fui ao teatro com Jean-Felix ontem à noite. Gabriel não queria que eu fosse, mas fui mesmo assim. Estava com medo, mas achei que, se concordasse com o que Jean-Felix queria e fosse com ele ao teatro, talvez desse um fim a essa história toda. Pelo menos era o que eu esperava.

Combinamos de nos encontrar cedo para tomar um drinque — ideia dele — e, quando cheguei, ainda estava claro. O sol estava baixo no horizonte, deixando o rio vermelho-sangue. Jean-Felix me esperava em frente ao National Theatre. Eu o vi antes que ele me visse. Ele olhava para os transeuntes de cara feia. Se eu tinha alguma dúvida quanto ao que estava fazendo, ela desapareceu quando vi aquela expressão de raiva. Fui tomada por um medo horrível, e quase me virei para dar o fora dali. Mas ele se virou e me viu antes que eu fizesse isso. Acenou, e fui em sua direção. Eu fingia sorrir, e ele fazia o mesmo. Jean-Felix me cumprimentou:

"Que bom que você veio. Eu já estava achando que você não ia aparecer. Vamos tomar alguma coisa?"

Tomamos um drinque no saguão. Uma situação desconfortável, para dizer o mínimo. Nenhum de nós falou do outro dia. Conversávamos sobre nada, ou melhor, Jean-Felix falava e eu ouvia. Acabamos tomando dois drinques. Como não tinha comido, fiquei meio bêbada; o que provavelmente fazia parte dos planos dele. Jean-Felix fazia de tudo para me engajar na conversa, mas tudo que ele falava parecia forçado — como se fosse encenado, artificial. Tudo que ele falava começava com "Lembra como foi divertido...?" ou "Lembra aquela vez...?", como se tivesse ensaiado pequenas lembranças na esperança de vencer minha determinação e lembrar que tínhamos muita história juntos, que éramos muito próximos. O que ele parece não se dar conta é de que eu já tomei minha decisão. E nada que ele possa dizer vai mudá-la.

No fim, foi bom ter ido. Não para ver Jean-Felix, mas porque vi a peça. Alceste não é uma tragédia, como diziam ser — acho que é uma obra obscura porque é uma história doméstica mais íntima, e justamente por isso gostei tanto. A montagem se passava nos dias atuais, numa casinha no subúrbio de Atenas. E gostei do escopo que deram à peça. Uma tragédia íntima e realista. O protagonista está condenado à morte, e sua mulher, Alceste, quer salvá-lo. A atriz que interpretava Alceste parecia uma estátua grega, com um rosto magnífico; eu ficava pensando em pintá-la. Pensei em pegar informações sobre ela e fazer contato com o agente. Quase comentei isso com Jean-Felix, mas me contive. Não quero mais envolvê-lo na minha vida, seja lá para o que for. No fim, eu estava com lágrimas nos olhos. Alceste morre e renasce. Literalmente volta do além. Tem alguma coisa nisso que me faz refletir. Mas ainda não sei exatamente o quê. Naturalmente, Jean-Felix teve as mais variadas reações com a peça, mas nenhuma delas ecoava em mim, então eu simplesmente parei de prestar atenção nele.

A morte e a ressurreição de Alceste não saíam da minha cabeça; continuei pensando nisso quando atravessávamos a ponte em direção ao metrô. Jean-Felix perguntou se eu queria tomar outro drinque, mas eu respondi que estava cansada. Outro silêncio constrangedor. Estávamos em frente à entrada da estação. Agradeci e disse que tinha sido muito divertido. Ele ainda insistiu:

"Só mais uma bebida. Uma só. Pelos velhos tempos."

"Não, eu tenho que ir."

Comecei a me afastar... E Jean-Felix agarrou a minha mão.

"Alicia. Me ouve. Eu preciso dizer uma coisa."

"Não, por favor, não tem nada para ser dito, de verdade..."

"Me escuta. Não é o que você está pensando."

E ele tinha razão, não era. Eu achava que Jean-Felix ia insistir na nossa amizade, ou tentar fazer com que eu me sentisse culpada por deixar a galeria. Mas o que ele disse me pegou totalmente de surpresa.

"Você precisa tomar cuidado. Você confia demais nas pessoas. Você confia demais... nas pessoas ao seu redor. Não confie. Não confie nelas."

Encarei Jean-Felix sem saber o que pensar. Levei um segundo para conseguir falar.

"O que você está querendo dizer? Como assim?"

Jean-Felix se limitou a balançar a cabeça, sem dizer nada. Soltou minha mão e se afastou. Eu o chamei, mas ele não parou mais.

"Jean-Felix! Espera!"

Ele nem sequer olhou para trás. E o vi desaparecer na esquina. Fiquei lá plantada, sem saber o que pensar. O que ele pretendia fazendo aquela advertência misteriosa para em seguida ir embora? Acho que ele queria sair por cima e me deixar insegura e desconcertada. E conseguiu.

E também me deixou furiosa. Mas, sob certo aspecto, tornou a coisa mais fácil para mim. Agora estou mesmo decidida a afastá-lo por completo da minha vida. O que ele queria dizer com "as pessoas ao meu redor"? Provavelmente se referia a Gabriel. Mas por quê?

Não. Eu não vou fazer isso. É exatamente o que Jean-Felix queria: mexer com a minha cabeça. Me deixar obcecada por ele. Se interpor entre mim e Gabriel.

Não vou cair nessa. Não quero mais saber desse assunto.

Voltei para casa, e Gabriel estava na cama, dormindo. Tinha compromisso às cinco da manhã para uma sessão de fotos, mas eu o acordei e fizemos sexo. Eu precisava estar muito perto dele, senti-lo dentro de mim. Queria me fundir com ele. Queria entrar nele e desaparecer.

11 DE AGOSTO

Voltei a ver o tal sujeito. Dessa vez estava um pouco mais distante, sentado num banco no parque. Mas era ele, dava para ver — com esse tempo, a maioria das pessoas tem usado bermuda e camiseta de cores claras, e ele estava de camisa escura e calça, óculos escuros e boné. A cabeça inclinada na direção da casa, olhando para ela.

Me ocorreu uma ideia estranha: talvez não seja um ladrão, talvez seja um pintor. Talvez ele seja pintor como eu e esteja pensando em pintar a rua ou a casa. Mas ao mesmo tempo caiu a ficha de que isso não era verdade. Se fosse realmente pintar a casa, ele não estaria sentado lá parado; estaria fazendo esboços.

Comecei a ficar inquieta com aquilo e liguei para Gabriel. O que foi um erro. Deu para perceber que ele estava ocupado; a última coisa que queria era uma ligação minha, apavorada por achar que alguém estava observando a casa.

E, claro, sou eu que estou presumindo que o sujeito está observando a casa.

Ele pode estar me observando.

13 DE AGOSTO

Ele estava lá de novo.

Logo depois de Gabriel sair hoje de manhã. Tomei banho e o vi pela janela do banheiro. Dessa vez estava mais perto. De pé perto do ponto de ônibus. Como se estivesse mesmo esperando o ônibus.

Não sei quem ele pensa que está enganando.

Me vesti depressa e fui até a cozinha para ver melhor. Mas ele não estava mais lá.

Então decidi contar a Gabriel quando ele voltasse. Não achei que ele fosse levar a sério, mas levou. Pareceu bastante preocupado. E logo perguntou:

"É o Jean-Felix?"

"Não, é claro que não. De onde você tirou essa ideia?"

Tentei demonstrar surpresa e indignação. Mas na verdade eu tinha pensado a mesma coisa. O cara tem o mesmo porte que Jean-Felix. Podia ser ele, mas mesmo assim eu simplesmente não quero acreditar nisso. Ele não ia tentar me assustar desse jeito. Ia?

Gabriel me perguntou:

"Qual é o número de Jean-Felix? Vou ligar para ele agora mesmo."

"Querido, por favor, não. Eu tenho certeza de que não é ele."

"Absoluta?"

"Absoluta. Não aconteceu nada. Não sei por que eu estou criando esse caso todo. Não é nada."

"Quanto tempo ele ficou lá?"

"Não foi muito tempo, uma hora mais ou menos... E depois desapareceu."

"Como assim 'desapareceu'?"

"Ele simplesmente desapareceu."

"Ã-hã. Alguma chance de você estar imaginando coisas?"

Algo no tom da pergunta dele me deixou chateada.

"Eu não estou imaginando nada. Você tem que acreditar em mim."

"Mas eu acredito."

Só que dava para perceber que ele não acreditava completamente. Só em parte. Em parte, estava concordando por concordar. O que me deixou furiosa, para ser sincera. Tão furiosa que vou ter que parar por aqui... Caso contrário, posso escrever algo de que me arrependa.

14 DE AGOSTO

Pulei da cama assim que acordei. Olhei pela janela, esperando que o cara estivesse lá de novo — assim Gabriel também poderia vê-lo —, mas nem sinal dele. E me senti ainda mais idiota.

Essa tarde, decidi fazer uma caminhada, apesar do calor. Queria andar pelo parque, longe dos prédios, das ruas, das pessoas... Ficar sozinha com meus pensamentos. Fui até Parliament Hill, passando pelos corpos daquele pessoal que fica tomando sol estirado ao lado da trilha. Encontrei um banco desocupado e me sentei. Fiquei contemplando Londres, que reluzia ao longe.

Enquanto estava lá, fiquei o tempo todo com a sensação de que havia alguém por perto. Volta e meia eu olhava para trás, mas não via ninguém. Entretanto, de fato havia alguém lá o tempo todo. Eu sentia. Estava sendo observada.

231

Ao voltar para casa, passei pelo lago. Em certo momento, levantei os olhos e lá estava o sujeito, o tal homem. De pé do outro lado do lago, longe demais para que eu pudesse vê-lo com clareza, mas era ele. Eu sabia que era ele. Estava parado, imóvel, olhando diretamente para mim.

Senti um calafrio de medo. E reagi por instinto.

"Jean-Felix? É você? Para com isso. Para de me seguir!"

Ele não se mexeu. E eu agi o mais rápido possível. Meti a mão no bolso, peguei o celular e tirei uma foto dele. De que vai adiantar, não tenho a menor ideia. Depois me virei e comecei a caminhar rápido para a outra extremidade do lago, sem me virar até chegar à trilha principal. Eu tinha medo de que ele aparecesse de repente atrás de mim.

Até que me virei... e ele havia desaparecido.

Espero que não seja Jean-Felix. Realmente espero.

Quando entrei em casa, estava uma pilha de nervos. Baixei as persianas e apaguei as luzes. Espiei pela janela, e lá estava ele:

O sujeito estava de pé na rua, olhando para mim. Congelei, sem saber o que fazer.

E quase dei um pulo quando alguém chamou o meu nome.

"Alicia? Alicia, você está aí?"

Era aquela mulher horrorosa da casa ao lado. Barbie Hellmann. Me afastei da janela, fui até a porta dos fundos e abri. Barbie tinha entrado pelo portão lateral e estava no jardim, com uma garrafa de vinho.

"Oi, querida. Vi que você não estava no ateliê. Fiquei me perguntando onde estaria."

"Eu tinha saído, acabei de chegar."

"Que tal uma taça?"

232

Ela fez a proposta com aquela vozinha de bebê que usa às vezes e que me irrita profundamente.

"Eu vou ter que voltar ao trabalho, na verdade."

"Só umazinha. E depois eu tenho que ir. Hoje tenho minha aula de italiano à noite. Tudo bem?"

Sem esperar pela resposta, ela foi entrando. Fez um comentário sobre o quanto a cozinha estava escura e começou a abrir as persianas sem me consultar. Eu estava prestes a impedi-la, mas quando olhei para fora não havia ninguém na rua. O sujeito tinha desaparecido.

Não sei por que comentei isso com Barbie. Não gosto dela nem confio nela, mas estava com medo, eu acho, e precisava falar com alguém, e ela estava ali. Tomamos o vinho, o que não era do meu feitio, e desatei a chorar. Barbie ficou me encarando de olhos arregalados, em silêncio pela primeira vez na vida. Quando parei de chorar, ela deixou de lado a garrafa de vinho e disse:

"Isso pede algo mais forte."

E serviu dois copos de uísque.

"Toma." E me entregou um deles. "Você está precisando."

Tinha razão, eu precisava mesmo. Virei tudo de uma vez só e o uísque desceu queimando. Agora era minha vez de ouvir, enquanto Barbie falava. Ela não queria me assustar, começou, mas isso não parecia nada bom.

"Já vi essa história, tipo, um milhão de vezes na TV. Ele está estudando a casa de vocês, certo? Antes de dar o bote."

"Você acha que é um ladrão?"

Barbie deu de ombros.

"Ou um estuprador. Mas não importa. Seja o que for, boa coisa não é."

Eu ri. Estava aliviada e grata porque alguém me levava a sério, mesmo que fosse Barbie. Mostrei a foto do celular, mas ela não ficou impressionada.

"Me manda essa foto para eu ver direito de óculos. Só estou vendo um borrão. Mas me diz: você já falou disso com o seu marido?

Decidi mentir.

"Não. Ainda não."

Barbie me olhou de um jeito estranho.

"Por que não?"

"Não sei, acho que Gabriel pode pensar que estou exagerando... Ou imaginando coisas."

"E você está?"

"Não."

Barbie ficou satisfeita.

"Se Gabriel não levar você a sério, vamos juntas à polícia. Você e eu. Eu sei ser bastante persuasiva, pode acreditar em mim."

"Obrigada, mas isso não vai ser necessário."

"Já é necessário! Você tem que levar essa coisa a sério, meu bem. Me promete que vai contar para Gabriel quando ele voltar?"

Fiz que sim. Mas já estava decidida a não dizer mais nada a Gabriel. Não havia nada a contar. Não tenho prova nenhuma de que o cara estava me seguindo ou me vigiando. Barbie tinha razão, a foto não prova nada.

Era tudo fruto da minha imaginação — é isso que Gabriel vai dizer. Melhor não falar nada para não chateá-lo de novo. Não quero incomodá-lo.

Vou esquecer essa história toda.

4H

Foi uma noite péssima.

Gabriel chegou exausto por volta das dez. Tinha tido um dia puxado e queria ir para a cama cedo. Eu também tentei dormir, mas não consegui.

Até que umas duas horas atrás ouvi um barulho. Veio do jardim. Levantei e fui para a janela dos fundos. Olhei para fora e não vi ninguém, mas senti que estava sendo observada. Alguém estava no escuro me observando.

Me afastei da janela e corri até o quarto. Sacudi Gabriel para acordá-lo.

"O cara está ali fora, ali no jardim."

Gabriel não entendeu do que eu estava falando. Ao se dar conta, começou a ficar irritado.

"Pelo amor de Deus! Esquece isso. Eu tenho que estar no trabalho daqui a três horas. Me deixa fora dessa brincadeira."

"Não é brincadeira. Vem olhar. Por favor."

Fomos até a janela...

E, é claro, o sujeito não estava lá. Não havia ninguém.

Eu queria que Gabriel saísse para verificar, mas ele não foi lá fora. Subiu de novo, irritado. Tentei argumentar com ele, mas ele disse que não queria falar e foi dormir no outro quarto.

Não voltei para a cama. Estou sentada aqui desde aquela hora, esperando, ouvidos em alerta, prestando atenção ao menor som, verificando as janelas. Nenhum sinal até agora.

Faltam só umas duas horas. Logo vai amanhecer.

15 DE AGOSTO

Gabriel desceu pronto para sair para a sessão de fotos. Quando me viu perto da janela e percebeu que eu tinha passado a noite em claro, ele se acalmou e começou a agir de um jeito estranho.

"Alicia, senta aqui. A gente precisa conversar."

"Sim. Precisa mesmo. Sobre o fato de você não acreditar em mim."

"Eu acredito que você acredita nisso."

"Não é a mesma coisa. Eu não sou burra."

"Eu não disse isso."

"Então o que você está dizendo?"

Achei que íamos começar uma briga, e fui pega de surpresa pelo que Gabriel disse. Ele falou sussurrando. Eu mal consegui ouvir. Ele disse:

"Você precisa conversar com alguém. Por favor."

"Como assim? Com alguém da polícia?"

"Não", Gabriel respondeu, irritado outra vez. "Isso não tem nada a ver com a polícia."

Entendi o que Gabriel queria dizer. Mas queria que ele dissesse com todas as letras.

"Então quem?"

"Um médico."

"Eu não vou ver médico nenhum, Gabriel..."

"Você tem que fazer isso por mim. Essa relação é uma via de mão dupla. Não adianta de nada se um só trilhar esse caminho."

"Do que você está falando? Eu estou bem aqui."

"Não, não está. Você não está aqui!"

Ele parecia exausto e contrariado. Tive vontade de protegê-lo. Confortá-lo.

"Está tudo bem, amor. Vai ficar tudo bem, você vai ver."

Gabriel fez que não com a cabeça, como se não acreditasse em mim.

"Vou marcar uma consulta com o dr. West. Assim que ele tiver horário. Se possível, hoje." Ele hesitou e olhou para mim. "Tudo bem?"

Gabriel estendeu a mão para segurar a minha... E eu queria bater nela ou arranhá-la. Queria mordê-lo, bater nele ou jogá-lo na mesa e gritar: "Você acha que eu fiquei louca, mas eu não estou louca não! Não estou, não estou, não estou!"

Mas não fiz nada disso. Tudo que fiz foi concordar e pegar a mão de Gabriel.

"Tudo bem, amor. Como você quiser."

16 DE AGOSTO

Tive uma consulta com o dr. West hoje. Contrariada, mas fui.

Eu odeio esse cara, é isso. Eu odeio esse cara e sua casa apertada, ficar sentada naquela saleta esquisita lá em cima, ouvindo o cachorro latir na sala de estar. Ele não parou de latir o tempo todo, enquanto estive lá. Eu queria gritar para fazê-lo parar, achava que o dr. West ia tomar alguma providência, mas era como se ele não ouvisse. Talvez não estivesse ouvindo mesmo. Como não parecia ouvir o que eu dizia... Contei o que tinha acontecido. Falei do sujeito espionando a casa, que havia me seguido no parque. Contei tudo isso, mas ele não esboçou nenhuma reação. Ficava lá sentado com aquele sorrisinho. Me olhava como se eu fosse um inseto ou coisa parecida. Eu sei que ele é amigo de Gabriel, mas não entendo como os dois podem ser amigos. Gabriel é uma pessoa tão calorosa, e o dr. West é o exato oposto. É algo estranho a se dizer sobre um médico, mas ele parece não sentir compaixão.

Quando terminei de contar a história do tal sujeito, ele ficou um tempão sem falar. O silêncio parecia que não acabava nunca. O único som era aquele cachorro lá embaixo. Eu comecei a sintonizar mentalmente com os latidos e a entrar numa espécie de transe. E fui pega de surpresa quando o dr. West abriu a boca para falar.

"Já passamos por isso antes, Alicia, não é mesmo?"

Olhei para ele sem entender. Eu não estava captando direito o que ele queria dizer.

"Já?"

Ele fez que sim.

"Sim. Já."

"Eu sei que você acha que eu estou imaginando tudo isso. Mas não estou. É real."

"Foi o que você disse da última vez, lembra? Lembra o que aconteceu?"

Não respondi. Não queria lhe dar essa satisfação. Fiquei apenas olhando para ele, feito uma criança desobediente.

O dr. West não esperou a resposta. Continuou falando, lembrando o que aconteceu após a morte do meu pai, o colapso nervoso que sofri, as acusações paranoicas que fazia — eu achava que estava sendo espionada, seguida, vigiada.

"Como você pode ver, já passamos por isso antes, certo?"

"Mas era diferente. Antes era só uma sensação. Eu não via ninguém. Dessa vez eu vi uma pessoa."

"E quem foi que você viu?"

"Eu já disse. Um homem."

"Descreva esse homem para mim."

Hesitei.

"Não consigo."

"Por quê?"

"Não deu para ver com clareza. Eu já expliquei, ele estava longe."

"Entendo."

"E também... estava disfarçado. De boné. Óculos escuros."

"Muita gente usa óculos escuros nessa época do ano. E boné. Mas será que isso é um disfarce?"

Eu estava começando a perder a paciência.

"Já entendi aonde você quer chegar."

"Aonde?"

"Você quer que eu admita que estou enlouquecendo de novo, como depois da morte de papai."

"É o que você acha que está acontecendo?"

"Não. Daquela vez eu fiquei doente. Mas agora, não. Não tem nenhum problema comigo, além do fato de que tem alguém me espionando e você não acredita!"

O dr. West fez que sim, mas não disse nada. Anotou algumas coisas.

"Vou prescrever a medicação para você de novo. Por precaução. Para que a situação não saia do controle, certo?"

Balancei a cabeça.

"Eu não vou tomar nada."

"Entendo. Bom, se você recusar a medicação, é importante estar ciente das consequências."

"Que consequências? Você está me ameaçando?"

"Isso não tem nada a ver comigo. Eu estou falando do seu marido. Como você acha que Gabriel se sente em relação ao que ele passou da última vez que você não esteve bem?"

Imaginei Gabriel lá embaixo, esperando na sala com o cachorro que não parava de latir.

"Não sei. Por que você não pergunta a ele?"

"Você quer que ele passe por tudo aquilo de novo? Não acha que talvez haja um limite para o que ele é capaz de suportar?"

"Como assim? Eu vou perder Gabriel? É nisso que você está pensando?"

O simples fato de dizer isso já me deixava enjoada. A ideia de perdê-lo era insuportável. Eu faria qualquer coisa para não perder Gabriel, até me fingir de louca, mesmo sabendo que não estou. Então cedi. Concordei em ser "honesta" com o dr. West sobre o que estava pensando e sentindo e dizer se estava ouvindo vozes. Prometi tomar os comprimidos e voltar em duas semanas.

O dr. West ficou satisfeito. Ele disse que agora podíamos descer e encontrar Gabriel. Enquanto ele descia à minha frente, cheguei a pensar em empurrá-lo escada abaixo. Devia ter feito isso.

Gabriel parecia muito mais satisfeito quando voltamos para casa. Ele ficava olhando para mim enquanto dirigia, sorrindo.

"Muito bem. Estou orgulhoso de você. Nós vamos superar isso, você vai ver."

Concordei sem dizer nada. Porque esse comentário era uma tremenda bobagem. "Nós" não vamos superar isso.

Eu é que vou ter que enfrentar isso sozinha.

Foi um erro contar isso para outras pessoas. Amanhã vou pedir a Barbie que esqueça essa história — vou dizer que deixei isso pra lá e que não quero mais tocar no assunto. Ela vai achar que eu sou estranha e ficar chateada por se ver privada do drama, mas, se eu agir com naturalidade, logo vai esquecer. E, com Gabriel, vou esperar até que ele pare de se preocupar. Vou me comportar como se tudo tivesse voltado ao normal. Vai ser uma atuação brilhante. Não vou baixar a guarda um segundo sequer.

Na volta, passamos na farmácia e Gabriel comprou o remédio. Em casa, fomos para a cozinha. Ele me entregou os comprimidos amarelos com um copo de água.

"Toma."

"Eu não sou uma criança. Você não precisa me entregar assim."

"Eu sei que você não é uma criança. Só quero ter certeza de que você tomou e não jogou fora."

"Eu vou tomar."

"Então toma."

Gabriel ficou olhando enquanto eu levava os comprimidos à boca e tomava um gole de água.

"É assim que se faz", ele disse, me dando um beijo no rosto. E se retirou.

Assim que Gabriel deu as costas, cuspi os comprimidos. Cuspi na pia e abri a torneira. Não vou tomar remédio nenhum. As drogas que o dr. West me deu da última vez quase me deixaram louca. E não vou correr esse risco de novo.

Eu preciso da minha sanidade no momento.

Eu preciso estar preparada.

17 DE AGOSTO

Comecei a esconder esse diário. Tem uma tábua frouxa no assoalho do quarto desocupado. É onde o tenho mantido, oculto debaixo das tábuas. Por quê? Bem, eu tenho sido sincera demais nessas páginas. Não é seguro deixá-lo por aí. Fico imaginando Gabriel encontrando o caderninho, tentando resistir à curiosidade, mas por fim abrindo-o e começando a lê-lo. Se descobrisse que não estou tomando os remédios, ele ia se sentir traído e magoado, e eu não aguentaria.

Graças a Deus tenho esse diário no qual escrever. É ele que me mantém com a cabeça no lugar. Não tem mais ninguém com quem eu possa falar.

Ninguém em quem possa confiar.

21 DE AGOSTO

Não saio de casa há três dias. Digo a Gabriel que vou caminhar à tarde quando ele não está, mas não é verdade.

A simples ideia de sair me deixa amedrontada. Eu fico muito exposta. Pelo menos aqui, dentro de casa, estou em segurança. Posso ficar sentada perto da janela vendo quem passa. Controlo cada rosto que passa em busca do tal sujeito, mas não sei como ele é; e esse é o problema. Ele pode muito bem ter tirado o disfarce e estar andando na minha frente sem ser notado.

Esse é um pensamento alarmante!

22 DE AGOSTO

Nenhum sinal dele ainda. Mas não posso perder o foco. É só uma questão de tempo. Mais cedo ou mais tarde ele vai voltar. Eu tenho que estar preparada. Tenho que tomar as medidas necessárias.

Acordei hoje de manhã e me lembrei da arma de Gabriel. Vou tirá-la do quarto desocupado. Deixá-la lá embaixo, ao alcance. Dentro do armário da cozinha, perto da janela. Assim vai ser fácil pegá-la se for preciso.

Sei que tudo isso parece loucura. Espero que não dê em nada. Espero nunca mais voltar a ver esse sujeito.

Mas tenho um pressentimento terrível de que vou voltar a vê-lo.

Onde ele está? Por que não está aqui? Está esperando que eu baixe a guarda? Não posso, de jeito nenhum. Tenho que continuar montando guarda aqui na janela.

Continuar esperando.

Continuar alerta.

23 DE AGOSTO

Estou começando a achar que imaginei essa história toda. Pode ser.

Gabriel sempre pergunta como eu estou, se estou bem. Dá para perceber que ele está preocupado, por mais que eu insista que estou bem. Parece que minha interpretação já não é mais convincente. Preciso me esforçar mais. Finjo estar focada no trabalho o dia inteiro, mas a verdade é que minha cabeça não podia estar mais distante da pintura. Perdi o interesse por completo, não sinto o menor impulso de concluir os quadros. Nesse exato momento, nem sequer posso dizer com sinceridade que ache que um dia vou voltar a pintar. Não sem antes conseguir deixar toda essa história para trás.

Tenho inventado desculpas para não sair de casa, mas Gabriel disse que hoje eu não tinha opção. Max nos convidou para jantar fora.

Não posso imaginar nada pior que encontrar Max. Insisti com Gabriel para cancelar, dizendo que eu precisava trabalhar, mas ele argumentou que me faria bem sair. Gabriel insistiu, e dava para ver que não ia ceder, portanto não tive escolha. Cedi e concordei.

Passei o dia inteiro preocupada com como seria a noite. Porque, assim que minha cabeça se focou no assunto, tudo se encaixou. Tudo fazia sentido. Nem sei por que não pensei nisso antes, é tão óbvio.

Agora eu entendo. O homem — o homem que fica espionando — não é Jean-Felix. Jean-Felix não é sorrateiro e perverso o bastante para fazer esse tipo de coisa. Quem mais desejaria me atormentar, me amedrontar, me punir?

Max.

É claro que é Max. Só pode ser Max. Ele está tentando me levar à loucura.

Estou com medo, mas preciso dar um jeito de reunir coragem. Vai ser essa noite.

Vou confrontá-lo.

24 DE AGOSTO

Foi estranho e meio assustador sair ontem à noite, depois de tanto tempo dentro de casa.

O mundo lá fora parecia gigantesco, um espaço vazio ao meu redor, com o céu enorme lá em cima. Me senti minúscula e precisei me apoiar no braço de Gabriel.

Embora tivéssemos marcado no nosso restaurante favorito, o Augusto's, eu não me sentia segura. Não parecia aconchegante nem familiar como costumava ser. Tinha alguma coisa diferente no restaurante. E o cheiro também estava diferente, como se algo estivesse queimando. Perguntei a Gabriel se tinha alguma coisa queimando na cozinha, mas ele disse que não estava sentindo nada, que eu estava imaginando coisas.

"Está tudo bem. Fica calma."

"Eu estou calma. Por quê? Não estou parecendo calma?"

Gabriel não respondeu. Só trincou os dentes, como sempre faz quando está chateado. Ficamos ali em silêncio esperando Max.

Max levou a recepcionista para jantar. Ela se chama Tanya. Parece que começaram a sair há pouco tempo. Max se comportava feito um homem apaixonado, colocando as mãos em cima dela, tocando, beijando o tempo todo — e tudo sem parar de olhar para mim. Será que estava achando que ia me causar ciúme? Ele é horrível. Me dá nojo.

Tanya percebeu que havia alguma coisa rolando — ela pegou Max olhando para mim umas vezes. Eu devia mesmo dar um jeito de alertá-la sobre ele. Contar onde estava se metendo. Talvez eu conte, mas não por enquanto. No momento tenho outras prioridades.

Max disse que ia ao banheiro. Esperei um segundo e aproveitei a oportunidade. Disse que também precisava ir. Levantei da mesa e fui atrás dele.

Consegui alcançá-lo ao virar no corredor e agarrei seu braço. Com força.

Eu falei:

"Para com isso. Para com isso."

Ele pareceu confuso.

245

"Parar o quê?"

"Você tem me espionado, Max. Me vigiado. Você sabe disso."

"O quê? Eu não faço a menor ideia do que você está falando, Alicia."

"Deixa de ser mentiroso." Eu já estava com dificuldade para controlar a voz. Queria gritar. "Eu consegui ver muito bem, sabia? Eu tirei uma foto. Eu tirei uma foto sua!"

Max riu.

"Que história é essa? Me larga, sua piranha maluca!"

Eu dei um tapa na cara dele. Forte.

Então me virei e vi Tanya parada. Parecia que era ela quem tinha levado o tapa.

O olhar de Tanya ia de mim para Max e vice-versa, mas ela não disse nada. Tanya simplesmente foi embora do restaurante.

Max me encarou com fúria no olhar, e, antes de ir atrás dela, sibilou:

"Eu não faço a menor ideia do que você está falando. Eu não estou espionando ninguém, caralho. Sai da minha frente."

Do jeito como ele falou, com tanta raiva e desprezo, dava para ver que Max estava dizendo a verdade. Eu acreditei nele. Não queria, mas acreditei.

Mas, se não é Max... quem então?

25 DE AGOSTO

Acabei de ouvir alguma coisa. Um barulho lá fora. Fui verificar na janela. Vi uma pessoa se mexendo no escuro...

É o homem. Ele está lá fora.

Liguei para Gabriel, mas ele não atendeu. Será que eu chamo a polícia? Não sei o que fazer. Minha mão treme tanto que nem consigo...

Estou ouvindo... Lá embaixo... Ele está tentando abrir as janelas e as portas. Ele quer entrar.

Preciso sair daqui. Tenho que fugir.

Meu Deus do céu... Dá para ouvir...

Ele entrou.

Ele está aqui dentro de casa.

QUARTA PARTE

O objetivo da terapia não é consertar o passado, mas permitir que o paciente enfrente sua própria história e sinta sua dor.

ALICE MILLER

CAPÍTULO 1

FECHEI O DIÁRIO DE ALICIA e o coloquei na minha mesa.

Fiquei lá sentado, sem me mexer, ouvindo a chuva bater na janela. Eu tentava digerir o que tinha acabado de ler. E evidentemente havia muito mais a entender sobre Alicia Berenson do que eu imaginava. Antes ela era como um livro fechado para mim; agora o livro estava aberto e o conteúdo me pegou totalmente de surpresa.

Eu tinha muitas perguntas. Alicia achava que estava sendo vigiada. Será que ela chegou a descobrir quem era o tal homem? Ela contou a alguém? Eu precisava descobrir. Pelo que eu sabia, ela só confiou a informação a três pessoas: Gabriel, Barbie e esse misterioso dr. West. Teria parado por aí ou contou a mais alguém? Outra pergunta: por que o diário terminava de maneira tão abrupta? Haveria algo mais, escrito em outro lugar? Outro caderno de anotações que não chegou a me entregar? E eu também me perguntava o que ela pretendia ao me entregar o diário. Alicia queria dizer alguma coisa, com toda certeza — e era uma revelação tão íntima que era quase chocante. Seria um gesto de boa vontade, para mostrar que confiava em mim? Ou algo mais sinistro?

E havia mais uma coisa que eu precisava verificar: o dr. West, o médico que tratava de Alicia. Uma importante testemunha de caráter, com informações vitais sobre seu estado mental na época do crime. Mas ele não tinha prestado depoimento no julgamento de Alicia. Por quê? Nem chegou a ser mencionado. Antes de ver seu nome no diário dela, era como se ele não existisse. E o que poderia ter chegado ao seu conhecimento? Por que ele não havia se manifestado?

Dr. West.

Não podia ser a mesma pessoa. Só podia ser coincidência. Eu precisava descobrir.

Botei o diário na gaveta da minha mesa e a tranquei. Mas quase imediatamente mudei de ideia. Destranquei a gaveta e peguei o diário. Melhor ficar com ele — mais seguro não perdê-lo de vista. Coloquei-o no bolso do casaco.

Saí da minha sala. Desci a escada e percorri o corredor até chegar à última porta.

Parei por um momento, olhando para a porta. Havia uma placa com um nome: DR. C. WEST.

Nem sequer me dei ao trabalho de bater. Abri a porta e entrei.

CAPÍTULO 2

Christian estava sentado à mesa, comendo com hashi a comida japonesa que havia pedido. Ele olhou para a porta e franziu a testa.

— Você não sabe bater?

— Preciso falar com você.

— Agora não, estou almoçando.

— É rápido. Só uma pergunta breve. Você alguma vez tratou de Alicia Berenson?

Christian engoliu o arroz que estava mastigando e me encarou com um olhar inexpressivo.

— Como assim? Você sabe que sim. Eu comando a equipe que cuida dela.

— Eu quero dizer antes de ela ser internada no Grove.

Eu o observava atentamente. Sua expressão dizia tudo que eu precisava saber. Ele ficou vermelho e pôs os hashis de lado.

— Do que você está falando?

Tirei o diário de Alicia do bolso e o mostrei.

— Talvez isso seja do seu interesse. É o diário de Alicia. Escrito nos meses que antecederam o crime.

Christian pareceu surpreso e um tanto alarmado.

— Onde você arrumou isso?!

253

— Alicia me entregou. Eu dei uma lida.

— E o que isso tem a ver comigo?

— Você é mencionado.

— Eu?

— Pelo que parece você a atendia antes de ela ser internada no Grove. Eu não sabia disso.

— Eu... não estou entendendo. Tem alguma coisa errada nessa história.

— Acho que não. Você atendeu Alicia em particular durante vários anos. Mas não se apresentou para prestar depoimento no julgamento, apesar de ter provas importantes. Nem declarou que já conhecia Alicia quando começou a trabalhar aqui. Sem dúvida ela reconheceu você imediatamente, e, para a sua sorte, ela não fala.

Eu disse isso num tom irônico, mas estava furioso. Agora eu entendia por que Christian se opunha tanto às minhas tentativas de fazê-la falar. Era do interesse dele que Alicia permanecesse em silêncio.

— Você é um egoísta filho de uma puta, Christian.

Christian me encarava com crescente desânimo.

— Merda — disse, baixinho. — Merda. Theo. Olha só... Não é o que você está pensando.

— Não?

— O que mais tem nesse diário?

— O que poderia ter?

Christian não respondeu. Ele estendeu a mão.

— Posso dar uma olhada?

— Sinto muito. — Fiz que não com a cabeça. — Acho que não seria apropriado.

Christian brincava com os hashis enquanto falava.

— Eu não devia ter feito isso. Mas foi totalmente inocente. Pode ter certeza.

— Acho que não. Se era inocente, por que você não se manifestou depois do crime?

— Porque eu não era oficialmente o médico de Alicia. Estava só fazendo um favor para o Gabriel. A gente era amigo. Colega de faculdade. Eu estive no casamento deles. Eu não o via tinha anos... Até que ele me ligou, procurando um psiquiatra para a mulher. Ela não estava bem desde a morte do pai.

— E você ofereceu os seus serviços?

— Não, não senhor. Foi exatamente o contrário. Eu queria indicar um colega, mas ele insistiu em que fosse eu. Gabriel disse que Alicia estava muito resistente à ideia, e o fato de eu ser amigo dele tornava muito mais provável que ela cooperasse. Eu estava relutante, é claro.

— Tenho certeza de que sim.

Christian pareceu ofendido.

— Não precisa ser sarcástico.

— Onde você atendia?

Ele hesitou.

— Na casa da minha namorada. Mas, como eu já expliquei — tratou de acrescentar rapidamente —, não era nada oficial... Eu não era médico dela de verdade. Eu raramente a via. De vez em quando, só de vez em quando.

— E nessas ocasiões você cobrava pela sessão?

Christian piscou e desviou o olhar.

— Gabriel fazia questão de pagar, eu não tive escolha...

— Em dinheiro, suponho.

— Theo...

— Era em dinheiro?

— Sim, mas...

— E você declarou?

Christian mordeu o lábio e não respondeu. Então a resposta era não. Por isso ele não tinha se manifestado no julgamento de Alicia. Eu me perguntava quantos outros pacientes ele atendia "extraoficialmente", sem declarar essa renda.

— Olha só... Se Diomedes descobrir, eu... eu posso perder o emprego. Você sabe disso, não é?

Sua voz tinha um tom de súplica, ele apelava para minha empatia.

Mas eu não tinha a menor empatia por Christian. Só desprezo.

— Esquece o professor. E o Conselho de Medicina? Você vai perder a sua licença.

— Só se isso for a público. Mas você não precisa contar para ninguém. Afinal, isso são águas passadas, certo? Pelo amor de Deus, é a minha carreira que está em jogo, caralho!

— Você devia ter pensado nisso antes, não é?

— Theo, por favor...

Christian devia estar odiando ter que rastejar assim diante de mim, mas vê-lo se contorcendo daquela maneira não me dava nenhuma satisfação, só raiva. Eu não tinha a menor intenção de denunciá-lo a Diomedes, pelo menos não por enquanto. Christian seria muito mais útil para mim se eu o mantivesse com a corda no pescoço.

— Tudo bem — falei. — Ninguém mais precisa saber. Por enquanto.

— Obrigado. Não, sério, obrigado mesmo. Eu te devo uma.

— Sim, deve. Continue.

— O que você quer?

— Quero que você fale. Que me fale de Alicia.

— O que você quer saber?

— Tudo.

CAPÍTULO 3

CHRISTIAN FICOU OLHANDO PARA MIM, brincando com os hashis. Refletiu por alguns segundos antes de falar.

— Não tem muito o que contar. Não sei o que você quer saber... Ou por onde quer que eu comece.

— Comece do começo. Você atendeu Alicia durante alguns anos?

— Não... Quer dizer, sim... Mas eu já disse: não com a frequência que você está imaginando. Estive com ela duas ou três vezes depois da morte do pai.

— Quando foi a última vez?

— Mais ou menos uma semana antes do crime.

— E como você descreveria o estado mental dela?

— Ah... — Christian se recostou na cadeira, relaxando, agora que estava num terreno mais seguro. — Ela estava altamente paranoica, delirante... Até mesmo psicótica. Mas isso já tinha acontecido antes. Há muito tempo ela apresentava esse padrão de alterações de humor. Sempre num extremo ou no outro... Típica borderline.

— Por favor, me poupe dessa merda de diagnóstico. Eu só quero os fatos.

Christian me encarou parecendo ofendido, mas decidiu não discutir.

— O que você quer saber?

257

— Alicia contou que estava sendo vigiada, certo?

O olhar de Christian não esboçou nenhuma reação.

— Vigiada?

— Tinha alguém espionando a casa dela. Ela não comentou isso com você?

Seu rosto exibia certa estranheza. E então, para minha surpresa, Christian riu.

— Qual é a graça?

— Você acreditou nessa história? Um voyeur olhando pela janela?

— Você acha que não era verdade?

— Pura fantasia. Eu achei que fosse óbvio.

Fiz um gesto com a cabeça indicando o diário.

— Ela parece bastante convincente. Eu acreditei.

— Claro que é convincente. Eu também teria acreditado se não soubesse o que estava acontecendo. Ela estava no meio de um surto psicótico.

— É o que você não para de repetir. Mas no diário ela não parece psicótica. Só apavorada.

— Ela tinha um histórico... A mesma coisa tinha acontecido antes de eles se mudarem para Hampstead. Foi o motivo da mudança. Ela acusou um senhor que morava em frente de ficar espionando. Criou um caso daqueles. No fim das contas o velhinho era cego... Ele não conseguia ver ninguém, quanto mais espionar. Alicia estava sempre muito instável, mas foi o suicídio do pai que provocou tudo. Ela nunca mais se recuperou.

— E ela falava dele nas conversas com você? Do pai.

Christian deu de ombros.

— Não muito. Ela dizia sempre que o amava e que os dois tinham uma relação perfeitamente normal... Normal na medida do possível, considerando que a mãe tinha se matado. Para ser franco, eu tive mesmo foi sorte de conseguir extrair alguma coisa de Alicia. Ela não cooperava em nada. Ela era... Bom, você sabe como ela é.

— Não tanto quanto você, pelo visto. — Antes que ele pudesse me interromper, prossegui: — Ela tentou se matar depois da morte do pai?

Christian deu de ombros.

— Se quiser chamar assim... Não é o que eu diria.

— E o que você diria?

— Era um comportamento suicida, mas não acredito que ela quisesse morrer. Alicia era narcisista demais para de fato fazer mal a si mesma. Ela tomou uma overdose, mas na verdade era mais para chamar a atenção que qualquer outra coisa. Estava "comunicando" seu sofrimento para Gabriel, ela estava sempre tentando conseguir a atenção dele, pobre-coitado. Se eu não tivesse que respeitar a confidencialidade entre médico e paciente, eu teria falado para Gabriel cair fora.

— Uma pena para ele que você fosse tão ético.

Christian se retraiu.

— Theo, eu sei que você é capaz de ter muita empatia, justamente por isso você é um terapeuta tão bom, mas está perdendo tempo com Alicia Berenson. Mesmo antes do crime, ela já tinha pouquíssima capacidade de introspecção, ou mentalização, ou como quiser chamar. Ela era completamente absorta, em si mesma e em sua arte. Toda essa empatia que você tem por ela, toda essa bondade... Alicia não é capaz de retribuir. Ela é um caso perdido. Uma grande escrota.

Christian disse isso com desdém, sem nenhuma empatia por uma mulher com tantos problemas. Por um segundo, me perguntei se ele é que não seria o borderline. O que faria muito mais sentido.

Levantei.

— Vou falar com Alicia. Preciso de algumas respostas.

— De Alicia? — Christian parecia perplexo. — E como você pretende conseguir isso?

— Perguntando a ela.

E saí.

CAPÍTULO 4

ESPEREI ATÉ DIOMEDES DESAPARECER DENTRO de sua sala e Stephanie entrar numa reunião com a Fundação. Então abri a porta do aquário e dei de cara com Yuri.

— Eu preciso ver Alicia.

— Precisa? — Yuri me lançou um olhar de estranheza. — Mas... Eu achei que a terapia tinha sido interrompida.

— E foi. Preciso ter uma conversa particular com ela, só isso.

— Sei, entendi. — Yuri parecia desconfiar de mim. — Bom, a sala de terapia está ocupada, Indira vai atender pacientes o resto da tarde. — Ele refletiu por um segundo. — A sala de arteterapia está livre, se não se importar em encontrar Alicia lá. Mas vai ter que ser rápido.

Ele não se estendeu, mas eu entendi o que queria dizer — teríamos que ser rápidos, para ninguém perceber nem nos denunciar a Stephanie. Eu me sentia grato por ter Yuri do meu lado; ele claramente era um bom sujeito. E me senti culpado por não tê-lo visto com bons olhos quando nos conhecemos.

— Obrigado. Fico muito grato.

Yuri esboçou um sorriso.

— Vou estar lá com ela daqui a dez minutos.

Yuri cumpriu a palavra. Dez minutos depois, Alicia e eu estávamos na sala de arteterapia, sentados frente a frente sobre o assoalho salpicado de tinta.

Eu me equilibrava com dificuldade numa banqueta bamba. Alicia parecia perfeitamente calma ao se sentar, como se fosse posar para um retrato ou pintar um quadro.

— Obrigado — peguei o diário dela e o coloquei na minha frente — por ter permitido que eu lesse isso. Significa muito para mim que você tenha me confiado algo tão pessoal.

Sorri, recebendo em retribuição uma expressão vazia. Os traços de Alicia eram fortes e enigmáticos. Eu me perguntava se estava arrependida de ter me entregado o diário. Estaria constrangida de ter se exposto tanto?

Depois de uma pausa, prossegui:

— O diário termina de repente, num suspense. — Folheei as últimas páginas em branco. — Mais ou menos como a nossa terapia aqui, incompleta, inacabada.

Alicia não disse nada. Ficou apenas olhando. Não sei o que esperava, mas com certeza não era isso. Eu achava que o fato de ter me confiado o diário indicava alguma mudança, representava um convite, uma abertura, uma porta de entrada, e, no entanto, ali estava eu de volta ao ponto de partida, diante de um muro intransponível.

— De certa forma, eu esperava que, depois de falar comigo indiretamente, por meio dessas páginas, talvez você quisesse dar mais um passo e falar comigo pessoalmente.

Nenhuma reação.

— Acho que você me deu isso porque queria se comunicar comigo. E de fato você se comunicou. A leitura permitiu que eu entendesse muita coisa sobre você, sua solidão, seu isolamento, seu medo, que a sua situação era muito mais complicada do que eu imaginava no começo. A sua relação com o dr. West, por exemplo.

Olhei de relance para ela ao mencionar Christian. Esperava ver algum tipo de reação, olhos semicerrados, dentes trincados — alguma coisa, qualquer coisa —, mas não aconteceu nada, nem uma piscadela.

— Eu não fazia ideia de que você tinha conhecido Christian West antes de vir para o Grove. Você se consultou com ele durante vários anos. E é claro que o reconheceu quando ele passou a trabalhar aqui, meses depois da sua chegada. Deve ter sido estranho quando ele não fez menção de reconhecer você. E um pouco revoltante, talvez?

Era uma pergunta, mas não houve resposta. Alicia não parecia muito interessada em Christian. Ela desviou o olhar, entediada, decepcionada, como se eu tivesse perdido uma oportunidade, tomado o caminho errado. Ela estava esperando algo de mim, algo que eu não havia apresentado.

Mas eu ainda não tinha terminado.

— Tem mais uma coisa. O diário levanta certas questões que precisam ser respondidas. Certas coisas não fazem sentido, não se encaixam nas informações que eu tenho de outras fontes. E, agora que você me permitiu ler, eu me sinto na obrigação de investigar. Espero que entenda.

Entreguei o diário a Alicia. Ela o pegou e pousou os dedos sobre ele. Ficamos nos encarando por um instante

— Eu estou do seu lado, Alicia — falei por fim. — Você sabe disso, não é?

Ela não disse nada.

Interpretei como um sim.

CAPÍTULO 5

KATHY ESTAVA FICANDO DESCUIDADA. Acho que era inevitável. Depois de tanto tempo sendo infiel sem nenhuma complicação, ela começava a ficar preguiçosa.

Quando voltei para casa, ela estava saindo.

— Vou dar uma caminhada — disse, calçando os tênis. — Não demoro.

— Bem que eu estou precisando de um pouco de exercício. Quer companhia?

— Não, eu tenho que praticar as minhas falas.

— Eu posso te ajudar, se quiser.

— Não. — Kathy balançou a cabeça. — É mais fácil sozinha. Eu fico recitando as falas, as que não consigo entender, sabe? Do segundo ato. Dou uma volta no parque repetindo em voz alta. Você devia ver como as pessoas me olham.

Eu tinha que reconhecer que Kathy disse tudo isso com total sinceridade, sem desviar os olhos. Uma atriz e tanto.

Minha atuação também estava melhorando. Dei um sorriso largo e caloroso.

— Boa caminhada.

E fui atrás de Kathy assim que ela saiu do apartamento. Mantinha uma distância segura, mas ela não olhou para trás nem uma única vez. Como eu disse, estava ficando descuidada.

Ela andou uns cinco minutos até a entrada do parque. Enquanto se aproximava do portão, um homem apareceu. Ele estava de costas para mim, não pude ver seu rosto. Cabelos escuros, forte, mais alto que eu. Ela se aproximou e ele a puxou para perto. Os dois começaram a se beijar. Kathy sorvia seus beijos com avidez, entregando-se a ele. Era estranho, para dizer o mínimo, vê-la nos braços de outro homem. As mãos dele apalpavam e acariciavam seus seios por cima da roupa.

Eu sabia que deveria me esconder. Estava exposto, qualquer um poderia me ver — se Kathy se virasse, com certeza me veria. Mas eu não conseguia me mexer. Estava paralisado, olhando para uma Medusa, transformado em pedra.

Até que eles pararam de se beijar e entraram no parque, de braços dados. Fui atrás. Foi uma experiência confusa. De costas, a certa distância, o sujeito não era muito diferente de mim — por alguns segundos, tive uma desconcertante experiência extracorpórea, convencido de que me via caminhando no parque com Kathy.

Kathy o levou em direção a uma área arborizada. Ele a seguiu e os dois desapareceram.

Senti um frio na barriga. Minha respiração estava pesada, lenta, difícil. Todo o meu corpo me mandava sair dali correndo, ir embora. Mas não. Fui atrás deles.

Tentava fazer o mínimo de barulho possível, mas eu pisava nos galhos caídos e ficava agarrado nos que ainda estavam presos aos troncos. Então ouvi algo inconfundível, um som gutural profundo e suave que reconheci imediatamente.

Era o gemido de Kathy.

Tentei me aproximar, mas fui impedido pelos galhos, que me mantinham meio suspenso, feito uma mosca numa teia de aranha. Fiquei lá no escuro, sentindo o cheiro úmido da terra e das cascas das árvores. E ouvindo Kathy gemer enquanto era comida. E ele rosnava feito um animal.

Eu era consumido pelo ódio. Aquele homem havia surgido do nada e invadira minha vida. Tinha roubado, seduzido e corrompido a única coisa valiosa para mim no mundo. Isso era monstruoso, atroz. Talvez ele nem fosse humano, mas um instrumento de alguma entidade maligna querendo me punir. Deus estaria me punindo? Por quê? Qual era o meu pecado, além de ter me apaixonado? Seria ter amado demais, com gana demais? Muito intensamente?

Aquele homem a amava? Eu duvidava. Não do jeito que eu a amava. Ele estava apenas usando Kathy, usando seu corpo. Não havia a menor possibilidade de ele se importar com ela como eu. Eu seria capaz de morrer por Kathy.

Eu seria capaz de matar por ela.

Pensei no meu pai — eu sabia o que ele faria nessa situação. Ele mataria o sujeito. *Seja homem!*, dava para ouvi-lo gritar. *Engole o choro!* Era o que eu devia fazer? Matá-lo? Dar um fim nele? Seria um jeito de acabar com isso, de romper o encanto, de libertar Kathy e nos libertar. Depois do luto, a coisa estaria acabada para ela, ele seria apenas uma lembrança, facilmente esquecida, e poderíamos continuar como antes. Eu podia resolver isso agora mesmo, aqui no parque. Eu o arrastaria até o lago, enfiaria sua cabeça na água, seguraria firme até ele ter espasmos e morrer. Ou então poderia segui-lo no metrô, ficar atrás dele na plataforma e, com um empurrão, jogá-lo na frente do trem. Ou me esgueirar atrás dele numa rua deserta e esmagar seu crânio com uma pedra. Por que não?

De repente, os gemidos de Kathy ficaram mais altos, e reconheci os suspiros que ela dava quando atingia o clímax. Depois, silêncio... interrompido por uma risadinha abafada que eu conhecia tão bem. Ouvi os estalos de folhas e galhos sendo pisoteados enquanto eles caminhavam no meio das árvores.

Esperei um tempo. Então afastei os galhos que estavam ao meu redor e abri caminho pela vegetação, arranhando e ferindo uma das mãos.

Ao sair da área arborizada, eu mal conseguia enxergar por causa das lágrimas. E as sequei com o punho ensanguentado.

Saí cambaleando sem rumo. Andei e andei sem parar, feito um louco.

CAPÍTULO 6

— JEAN-FELIX?

Não havia ninguém na recepção, e não apareceu ninguém quando eu chamei. Hesitei um momento e acabei entrando na galeria.

Percorri o corredor até o local onde *Alceste* ficava pendurado. Admirei o quadro mais uma vez. Mais uma vez tentei entendê-lo, de novo sem êxito. Alguma coisa naquela pintura desafiava qualquer interpretação — ou então havia ali um significado que eu ainda não compreendia. Mas o quê?

Então... Respirei fundo quando notei uma coisa. Atrás de Alicia, no escuro, se eu semicerrasse os olhos para focar bem no quadro, dava para ver que as partes mais escuras da sombra se integravam, como um holograma que passa de duas dimensões para três quando observado de determinado ângulo, e uma forma saltou da escuridão... A figura de um homem. *Um homem* — escondido lá atrás. Observando. Espionando Alicia.

— O que você quer?

Tomei um susto quando ouvi a voz. Me virei.

Jean-Felix não parecia particularmente contente de me ver.

— O que você está fazendo aqui?

Eu já ia apontar para a figura do homem no quadro e perguntar a respeito, mas algo me disse que talvez não fosse uma boa ideia.

Preferi abrir um sorriso.

— Eu queria fazer mais algumas perguntas. Agora é uma boa hora?

— Na verdade, não. Eu já disse tudo que sei. O que mais poderia falar?

— É que surgiram algumas novas informações.

— O quê?

— Bom, em primeiro lugar, eu não sabia que Alicia pretendia se desligar da sua galeria.

Houve uma pausa de um segundo antes da resposta de Jean-Felix. A voz dele saiu tensa, como um elástico a ponto de arrebentar.

— Que história é essa?

— É verdade?

— Por acaso é da sua conta?

— Alicia é minha paciente. Pretendo fazer com que ela volte a falar... mas agora vejo que talvez seja do seu interesse que ela continue em silêncio.

— O que você está querendo dizer?!

— Bom, enquanto ninguém souber da vontade de Alicia de abandonar a sua galeria, você pode ficar com as obras dela para sempre.

— Do que você está me acusando exatamente?

— Não estou acusando você de nada. Só estou apontando um fato. Jean-Felix riu.

— É o que vamos ver. Vou consultar o meu advogado e apresentar uma queixa formal ao hospital.

— Não acho que você vá fazer isso.

— Como assim?

— Eu ainda não contei como soube que Alicia pretendia sair da galeria.

— Quem disse isso estava mentindo.

— Foi Alicia.

— O quê? — Jean-Felix pareceu perplexo. — Você está dizendo que... ela falou?

— De certa maneira. Alicia me entregou o diário dela.

— Diário...? — Ele piscou algumas vezes, como se estivesse processando a informação. — Eu não sabia que Alicia tinha um diário.

— Bem, tinha. Ela descreve com alguns detalhes os últimos encontros de vocês dois.

Eu não disse mais nada. Nem precisava. Houve um momento de silêncio. Jean-Felix se manteve calado.

— Volto a entrar em contato — avisei. Sorri e fui embora.

Ao chegar à rua, me senti um pouco culpado por ter provocado Jean-Felix daquela maneira. Mas foi proposital — eu queria saber que efeito causaria, como ele reagiria, o que faria.

Agora teria que esperar para ver.

Enquanto caminhava pelo Soho, liguei para o primo de Alicia, Paul Rose, para avisar que ia até lá. Não queria aparecer sem aviso e correr o risco de ter uma recepção semelhante à da última vez. Ainda não tinha me curado por completo da contusão na minha cabeça.

Com o celular pressionado entre a orelha e o ombro, acendi um cigarro. Mal tive tempo de tragar quando a ligação foi atendida, logo no primeiro toque. Eu esperava que fosse Paul, e não Lydia. Tive sorte.

— Alô?

— Paul. É Theo Faber.

— Ah. E aí, parceiro. Tenho que falar baixo. Mamãe está tirando uma soneca, não quero acordar ela. Como vai a cabeça?

— Bem melhor, obrigado.

— Ótimo, que bom. Em que posso ser útil?

— É que eu recebi algumas informações novas sobre Alicia. Queria conversar a respeito.

— Que tipo de informações?

Contei que Alicia tinha me dado o diário dela para ler.

— Diário? Eu não sabia que ela tinha um diário. E o que diz?

— Seria melhor conversar pessoalmente. Você tem algum tempo livre hoje?

Paul hesitou.

— É melhor você não aparecer aqui. Mamãe não está... Bem, ela não ficou muito feliz com a sua última visita.

— É, deu para perceber.

— Tem um pub no fim da rua, perto da rotatória. O White Bear...

— Sim, eu lembro. Parece ótimo. A que horas?

— Por volta das cinco? A essa hora eu consigo dar uma escapulida. Ouvi Lydia gritando ao fundo. Ela havia acordado.

— Agora dá licença. A gente se vê mais tarde.

Paul desligou.

Algumas horas depois, eu estava de novo a caminho de Cambridge. No trem, fiz outra ligação — para Max Berenson. Hesitei um pouco antes de ligar. Ele já havia se queixado uma vez a Diomedes, e não ficaria feliz em voltar a ouvir minha voz. Mas eu sabia que não tinha escolha.

Quem atendeu foi Tanya. Ela parecia melhor do resfriado, mas dava para perceber a tensão na sua voz quando se deu conta de quem estava falando.

— Acho que ele... Max está ocupado no momento. Ele vai passar o dia inteiro em reuniões.

— Eu ligo de volta.

— Não sei se é uma boa ideia... Eu...

Ouvi a voz de Max ao fundo, e Tanya respondeu:

— Eu não vou dizer isso, Max.

Max pegou o telefone para falar diretamente comigo.

— Eu pedi para ela mandar você se foder.

— Ah.

— É muita cara de pau sua ligar de novo. Já me queixei uma vez com o professor Diomedes.

— Sim, eu sei. Mas surgiram novas informações que dizem respeito diretamente a você. E achei que não tinha escolha senão entrar em contato.

— Que informações?

— Um diário que Alicia escreveu nas semanas que antecederam o crime.

Houve silêncio do outro lado da linha. Esperei um pouco.

— Alicia descreve certos detalhes a seu respeito, Max. Ela comenta que você tinha sentimentos românticos por ela. E fiquei me perguntando...

Max desligou. Até então tudo certo. Ele havia mordido a isca, e agora eu teria que esperar para ver como seria sua reação.

Percebi que tinha certo medo de Max Berenson, exatamente como Tanya. Me lembrei da recomendação que ela havia me feito aos sussurros, que falasse com Paul, lhe perguntasse algo... Mas o quê? Alguma coisa sobre a noite depois do acidente que matou a mãe de Alicia. Me lembrei do olhar de Tanya quando Max apareceu, de como ela parou de falar e sorriu para ele. Não, pensei, eu não podia subestimar Max Berenson.

Seria um erro grave.

271

CAPÍTULO 7

À MEDIDA QUE O TREM se aproximava de Cambridge, a paisagem ficava cada vez mais plana e a temperatura caía. Fechei o casaco ao sair da estação. O vento cortava meu rosto feito uma saraivada de lâminas congeladas. Fui caminhando para o encontro com Paul no pub.

O White Bear era um lugar velho e decadente — parecia que vários anexos haviam sido construídos para ampliar a estrutura original ao longo dos anos. Dois estudantes encaravam o vento sentados na área externa com suas canecas de chope, seus cachecóis e fumando. Lá dentro, estava bem mais quente graças a várias lareiras, que proporcionavam um alívio bem-vindo para o frio.

Pedi uma bebida e olhei em volta à procura de Paul. Havia várias saletas ao redor do bar, e a iluminação era precária. Fiquei olhando para as figuras nas sombras, tentando sem êxito encontrá-lo. Um bom lugar para um encontro escuso, pensei. O que, imagino, aquilo não deixava de ser.

Encontrei Paul sozinho numa das saletas. Ele estava de costas para a porta, perto da lareira. Consegui reconhecê-lo imediatamente por causa do seu tamanho. As costas enormes quase ocultavam o fogo.

— Paul?

Ele se sobressaltou e se virou. Parecia um gigante naquele espaço minúsculo. Precisava se inclinar ligeiramente para não bater no teto.

— Tudo bem? — perguntou.

Ele parecia alguém pronto para receber uma notícia ruim do médico. Paul abriu espaço para mim e eu me sentei diante da lareira, aliviado pelo calor que sentia no rosto e nas mãos.

— Aqui está mais frio que em Londres. E esse vento não ajuda.

— Dizem que vem direto da Sibéria. — E Paul emendou sem pausa, evidentemente sem disposição para conversa fiada: — Que história é essa de diário? Eu nunca soube que Alicia tinha um diário.

— Pois é, ela tinha.

— E entregou para você?

Fiz que sim.

— E aí? O que diz?

— Fala especificamente dos dois últimos meses antes do crime. E eu gostaria de fazer algumas perguntas sobre certas discrepâncias.

— Que discrepâncias?

— Entre a sua versão dos fatos e a dela.

— Como assim? — Ele botou a caneca de chope na mesa e me olhou demoradamente. — O que você quer dizer com isso?

— Bom, para começo de conversa, você me disse que, na época do crime, tinha vários anos que não via Alicia.

Paul hesitou.

— Disse?

— No diário, Alicia diz que esteve com você semanas antes da morte de Gabriel. Diz que você foi até a casa deles em Hampstead.

Fiquei encarando-o com a sensação de que ele encolhia por dentro. De repente, parecia um menino num corpo grande demais para ele. Era evidente que Paul estava com medo. Ficou um momento sem falar. Me lançou um olhar furtivo.

— Posso dar uma olhada? No diário.

Balancei a cabeça.

— Acho que não seria apropriado. De qualquer maneira, não está aqui comigo.

— Como é que eu vou saber então se o diário existe mesmo? Você pode estar mentindo.

— Eu não estou mentindo. Mas você, sim... Você mentiu para mim, Paul. Por quê?

— Não é da sua conta, só isso.

— Acho que é sim. Eu me preocupo com o bem-estar de Alicia.

— O bem-estar dela não tem nada a ver com isso. Eu nunca fiz mal a ela.

— Eu não disse que você fez.

— Então, e aí?

— Por que você não me conta o que aconteceu?

Paul deu de ombros.

— É uma longa história. — Ele hesitou, mas acabou cedendo. Falava depressa, ofegante. Percebi seu alívio por finalmente contar a alguém. — Eu estava mal. Eu estava com um problema, você sabe... Eu jogava e pegava dinheiro emprestado, sem conseguir pagar. Eu precisava de dinheiro para... para acertar com todo mundo.

— Então você pediu para Alicia? Ela deu dinheiro para você?

— O que diz no diário?

— Não diz nada.

Paul hesitou, então acenou negativamente com a cabeça.

— Não, ela não me deu nada. Disse que não tinha como.

Ele estava mentindo de novo. Por quê?

— Como você conseguiu o dinheiro então?

— Eu... Eu tirei da poupança. Seria bom se isso ficasse entre nós, não quero que a minha mãe descubra.

— Não vejo motivo para envolver Lydia.

— Sério? — O rosto de Paul recobrou um pouco de cor. Ele parecia mais esperançoso. — Obrigado. Fico grato.

— Alicia comentou alguma vez que achava que estava sendo vigiada?

Paul pareceu intrigado. Logo vi que ela não tinha dito nada.

— Vigiada? Como assim?

Contei a história que li no diário, sobre a desconfiança de Alicia de que estava sendo vigiada por um estranho, até o momento em que ela falava do medo de ser atacada dentro de casa.

Paul fez que não.

— Ela não batia bem da cabeça.

— Você acha que Alicia estava imaginando coisas?

— Bom, é o que parece, né? — Paul deu de ombros. — Você acha que alguém estava seguindo Alicia? Quer dizer, imagino que seja uma possibilidade...

— Sim, é uma possibilidade. Quer dizer então que ela não comentou nada sobre isso...

— Nada. Mas Alicia e eu nunca conversávamos muito, na verdade. Ela era muito calada. Como todo mundo na família. Eu lembro que ela comentava que era muito estranho, que ia na casa dos amigos e via as famílias rindo, fazendo piada e conversando, enquanto na nossa casa era sempre aquele silêncio. A gente nunca falava. Só a minha mãe quando mandava alguém fazer alguma coisa.

— E o pai de Alicia? Vernon. Como ele era?

— Vernon não era de falar muito. Ele não batia bem da cabeça... Pelo menos depois que Eva morreu. Ele nunca mais foi o mesmo. Assim como Alicia, aliás.

— O que me lembra algo que eu queria perguntar para você, uma coisa que Tanya mencionou.

— Tanya Berenson? Você falou com ela?

— Muito brevemente. Ela sugeriu que eu falasse com você.

— É mesmo? — Paul ficou ruborizado. — Eu... não conheço Tanya muito bem, mas ela sempre foi muito simpática comigo. É uma pessoa boa, muito boa mesmo. Ela veio aqui visitar a gente uma ou duas vezes.

Um sorriso surgiu nos lábios de Paul e ele desviou o olhar por um momento. Ele está a fim dela, pensei. E me perguntei o que Max achava disso.

— O que foi que Tanya disse?

— Ela sugeriu que eu perguntasse a você sobre uma coisa que aconteceu na noite depois do acidente de carro. Ela não entrou em detalhes.

— Sim, eu sei do que ela estava falando... Eu contei para ela na época do julgamento. E pedi que não contasse para ninguém.

— Ela não contou nada. Cabe a você me contar. Se quiser. É claro, se não quiser...

Paul terminou o chope e deu de ombros.

— Provavelmente não é nada, mas... pode ajudar você a entender Alicia. Ela...

Ele hesitou e ficou em silêncio.

— Continue.

— Alicia... A primeira coisa que ela fez quando voltou para casa do hospital, e ela tinha passado a noite lá depois do acidente, foi subir no telhado da casa. Eu também subi. A gente ficou lá a noite inteira, praticamente. A gente ia muito lá, Alicia e eu. Era o nosso lugar secreto.

— No telhado?

Paul hesitou. Olhou para mim por um segundo, deliberando consigo mesmo. E tomou uma decisão.

— Vamos lá. — Ele se levantou. — Vou mostrar para você.

CAPÍTULO 8

A CASA ESTAVA ESCURA QUANDO nos aproximamos.

— É aqui — avisou Paul. — Vem comigo.

Havia uma escada de ferro do lado de fora da casa. Fomos até ela. A lama estava congelada, dura, formando esculturas de sulcos e ondas Sem me esperar, Paul começou a subir.

Ficava mais e mais frio. Eu me perguntava se tinha sido uma boa ideia. Fui atrás dele e agarrei o primeiro degrau — gelado e escorrega dio. Estava coberto por uma espécie de trepadeira; hera, talvez.

Fui subindo, degrau por degrau. Quando cheguei ao topo, meus dedos estavam dormentes e o vento castigava o meu rosto. Passei para o telhado. Paul me esperava com um sorriso empolgado, parecendo um adolescente. Um fio de lua brilhava acima de nós; o resto era escuridão.

De repente, Paul se precipitou na minha direção com uma expressão estranha. Tive uma reação de pânico ao ver seu braço estendido para mim e desviei, mas ele me agarrou. Por um momento de absoluto terror, achei que Paul ia me jogar lá de cima.

Mas o que ele fez foi me puxar em sua direção.

— Você está muito na beirada. Fica aqui no meio. É mais seguro.

Concordei, recobrando o fôlego. Mas que ideia idiota! Eu não me sentia nem um pouco seguro perto de Paul. Estava quase sugerindo que descêssemos quando ele pegou seu maço de cigarros e me ofereceu um. Hesitei, mas acabei aceitando. Meus dedos tremiam quando peguei meu isqueiro e acendi os cigarros.

Ficamos ali de pé, fumando em silêncio por um instante.

— A gente costumava sentar aqui. Alicia e eu. Praticamente todo dia.

— Que idade vocês tinham?

— Eu tinha uns 7, talvez 8. Alicia não devia ter mais de 10.

— Vocês eram meio pequenos para ficar subindo escadas assim.

— Acho que sim. Para a gente parecia normal. Na adolescência, a gente subia para fumar e tomar cerveja.

Tentei imaginar Alicia na adolescência, escondendo-se do pai e dos maus-tratos da tia; e Paul, o priminho que a adorava, subindo atrás dela na escada, enchendo o saco dela quando ela preferia ficar em silêncio, sozinha com seus pensamentos.

— Esse é um bom esconderijo — comentei.

Paul concordou.

— Tio Vernon não conseguia subir a escada. Ele era muito corpulento, como mamãe.

— Até eu quase não consegui subir. Aquela hera é uma armadilha mortal.

— Não é hera, é jasmim. — Paul olhou para as trepadeiras que se enroscavam no alto da escada. — Nada de flores ainda... Só na primavera. Ficam com perfume na estação, quando tem muitas. — Por um segundo, ele mergulhou nas lembranças. — É engraçado isso.

— O quê?

— Nada. — Paul deu de ombros. — As coisas que a gente lembra... Eu estava pensando no jasmim... Estava todo florido naquele dia, no dia do acidente, quando Eva morreu.

Olhei ao redor.

— Você disse que veio aqui com Alicia.

Paul fez que sim.

— Mamãe e tio Vernon estavam procurando a gente lá embaixo. Dava para ouvir os dois chamando a gente. Mas ficamos quietos. Escondidos. E foi quando aconteceu.

Ele apagou o cigarro e me olhou com um sorriso estranho.

— Por isso eu trouxe você aqui. Para você ver... a cena do crime.

— Crime?

Paul não respondeu, só continuou com o sorriso enigmático.

— Que crime, Paul?

— O crime de Vernon. Tio Vernon não era um bom sujeito, sabe? Não era mesmo.

— O que você quer dizer com isso?

— Foi quando ele fez.

— Fez o quê?

— Foi quando ele matou Alicia.

Fiquei encarando Paul, sem acreditar no que tinha ouvido.

— Matou Alicia? Como assim?

Paul apontou para o chão lá embaixo.

— Tio Vernon estava lá embaixo com mamãe. Bêbado. Mamãe tentava fazer com que ele entrasse de novo. Mas ele não saía de lá e ficava chamando Alicia. Estava furioso com ela. Ele estava morrendo de raiva.

— Porque ela estava se escondendo? Mas Alicia era uma criança, a mãe dela tinha acabado de morrer...

— Tio Vernon era um sujeito cruel e desgraçado. A única pessoa com quem ele se importava era tia Eva. Acho que foi por isso que ele disse o que disse.

— Disse o quê? — Eu estava perdendo a paciência. — Não estou entendendo aonde você quer chegar. O que aconteceu?

— Vernon não parava de dizer que amava Eva, que não podia viver sem ela. Ele ficava repetindo: "Minha garota, minha pobre menina, minha Eva... Por que ela foi morrer? Por que tinha que ser ela? *Por que Alicia não morreu no lugar dela?*"

Encarei Paul por um segundo, perplexo. Não tinha certeza se havia entendido direito.

— Por que Alicia não morreu no lugar dela?

— Foi o que ele disse.

— E ela ouviu?

— Sim. E sussurrou para mim... Eu jamais vou me esquecer disso: "Ele me matou. Papai... acabou de me matar."

Eu continuava olhando para Paul, sem palavras. Sinos começaram a repicar na minha cabeça, retinindo, reverberando. Era isso que eu estava procurando. E tinha encontrado, a peça que faltava no quebra-cabeça, finalmente... Ali, num telhado em Cambridge.

No retorno para Londres, fiquei pensando em todas as implicações do que tinha ouvido. Agora entendia por que Alicia havia ficado tão impressionada com *Alceste*. Assim como Admeto havia condenado Alceste a morrer, Vernon Rose tinha condenado psiquicamente sua filha à morte. Admeto devia amar Alceste em algum nível, mas não havia amor nenhum em Vernon Rose, apenas ódio. Ele havia cometido um infanticídio psíquico, e Alicia sabia disso.

"Ele me matou", disse ela. "Papai acabou de me matar."

Finalmente eu tinha algo com que trabalhar. Algo que conhecia — os efeitos emocionais das feridas psicológicas nas crianças e como se manifestam na vida adulta. Imaginem só: ouvir o próprio pai, a pessoa de quem se depende para sobreviver, desejando sua morte. O quanto isso deve ser aterrorizante para uma criança, quão traumatizante — quanto dano isso pode causar à autoestima, e a dor é grande, grande demais para ser sentida, então ela é engolida, reprimida, enterrada. Com o tempo, perde-se o contato com as origens do trauma, desassocia-se das raízes da causa, e ele é esquecido. Mas um dia toda a dor e a raiva vêm à tona numa explosão, como um dragão expelindo o fogo que se forma em sua barriga — e pega-se uma arma. A raiva não é direcionada ao pai, que já morreu e está esquecido, fora de alcance, mas ao marido, o homem que tomou o lugar dele, que amava e com quem se dividia a cama. Então são dados cinco tiros na cabeça dele, sem que sequer se saiba o motivo.

O trem atravessava a noite em direção a Londres. Finalmente, pensei... Finalmente eu sabia como chegar até ela.

Agora podíamos começar.

CAPÍTULO 9

EU ESTAVA SENTADO COM ALICIA em silêncio.

Estava melhorando minha relação com esses momentos de silêncio, já conseguia suportá-los melhor, me sentia familiarizado com eles; ficar sentado naquela saleta com ela, em silêncio, já era quase confortável.

Alicia repousava as mãos no colo, fechando-as e abrindo-as ritmadamente, como um batimento cardíaco. Estava de frente para mim sem me olhar, olhando pela janela e através da grade. A chuva tinha dado uma trégua e as nuvens se afastaram momentaneamente, revelando um pálido céu azul; até que apareceu outra nuvem, deixando-o cinzento. Então falei:

— Fiquei sabendo de uma coisa. Uma coisa que o seu primo me disse.

Falava da maneira mais suave possível. Ela não reagiu, então continuei:

— Paul contou que quando você era criança você ouviu o seu pai dizer uma coisa terrível. Depois do acidente que matou a sua mãe... Você ouviu o seu pai dizer que preferia que você tivesse morrido no lugar dela.

Eu tinha certeza de que haveria alguma reação física automática, algo que acusasse o golpe. Esperei, mas nada aconteceu.

— Fico me perguntando como você se sente sobre o fato de Paul ter me contado isso... Pode parecer que ele traiu a sua confiança. Mas acho que, na verdade, ele estava preocupado com você. Afinal de contas, você está sob os meus cuidados.

Nenhuma reação. Hesitei.

— Talvez ajude se eu contar uma coisa. Não... Acho que não estou sendo sincero... Na verdade, iria me ajudar. A verdade é que eu entendo você mais do que imagina. Sem querer ser indiscreto, você e eu tivemos uma infância semelhante, com pais bem parecidos. Nós saímos de casa assim que pudemos. Mas logo descobrimos que a distância física não importa muito no mundo da psique. Certas coisas não são deixadas para trás com tanta facilidade assim. Eu sei que a sua infância deixou muitas marcas. É importante que você entenda que isso é muito sério. O que o seu pai disse é equivalente a um assassinato psíquico. Ele *matou* você.

Dessa vez ela reagiu.

Alicia lançou um olhar severo diretamente para mim, fulminante. Se um olhar pudesse matar, eu teria caído morto ali mesmo. Mas encarei seu olhar assassino sem me esquivar.

— Alicia. Essa é a nossa última chance. Eu estou aqui sem o conhecimento nem a autorização do professor Diomedes. Se eu continuar quebrando as regras assim por sua causa, vou acabar sendo demitido. Por isso é a última vez que você vai me ver. Está entendendo?

Eu falava sem nenhuma expectativa ou emoção, isento de esperança ou sentimentos. Estava farto de dar murro em ponta de faca. Eu não esperava nenhuma reação. E então...

De início, achei que tinha imaginado, que estava ouvindo coisas. Olhei fixamente para Alicia, sem fôlego. Meu coração palpitava. Minha boca estava seca quando voltei a falar.

— Você... Você disse... alguma coisa?

Outro momento de silêncio. Eu devia ter me enganado. Devia ter imaginado. Mas então... Aconteceu de novo.

Os lábios de Alicia se moveram lentamente, com dificuldade; a voz arranhou um pouco ao ser emitida, como uma porta rangendo e precisando ser lubrificada.

— O que... — sussurrou ela. E se deteve. E outra vez: — O que... O que...

Por um momento, ficamos apenas nos olhando. Meus olhos aos poucos se encheram de lágrimas, lágrimas de descrença, empolgação e gratidão.

— O que eu quero? Eu quero que você continue falando... Fala... Fala comigo, Alicia...

Ela me encarava. Estava pensando em algo. E tomou uma decisão. Lentamente, fez que sim com a cabeça.

— Ok.

CAPÍTULO 10

— ELA DISSE *O QUÊ*?

O professor Diomedes me olhava com uma expressão de completo espanto. Estávamos do lado de fora, fumando. Dava para perceber que ele estava nervoso porque deixou o charuto cair no chão sem perceber.

— Ela falou? Alicia falou?

— Falou.

— Incrível. Então você estava certo. Você tinha razão. Eu estava errado.

— Não senhor. Eu é que errei em ver Alicia sem a sua autorização, professor. Sinto muito, mas meus instintos estavam me dizendo...

Diomedes descartou as minhas desculpas com um gesto e concluiu a frase por mim.

— Você seguiu os seus instintos. Eu teria feito o mesmo, Theo. Muito bem.

Eu não queria comemorar muito antes da hora.

— Não vamos contar com o ovo no cu da galinha. Claro que foi um grande avanço. Mas não temos garantias, ela pode voltar atrás ou regredir a qualquer momento.

Diomedes concordou.

— Você tem toda razão. Precisamos fazer uma avaliação formal e entrevistar Alicia assim que possível... Levá-la à junta médica... Você, eu e alguém da Fundação... Julian serve, ele é totalmente inofensivo...

— Você está se precipitando. Não está me ouvindo. Ainda é muito cedo. Uma coisa assim vai assustar Alicia. A gente precisa ir devagar.

— Bom, é importante que a Fundação seja informada...

— Não, por enquanto não. Talvez a coisa nem se repita. Vamos esperar. Sem fazer nenhum anúncio. Pelo menos por enquanto.

Diomedes concordou, pensando melhor. Estendeu a mão e me segurou pelo ombro.

— Muito bem. Estou orgulhoso.

Senti uma pontada de orgulho — um filho sendo parabenizado pelo pai. Eu tinha consciência do desejo de agradar Diomedes, justificar sua confiança em mim e deixá-lo orgulhoso. Me senti um pouco emotivo. Acendi um cigarro para disfarçar.

— E agora?

— Agora siga em frente. Continue trabalhando com Alicia.

— E se Stephanie descobrir?

— Esqueça Stephanie... Pode deixar isso comigo. Sua única preocupação é Alicia.

E foi o que eu fiz.

Na sessão seguinte, Alicia e eu falamos sem parar. Ou melhor, ela falou e eu ouvi. Ouvi-la era uma experiência estranha e um pouco desconcertante, depois de tanto silêncio. No início, ela se mostrava hesitante, cautelosa, tentando dar passos que não eram dados havia muito tempo. Mas logo conseguiu se firmar, ganhando velocidade e agilidade, e as frases se sucediam como se ela nunca tivesse ficado calada, o que de certa forma era verdade.

Ao terminar a sessão, fui para a minha sala. Me sentei à mesa e transcrevi o que havia sido dito enquanto ainda estava fresco na memória.

Anotei tudo, palavra por palavra, capturando com a maior precisão e fidelidade possíveis.

Como vão ver, é uma história incrível — quanto a isso não resta a menor dúvida.

Quanto a acreditar ou não nela, a decisão cabe a vocês.

CAPÍTULO 11

ALICIA SE SENTOU NA CADEIRA em frente à minha na sala de terapia.

— Antes de começarmos, quero fazer algumas perguntas. Algumas coisas que gostaria de esclarecer...

Nenhuma resposta. Alicia olhava para mim com aqueles olhos impenetráveis.

— Sendo mais específico, quero entender o seu silêncio. Saber por que você se recusava a falar.

Alicia ficou desapontada com a pergunta. Ela se virou e olhou para fora pela janela.

Ficamos em silêncio por mais ou menos um minuto. Eu tentava conter a minha ansiedade. Será que o avanço teria sido apenas temporário? E agora voltaríamos ao que era antes? Eu não podia permitir que isso acontecesse.

— Alicia. Eu sei que é difícil. Mas, quando você começar a falar comigo, vai ver que é mais fácil, eu garanto.

Nenhuma reação.

— Por favor. Tenta. Não desiste depois de ter feito tanto progresso. Continua em frente. Me diz... Me diz por que você não queria falar.

Alicia se virou para mim de novo, com um olhar gélido. Falou em voz baixa:

— Nada... Nada a dizer.

— Não sei se acredito nisso de verdade. Eu acho que tem muita coisa a ser dita.

Uma pausa. Um dar de ombros.

— Talvez. Talvez... você tenha razão.

— Prossiga.

Ela hesitou.

— Primeiro, quando Gabriel... Quando ele morreu... eu não conseguia, eu tentei... mas não conseguia... falar. Eu abria a boca, mas não saía nada. Parecia um sonho... quando se quer gritar, mas não consegue.

— Você estava em estado de choque. Mas nos dias subsequentes a voz não foi voltando...?

— Mas aí... não fazia mais sentido. Era tarde demais.

— Tarde demais? Para falar em sua defesa?

Alicia me encarou, um sorriso enigmático nos lábios. Ela não disse nada.

— Me diz por que você voltou a falar.

— Você sabe a resposta.

— Sei?

— Por sua causa.

— Por minha causa?

Olhei para ela, surpreso.

— Porque você veio para cá.

— E isso fez diferença?

— Toda diferença... Fez... toda diferença. — Alicia baixou a voz enquanto olhava para mim, sem piscar. — Você precisa entender... o que aconteceu comigo. Qual foi a sensação. É importante... Você sabe.

— Eu quero entender. Foi por isso que você me entregou o diário, certo? Porque você quer que eu entenda. Me parece que as pessoas mais importantes para você não acreditaram na sua história sobre o tal homem. Talvez você esteja se perguntando... se eu acredito em você.

— Você acredita em mim. — Não era uma pergunta, mas uma constatação.

Assenti.

— Sim, acredito. Por que então não começamos por aí? Sua última anotação no diário falava do homem entrando na casa. O que aconteceu?

— Nada.

— Nada?

Ela fez que não com a cabeça.

— Não era ele.

— Não? Quem era então?

— Jean-Felix. Ele queria... Ele tinha ido falar da exposição.

— Julgando pelo diário, seu estado de espírito não estava bom para receber visitas.

Alicia admitiu que sim dando de ombros.

— Ele ficou muito tempo?

— Não. Eu pedi que fosse embora. Ele não queria... Ele estava alterado. Gritou um pouco comigo... mas logo foi embora.

— E depois? O que aconteceu depois que ele foi embora?

Alicia fez que não com a cabeça.

— Não quero falar sobre isso.

— Não?

— Por enquanto não.

Alicia olhou nos meus olhos por um instante. Depois desviou o olhar para a janela, contemplando o céu que escurecia por trás das grades. Ela inclinava a cabeça de um jeito que parecia que estava flertando, e o princípio de um sorriso se formava no canto de sua boca. Ela está gostando disso, pensei, de exercer poder sobre mim.

— Do que você quer falar? — perguntei.

— Não sei. Nada. Eu só quero falar.

E, assim, falamos. Falamos de Lydia e Paul, da sua mãe e do verão em que ela morreu. Falamos da infância de Alicia — e da minha. Eu contei sobre o meu pai, sobre como foi crescer naquela casa; ela **parecia** interessada em saber o máximo possível sobre o meu passado, o que havia me moldado e o que fez de mim a pessoa que sou.

Lembro que pensei: agora não há mais volta. Estávamos derrubando as últimas barreiras entre terapeuta e paciente. Logo seria impossível dizer quem era quem.

CAPÍTULO 12

NA MANHÃ SEGUINTE, VOLTAMOS A nos encontrar. Nesse dia, Alicia parecia diferente: mais reservada, mais cuidadosa. Acho que era porque estava se preparando para falar do dia da morte de Gabriel.

Ela se sentou à minha frente, e, diferente das outras vezes, olhava diretamente para mim, mantendo contato visual o tempo todo. Alicia começou a falar sem que eu precisasse insistir; devagar, cuidadosamente, escolhendo cada frase, como se desse pinceladas cautelosas numa tela.

— Eu estava sozinha naquela tarde. Sabia que precisava pintar, mas estava tão quente que eu achava que não daria conta. Mas decidi tentar. Peguei o ventilador que tinha comprado e o levei para o ateliê no jardim, e aí...

— Aí...?

— Meu celular tocou. Era Gabriel avisando que ia chegar tarde da sessão de fotos.

— Ele costumava fazer isso? Ligar para dizer que ia chegar tarde?

O olhar que Alicia me lançou foi estranho, como se lhe parecesse uma pergunta esquisita. E fez que não com a cabeça.

— Não. Por quê?

— Eu fiquei me perguntando se ele não teria ligado por outro motivo. Para saber como você estava. Julgando pelo diário, parece que Gabriel andava preocupado com o seu estado mental.

— Ah. — Alicia ficou refletindo, surpresa. E concordou com um lento aceno de cabeça. — Entendo. Sim, sim, é possível...

— Desculpa... Eu interrompi você. Continua. O que aconteceu depois da ligação?

Alicia hesitou.

— Eu o vi.

— Ele?

— O homem. Quer dizer, vi o reflexo dele. Refletido na janela. Ele estava lá dentro, dentro do ateliê. Logo atrás de mim.

Alicia fechou os olhos e ficou em silêncio. Houve uma longa pausa. Falei com delicadeza:

— Você pode descrever como ele era?

Ela abriu os olhos e me encarou por um momento.

— Era alto... Forte. Não dava para ver o rosto, estava com uma máscara, uma máscara preta. Mas consegui ver os olhos dele, pareciam buracos escuros. Sem luz nenhuma.

— E o que você fez quando viu o homem?

— Nada. Eu estava apavorada. Fiquei olhando para ele. Ele estava segurando uma faca. Perguntei o que ele queria. Mas ele não disse nada. Eu disse que tinha dinheiro na cozinha, na minha bolsa. Ele balançou a cabeça e falou: "Eu não quero dinheiro." E riu. Uma risada horrível, parecia vidro quebrando. E aí ele colocou a faca no meu pescoço. O fio dela estava na minha garganta, encostado na minha pele... Ele me mandou entrar em casa com ele.

Alicia fechou os olhos com a lembrança.

— A gente saiu do ateliê e foi para o gramado. Fomos caminhando em direção à casa. Eu conseguia ver o portão da rua, a poucos metros... Muito perto... E de repente alguma coisa tomou conta de mim. Era... Era a minha única chance de escapar. Dei um chute no homem com toda força e me desvencilhei dele. E saí correndo. Corri para o portão. — Alicia abriu os olhos, agora sorrindo com a lembrança. — Durante alguns segundos eu estive livre.

Mas o sorriso se apagou.

— Aí ele saltou em cima de mim. Nas minhas costas. Caímos os dois no chão... Ele tapou a minha boca e eu senti a faca no pescoço. Ele disse que ia me matar se eu me mexesse. Ficamos ali alguns segundos, eu sentindo a respiração dele no rosto. Um fedor horrível. E então ele me levantou e me arrastou para a casa.

— E depois? O que aconteceu?

— Ele trancou a porta. E eu fiquei presa.

A respiração de Alicia estava pesada, suas bochechas coradas. Eu não queria que ela ficasse aflita, e estava tomando cuidado para não pressionar demais.

— Quer parar um pouco?

Ela acenou negativamente com a cabeça.

— Vamos em frente. Já esperei tempo demais para contar isso. Quero deixar essa história para trás.

— Tem certeza? Talvez seja uma boa ideia fazer uma pausa.

Ela hesitou.

— Posso fumar um cigarro?

— Um cigarro? Não sabia que você fumava.

— Eu não fumo. Eu... já fumei. Pode me dar um?

— Como você sabe que eu fumo?

— Dá para sentir o cheiro.

— Ah. — Sorri, meio sem graça. — Tá bom. — Eu me levantei. — Vamos lá fora.

CAPÍTULO 13

O PÁTIO ESTAVA CHEIO DE PACIENTES, como sempre reunidas em grupos, fofocando, discutindo, fumando; algumas abraçavam a si mesmas e batiam os pés no chão para se aquecer.

Alicia levou um cigarro à boca, segurando-o com os dedos longos e finos. Acendi para ela. Ao contato da chama, a ponta do cigarro crepitou com um brilho vermelho. Ela tragou profundamente, olhando nos meus olhos. Quase parecia estar se divertindo.

— Não vai fumar? Ou não seria apropriado fumar com uma paciente?

Ela está zombando de mim, pensei. Mas Alicia tinha razão: não havia nenhuma norma proibindo membros da equipe e pacientes de fumarem juntos. Entretanto, quando alguém da equipe fumava, em geral era às escondidas, dando um jeito de escapulir para a escada de incêndio nos fundos do prédio. Nunca fumavam na frente das pacientes. De fato, parecia uma transgressão ficar ali no pátio fumando com ela. Provavelmente era imaginação minha, mas eu tinha a sensação de que estávamos sendo observados. Sentia os olhos de Christian nos espionando da janela. Ouvi suas palavras outra vez: "Borderlines são sedutores." Olhei bem nos olhos de Alicia. Não eram sedutores, nem sequer eram amistosos. Havia uma mente feroz por trás daqueles olhos, uma inteligência aguçada que estava apenas despertando. Alicia Berenson tinha uma força que não podia ser ignorada. Agora eu entendia.

Talvez por isso Christian tenha sentido necessidade de sedá-la. Seria por medo do que ela poderia fazer, do que poderia dizer? Eu também me senti um pouco amedrontado; bom, não exatamente amedrontado, mas alerta, apreensivo. Sabia que precisava tomar cuidado.

— Por que não? — falei. — Também vou fumar um.

Levei um cigarro à boca e o acendi. Fumamos em silêncio por um tempo, mantendo contato visual, a poucos centímetros um do outro, até que senti um estranho constrangimento juvenil e desviei o olhar. Tentei disfarçar indicando o pátio com um gesto.

— Vamos caminhar enquanto conversamos?

Alicia fez que sim.

— Tá bom.

Começamos a caminhar perto da parede, no perímetro do pátio. As outras pacientes nos observavam. Eu me perguntava o que estariam pensando. Alicia não parecia se importar. Aparentemente ela nem as notava. Caminhamos em silêncio por algum tempo.

Eventualmente, ela perguntou:

— Quer que eu continue?

— Se quiser, sim... Já está pronta?

— Sim, estou.

— O que aconteceu depois que vocês entraram na casa?

— O homem disse... Ele disse que queria beber alguma coisa. Então dei uma das cervejas de Gabriel para ele. Eu não bebo cerveja. Não tinha mais nada em casa.

— E depois?

— Ele começou a falar.

— Sobre o quê?

— Não lembro.

— Não?

— Não.

Ela caiu em silêncio.

Esperei o quanto pude e acabei pressionando mais um pouco.

— Vamos em frente então. Vocês estavam na cozinha. Como você estava se sentindo?

— Eu... não me lembro de estar sentindo nada.

Assenti.

— Isso não é incomum nessas situações. Não é só uma questão das reações de luta ou fuga. Existe uma terceira reação também muito comum quando se é atacado: paralisar.

— Eu não fiquei paralisada.

— Não?

— Não. — Ela me encarou com um olhar feroz. — Eu estava me preparando. Eu estava me preparando... para lutar. Para... matar aquele homem.

— Entendo. E como você pretendia fazer isso?

— Com a arma de Gabriel. Eu sabia que tinha que pegar a arma.

— Ela estava na cozinha? Você tinha colocado lá? Foi o que você escreveu no diário.

Alicia fez que sim.

— Sim, no armário ao lado da janela. — Ela tragou e soltou uma longa coluna de fumaça. — Eu disse que precisava beber um pouco de água. E fui pegar um copo. Atravessei a cozinha... Pareceu levar uma eternidade caminhar aqueles poucos centímetros. Um passo de cada vez, e cheguei até o armário. Minha mão tremia... Eu abri...

— E aí?

— O armário estava vazio. A arma não estava mais lá. E aí ele disse: "Os copos estão no armário da direita." Eu me virei, e a arma estava lá, na mão dele. Ele apontava para mim, rindo.

— E depois?

— Depois?

— O que você pensou?

297

— Que era a minha última chance de escapar, e agora... agora ele ia me matar.

— Você achou que ele ia te matar?

— Eu sabia que ia.

— Mas então por que a demora? Por que não matar você assim que entrou na sua casa?

Alicia não respondeu. Eu olhava para ela. Para minha surpresa, havia um sorriso em seus lábios.

— Quando eu era pequena, tia Lydia tinha uma gatinha. Uma gata malhada. Eu não gostava muito dela. Ela era selvagem, às vezes avançava em mim com as garras afiadas. Ela era má... cruel.

— Mas animais não agem por instinto? Será que podem ser cruéis?

Alicia me encarou com intensidade no olhar.

— Eles podem ser cruéis, sim. Aquela gata era. Ela trazia animais do mato, camundongos e passarinhos que tinha capturado. E eles sempre estavam quase mortos. Feridos, mas vivos. E ela ficava brincando com eles desse jeito.

— Entendi. Você quer dizer que era como se fosse a presa desse homem também? Que ele estava numa espécie de jogo sádico com você? É isso?

Alicia jogou a guimba do cigarro no chão e pisou nela.

— Me dá outro.

Entreguei a ela o maço. Alicia pegou um cigarro e o acendeu. Ficou fumando por um momento.

— Gabriel ia voltar para casa às oito da noite. Faltavam duas horas. Eu ficava olhando para o relógio. Então ele perguntou: "O que foi? Você não gosta da minha companhia?" E passou o cano da arma na minha pele, subindo e descendo pelo meu braço. — Ela estremeceu ao se lembrar disso. — Eu disse que Gabriel ia chegar a qualquer momento. E a resposta dele foi: "E daí? Ele vai te salvar?"

— E o que você disse?

— Eu não disse nada. Ficava olhando para o relógio... E aí o meu celular tocou. Era Gabriel. Ele mandou que eu atendesse. Com a arma apontada para a minha cabeça.

— E aí? O que Gabriel disse?

— Ele disse... Ele disse que a sessão de fotos tinha virado um verdadeiro pesadelo, e por isso eu podia jantar sem ele. Ele não ia chegar antes das dez. Eu desliguei e falei: "Meu marido está chegando. Ele vai chegar daqui a alguns minutos. É melhor você ir embora logo." O homem se limitou a dar uma risada, então falou: "Mas eu ouvi o seu marido avisando que não chega antes das dez. A gente tem muito tempo para matar. Me arruma uma corda, uma fita adesiva, qualquer coisa. Vou amarrar você." Eu fiz o que ele mandou. Naquele momento eu soube que não adiantava mais ter qualquer esperança. Eu já sabia como aquilo ia acabar.

Alicia parou de falar e olhou para mim. Eu via a emoção bruta em seus olhos. Me perguntava se não estaria forçando demais a barra.

— Talvez seja melhor fazer uma pausa.

— Não, eu preciso terminar isso. Eu preciso fazer isso.

E ela continuou, agora falando mais rápido.

— Eu não tinha nenhuma corda, então ele pegou o fio que eu usava para pendurar as telas. Me fez ir até a sala e pegou uma cadeira da mesa de jantar. Ele me mandou sentar. Depois começou a passar o fio pelos meus tornozelos e me prendeu na cadeira. Eu senti que o fio estava me cortando. Depois disso eu implorei "Por favor, por favor..." Mas ele não ouvia. Ele amarrou meus punhos às minhas costas. Eu tinha certeza de que ele ia me matar. Eu queria... *Eu queria que ele tivesse me matado.*

Alicia pareceu cuspir essas palavras. Fiquei assombrado com sua veemência.

— Por que você queria isso?

— Porque o que ele fez foi ainda pior.

Por um segundo, achei que Alicia ia chorar. Resisti ao súbito impulso de abraçá-la, tomá-la nos braços, beijá-la, consolá-la, garantir que ela estava em segurança. E me contive. Apaguei o cigarro no muro de tijolos vermelhos.

— Sinto que você precisa de alguém que cuide de você. Me sinto querendo cuidar de você, Alicia.

— Não. — Ela balançou a cabeça com firmeza. — Não é isso que eu quero de você.

— O que você quer?

Alicia não respondeu. Ela se virou e voltou para dentro do prédio.

CAPÍTULO 14

Acendi a luz na sala de terapia e fechei a porta. Quando me virei, Alicia já havia se sentado, mas não na sua cadeira. Ela estava na minha cadeira.

Normalmente eu teria explorado o significado desse gesto tão revelador. Mas não disse nada. Se o fato de se sentar na minha cadeira significava que ela estava no comando, o fato é que estava mesmo. Eu me via impaciente para chegar ao fim da história, agora que estávamos tão perto. Então me limitei a me sentar e esperar que ela começasse a falar. Com os olhos semicerrados, Alicia ficou totalmente imóvel.

Por fim, disse:

— Eu estava amarrada na cadeira, e toda vez que me mexia o fio cortava ainda mais as minhas pernas, que começaram a sangrar. Era um alívio focar a atenção nos cortes, e não nos meus pensamentos. Coisas muito assustadoras passavam pela minha cabeça... Eu achava que nunca mais veria Gabriel. Eu achava que ia morrer.

— E o que aconteceu?

— Ficamos lá sentados uma eternidade. Engraçado. Sempre achei que o medo era uma sensação fria, mas não é; ele queima que nem fogo. Estava muito quente na sala, as janelas fechadas, as persianas baixadas. Um ar pesado, parado, sufocante. Gotas de suor escorriam da minha testa e caíam nos meus olhos, que ardiam. Eu sentia o cheiro de álcool nele e o fedor de suor enquanto ele bebia e falava... Ele não parava de falar. Eu não prestava muita atenção. Estava ouvindo uma mosca enorme, zunindo entre a persiana e a janela... Ela estava presa e batia na vidraça, tuc-tuc-tuc. E ele fazia perguntas sobre mim e Gabriel, como a gente se conheceu, há quanto tempo a gente estava junto, se a gente era feliz. Eu deduzi que, se ele continuasse falando, eu teria mais chances de continuar viva. Por isso eu respondia às perguntas sobre mim, sobre Gabriel, sobre o meu trabalho. Falava de qualquer coisa que ele quisesse. Só para ganhar tempo. Prestando atenção no relógio. Ouvindo o tique-taque. E aí, de repente, já eram dez horas... E depois... dez e meia. E nada de Gabriel chegar. Então ele disse: "Ele está atrasado. Talvez não venha." E eu falei que ele vinha, sim. E aí ele disse: "Bom, pelo menos eu estou aqui para fazer companhia a você." Até que o relógio deu onze horas e eu ouvi um carro lá fora. O sujeito foi até a janela para espiar e falou: "Já não era sem tempo."

O que aconteceu depois, contou Alicia, foi muito rápido.

O homem a agarrou e girou a cadeira para deixá-la de costas para a porta. Disse que daria um tiro na cabeça de Gabriel se ela abrisse a boca para dizer uma palavra ou emitisse qualquer som. E desapareceu. Instantes depois, as luzes se apagaram e tudo ficou escuro. No hall de entrada, a porta se abriu e depois fechou.

— Alicia? — chamou Gabriel.

Sem resposta, ele voltou a chamar. Entrou na sala de estar e a viu junto à lareira, de costas.

— Por que você está aí no escuro? — perguntou Gabriel. Silêncio.

— Alicia?

Alicia se esforçava para permanecer em silêncio — ela queria gritar, mas seus olhos haviam se acostumado ao escuro e ela conseguia ver à sua frente, no canto da sala, a arma empunhada pelo homem reluzindo. Ele apontava para Gabriel. Alicia se mantinha em silêncio para protegê-lo.

— Alicia? — Gabriel caminhou na direção dela. — O que houve?

No momento em que Gabriel estendeu a mão para tocá-la, o homem saltou do escuro. Alicia gritou, mas já era tarde — e Gabriel caiu no chão com o outro por cima. A arma foi erguida como se fosse um martelo e baixada na cabeça de Gabriel com um baque horrível — uma, duas, três vezes —, e ele ficou lá inconsciente, sangrando. O homem o ergueu e o colocou sentado numa cadeira, amarrando-o com o mesmo fio. Gabriel voltou a si e começou a se agitar.

— Mas que merda! O que foi...

O sujeito ergueu a arma e a apontou para Gabriel. Ouviu-se um tiro. E outro. E mais outro. Alicia começou a gritar. O homem continuou atirando. Atingiu Gabriel na cabeça seis vezes. E jogou a arma no chão.

Ele saiu sem dizer uma palavra.

CAPÍTULO 15

Aí ESTÁ. ALICIA BERENSON NÃO matou o marido. Um estranho invadiu o lar do casal e, num ato de crueldade aparentemente gratuito, matou Gabriel e desapareceu na noite. Alicia era totalmente inocente.

Isso se você acreditar na história dela.

Mas eu não acreditei. Nem um pouco.

Sem falar das evidentes incoerências e imprecisões — como o fato de Gabriel não ter levado seis tiros, mas cinco, pois uma das balas foi parar no teto; Alicia tampouco foi encontrada amarrada a uma cadeira, mas de pé no meio da sala, depois de cortar os pulsos. Na nossa conversa, Alicia não disse que o homem a havia desamarrado, nem explicou por que desde o início não contou à polícia essa versão dos fatos. Não, eu sabia que ela estava mentindo. Fiquei irritado por ela ter mentido assim tão descaradamente e sem motivo, na minha cara. Por um segundo fiquei me perguntando se não estaria me testando, para ver se eu engolia a história. Nesse caso, eu não deixaria transparecer nada.

Fiquei lá sentado em silêncio.

Contrariando seus hábitos, Alicia falou primeiro.

— Estou cansada. Quero parar.

Fiz que sim. Não podia objetar.

— A gente continua amanhã — disse ela.

— Ainda tem mais coisas para contar?

— Sim. Uma última coisa.

— Muito bem. Amanhã.

Yuri estava esperando no corredor. Acompanhou Alicia até o quarto e eu fui para a minha sala.

Como já disse, há anos costumo transcrever as sessões assim que acabam. A capacidade de registrar com precisão o que foi dito nos cinquenta minutos anteriores é de fundamental importância para um terapeuta, caso contrário muitos detalhes são esquecidos e o imediatismo das emoções é perdido.

Me sentei à mesa e comecei a anotar o mais rápido possível tudo que havíamos dito. Quando acabei, percorri os corredores agarrado às minhas anotações.

Bati à porta de Diomedes. Como não houve resposta, bati de novo. Nada. Abri uma fresta na porta... e lá estava Diomedes, em sono profundo no seu sofá estreito.

— Professor? — E outra vez, mais alto: — Professor Diomedes?

Ele acordou num sobressalto e rapidamente se sentou. Piscava para mim.

— O que foi? O que houve?

— A gente precisa conversar. É melhor eu voltar depois?

Diomedes franziu a testa, fazendo que não com a cabeça.

— Eu estava fazendo a sesta. Eu sempre faço isso depois do almoço. Me ajuda a aguentar a tarde. E vai se tornando uma necessidade com a idade. — Bocejando, ele se levantou. — Entre, Theo. Sente-se. Pela sua cara, é importante.

— Acho que sim, é sim.

— Alicia?

Assenti. Me sentei em frente à mesa dele. Diomedes se sentou do outro lado. Seu cabelo estava levantado de um dos lados, e ele parecia não estar totalmente acordado.

— Tem certeza de que não é melhor eu voltar depois?

305

Diomedes acenou negativamente com a cabeça. Pegou uma jarra para se servir de um copo de água.

— Agora eu estou acordado. Prossiga. O que houve?

— Estive conversando com Alicia... Eu preciso de supervisão.

Diomedes fez que sim. Parecia mais acordado a cada segundo, e mais interessado.

— Continue.

Comecei a ler as minhas anotações. Mostrei para ele a sessão inteira. Repetia as palavras dela com o máximo de exatidão possível, reproduzindo a história que tinha ouvido: o homem que a espionava entrando na casa, fazendo-a prisioneira, atirando e matando Gabriel.

Quando terminei, houve uma longa pausa. A expressão de Diomedes não deixava transparecer muita coisa. Ele pegou uma caixa de charutos na gaveta. Apanhou uma pequena guilhotina de prata. Enfiou nela a ponta de um charuto e a cortou.

— Vamos começar pela contratransferência. Me fale da sua experiência emocional. Comece do começo. Enquanto ela contava a história, que sentimentos surgiam?

Refleti por um instante.

— Eu estava empolgado, eu acho... E ansioso. Com medo.

— Medo? Medo seu ou dela?

— Acho que dos dois.

— E medo do quê?

— Não sei muito bem. Medo de fracassar, talvez. Estou arriscando muito nisso, como você sabe.

Diomedes fez que sim.

— E o que mais?

— Frustração também. Muitas vezes eu me sinto frustrado nas nossas sessões.

— E com raiva?

— Sim, acho que sim.

— Você se sente como um pai frustrado lidando com uma filha problemática?

— Sim. Eu quero ajudar Alicia, mas não sei se ela quer ser ajudada.
Ele fez que sim.

— Vamos ficar com o sentimento de raiva. Fale mais disso. Como
se manifesta?

Hesitei.

— Bom, muitas vezes eu acabo a sessão com uma dor de cabeça
fortíssima.

Diomedes assentiu.

— Sim, exatamente. A coisa tem que sair de um jeito ou de outro.
"Um estagiário que não fique ansioso vai acabar doente." Quem foi
que disse isso?

— Não sei. — Dei de ombros. — Eu estou doente *e* ansioso.

Diomedes sorriu.

— Mas você também não é mais um estagiário, embora esses sentimentos nunca desapareçam por completo. — Ele pegou o charuto.
— Vamos lá fora fumar.

Fomos para a escada de incêndio. Diomedes deu algumas baforadas
no charuto, refletindo. E acabou chegando a uma conclusão.

— Você sabe, ela está mentindo.

— Sobre o homem ter matado Gabriel? Também achei.

— Não só isso.

— O que então?

— A coisa toda. Essa baboseira toda. Eu não acredito numa só
palavra.

Devo ter parecido bastante surpreso. Eu imaginei que ele não daria
crédito mesmo a certos elementos da história de Alicia, mas não esperava que rejeitasse o pacote completo.

— Você não acredita na história sobre o homem?

— Não, não acredito. Eu não acredito nem que esse homem exista.
É uma fantasia. Do começo ao fim.

— Como você tem tanta certeza disso?

Diomedes abriu um sorriso estranho.

— Podemos dizer que é a minha intuição. Anos de experiência profissional com fantasistas. — Tentei interrompê-lo, mas ele se antecipou com um gesto da mão. — Naturalmente, não espero que concorde, Theo. Você foi fundo com Alicia e seus sentimentos estão misturados aos dela feito um novelo de lã. É esse o objetivo de uma supervisão como essa, ajudá-lo a desembaraçar os fios, para ver o que é seu e o que é dela. E, quando conseguir distância e clareza, desconfio que vai se sentir bem diferente sobre sua experiência com Alicia Berenson.

— Não sei se estou entendendo.

— Bom, para ser franco, receio que ela esteja representando um papel para você. Manipulando você. E acho que é uma performance moldada especificamente para apelar para os seus instintos cavalheirescos... e, digamos, românticos. Desde o início ficou claro para mim que você pretendia salvá-la. E tenho certeza de que isso era óbvio para Alicia também. Daí a sedução.

— Você está parecendo Christian. Ela não me seduziu. Sou perfeitamente capaz de resistir às projeções sexuais de um paciente. Não me subestime, professor.

— É *ela* que não deve ser subestimada. Alicia está executando uma excelente performance. — Diomedes fez que não com a cabeça, olhando para as nuvens cinzentas. — A mulher vulnerável que está sendo atacada, sozinha, precisando de proteção. Alicia se coloca numa posição de vítima e aponta esse homem misterioso como vilão. Mas na verdade Alicia e o homem são uma mesma e única pessoa. Ela matou Gabriel. É culpada... E ainda se recusa a aceitar essa culpa. E assim ela se divide, se distancia, fantasia: Alicia se torna a vítima inocente, e você é seu protetor. E, ao entrar na onda dessa fantasia, você está permitindo que ela fuja de toda responsabilidade.

— Discordo. Não acho que ela esteja mentindo, pelo menos não conscientemente. Na pior das hipóteses, Alicia acredita na própria história.

— Sim, acredita. Alicia está sendo atacada, mas pela própria psique, e não pelo mundo exterior.

Eu sabia que isso não era verdade, mas não fazia sentido continuar discutindo. Apaguei meu cigarro.

— Como você acha que eu devo proceder agora?

— Você precisa forçar Alicia a enfrentar a verdade. Só assim ela vai ter alguma esperança de recuperação. Você precisa recusar essa história veementemente. Desafie Alicia. Exija que ela conte a verdade.

— E você acha que ela vai contar?

Ele encolheu os ombros.

— Isso... — e deu uma longa tragada no charuto — ninguém tem como saber.

— Muito bem. Vou falar com ela amanhã. Vou confrontar Alicia.

Parecendo meio desconfortável, Diomedes abriu a boca como se fosse acrescentar algo. Mas mudou de ideia. Indicou que estava de acordo e apagou o charuto com ar determinado.

— Amanhã.

CAPÍTULO 16

DEPOIS DO TRABALHO, VOLTEI A seguir Kathy até o parque. Naturalmente, o amante estava esperando no mesmo lugar onde haviam se encontrado da última vez. Os dois se beijaram e se agarraram feito adolescentes.

Kathy olhou na minha direção e por um segundo achei que tinha me visto, mas não viu. Ela só tinha olhos para ele. Dessa vez, tentei vê-lo melhor. Mas não consegui ver o rosto direito, embora alguma coisa em seu porte me fosse familiar. Eu tinha a sensação de já tê-lo visto antes em algum lugar.

Eles caminharam em direção a Camden e entraram num pub, o Rose and Crown, que parecia um tanto decadente. Esperei no café em frente. Cerca de uma hora depois, os dois saíram. Kathy não parava de se esfregar nele, beijando-o. Os dois se beijaram por algum tempo na rua. Eu observava, meu estômago se revirando, queimando de ódio.

Até que ela se despediu e eles se afastaram. Kathy começou a andar. O sujeito se virou e seguiu na direção oposta. Não segui Kathy.

Fui atrás dele.

O sujeito ficou esperando num ponto de ônibus. Fiquei atrás dele. Olhava para suas costas, para seus ombros — me imaginava dando um empurrão nele, jogando-o na frente do ônibus. Mas não fiz isso. Ele entrou no ônibus. Eu também.

Achei que ia direto para casa, mas não. Ele fez duas baldeações. Eu o seguia a certa distância. Ele foi para o East End, onde desapareceu num depósito durante meia hora. Depois, outra viagem, em outro ônibus. Fez algumas ligações, falando em voz baixa e dando risadas com frequência. Eu me perguntava se estaria falando com Kathy. Me sentia cada vez mais frustrado e desanimado. Mas eu também era teimoso e me recusava a desistir.

Até que por fim ele foi para casa, depois de saltar do ônibus e entrar numa rua tranquila e arborizada. Continuava falando ao celular. Eu o segui, mantendo distância. A rua estava deserta. Se ele se virasse, iria me ver. Mas não o fez.

Passei por uma casa com um jardim de pedras e suculentas. Agi sem pensar — parecia que meu corpo se movia por conta própria. Meu braço passou por cima do muro baixo e pegou uma pedra no jardim. Senti o peso dela nas mãos. Minhas mãos sabiam o que fazer: tinham decidido matá-lo, abrir o crânio daquele canalha filho da puta. Entrei na onda, em transe, completamente transtornado, me esgueirando atrás dele, conquistando terreno silenciosamente, me aproximando. Não demorou, e estava bem perto. Ergui a pedra, me preparando para baixá-la com toda a força. Ia derrubá-lo no chão e esmagar seu cérebro. Estava muito perto; se ele não estivesse mais falando ao celular, teria me ouvido.

Agora: ergui a pedra, e...

Logo atrás de mim, à esquerda, a porta de uma casa foi aberta. De repente, um burburinho de conversa, "Obrigados" e "Até logos" em voz alta, pessoas saindo da casa. Fiquei paralisado. À minha frente, o amante de Kathy parou e olhou na direção do barulho. Eu me escondi atrás de uma árvore. Ele não me viu.

Voltou a caminhar, mas eu não o segui. A interrupção tinha acabado com meu devaneio. A pedra caiu da minha mão e bateu no chão. Fiquei observando de trás da árvore. Ele caminhou até a entrada de uma casa, destrancou a porta e entrou.

Segundos depois, a luz da cozinha foi acesa. Ele estava de pé de perfil, um pouco afastado da janela. Da rua dava para ver apenas metade do cômodo. Ele falava com alguém que eu não conseguia ver. Enquanto conversavam, ele abriu uma garrafa de vinho. Os dois se sentaram para comer. Então pude ver de relance sua companhia. Era uma mulher. Seria sua esposa? Não dava para vê-la muito bem. Ele a abraçou e a beijou.

Então eu não era o único que estava sendo traído. Ele tinha voltado para casa depois de beijar a minha esposa e comeu a refeição que essa mulher havia preparado para ele, como se nada tivesse acontecido. Eu sabia que não podia deixar por isso mesmo, precisava fazer alguma coisa. Mas o quê? Apesar das minhas fantasias homicidas, eu não era um assassino. Não podia matá-lo.

Teria que pensar em algo mais inteligente.

CAPÍTULO 17

Eu pretendia resolver as coisas com Alicia logo cedo de manhã. Ia obrigá-la a reconhecer que tinha mentido sobre o assassinato de Gabriel e forçá-la a encarar a verdade.

Infelizmente, não tive a oportunidade de fazer nada disso.

Yuri esperava por mim na recepção.

— Theo, eu preciso falar com você...

— O que foi?

Olhei melhor para ele. O rosto parecia ter envelhecido da noite para o dia, como se tivesse encolhido, pálido, sem energia. Algo ruim tinha acontecido.

— Houve um acidente. Alicia... Ela tomou uma overdose.

— O quê? Ela...?

Yuri fez que não com a cabeça.

— Ela está viva, mas...

— Graças a Deus...

— Mas está em coma. Não parece nada bem.

— Onde ela está?

Yuri me conduziu por uma série de corredores trancados até a ala de cuidados intensivos. Alicia estava num quarto particular, ligada a uma máquina de eletrocardiograma e a um ventilador pulmonar. Seus olhos estavam fechados.

Christian estava no quarto com outra médica. Ele parecia pálido em contraste com a médica da emergência, que estava bastante bronzeada — evidentemente tinha acabado de voltar das férias, mas não parecia nada revigorada. Parecia exausta.

— Como ela está? — perguntei.

A médica balançou a cabeça.

— Nada bem. Tivemos que colocá-la em coma induzido. Ela teve uma parada respiratória.

— O que ela tomou?

— Algum opioide. Provavelmente hidrocodona.

Yuri fez que sim.

— Tinha um vidro de comprimidos vazio na mesa do quarto dela.

— Quem encontrou Alicia?

— Eu — respondeu ele. — Ela estava no chão, perto da cama. Parecia que não estava respirando. Na hora, achei que estava morta.

— E como ela pode ter conseguido os comprimidos?

Yuri olhou para Christian, que deu de ombros.

— Todo mundo sabe que o tráfico rola solto pelos corredores.

— E Elif é a fornecedora — comentei.

Christian concordou.

— Sim, também acho.

Indira entrou. Parecia à beira das lágrimas. Ficou ao lado de Alicia, observando-a por um instante.

— Isso vai ter um efeito péssimo nas outras. Os pacientes sempre regridem meses quando uma coisa assim acontece.

Ela se sentou, pegou a mão de Alicia e a acariciou. Eu observava o ventilador pulmonar subindo e descendo. Houve um momento de silêncio.

— A culpa é minha — falei.

Indira acenou negativamente com a cabeça.

— A culpa não é sua, Theo.

— Eu devia ter cuidado melhor dela.

— Você fez o melhor possível. Você conseguiu ajudar Alicia. O que ninguém tinha conseguido.

— Alguém já contou a Diomedes?

Christian balançou a cabeça.

— Ainda não descobrimos onde ele está.

— Tentaram no celular?

— E no telefone de casa também. Tentei algumas vezes.

Yuri franziu a testa.

— Mas... eu vi o professor Diomedes mais cedo. Ele estava aqui.

— Estava?

— Sim, hoje cedo. Ele estava na outra ponta do corredor, e parecia com pressa... Pelo menos acho que era ele.

— Estranho. Bom, ele deve ter ido para casa. Tente de novo, por favor.

Yuri assentiu. Estava com ar meio distante; confuso, perdido. Parecia ter reagido muito mal à situação. Fiquei com pena dele.

O pager de Christian tocou, assustando-o — e ele logo saiu do quarto, seguido por Yuri e a médica.

Hesitando, Indira disse em voz baixa:

— Gostaria de ficar um momento sozinho com Alicia?

Fiz que sim, sem coragem de falar. Indira se levantou e apertou meu ombro por um segundo. Então se retirou.

Alicia e eu ficamos sozinhos.

Eu me sentei ao lado da cama. Peguei o braço dela. Havia um cateter no dorso da mão. Segurei-a com delicadeza, acariciando a palma e o punho. Passava o dedo em seu pulso, sentindo as veias sob a pele, as cicatrizes salientes das tentativas de suicídio.

Então era isso. Ia acabar assim. Alicia em silêncio outra vez, e agora o silêncio duraria para sempre.

Eu me perguntava o que Diomedes diria. Conseguia imaginar o que Christian diria a ele: daria um jeito de botar a culpa em mim, dizendo que as emoções que provoquei na terapia foram demais para Alicia, que ela recorreu à hidrocodona para se acalmar e se medicar. A overdose podia ter sido acidental, diria Diomedes, mas o comportamento de Alicia era suicida. E pronto.

Mas não era só isso.

Uma coisa passou despercebida. Algo significativo, algo que ninguém havia notado, nem mesmo Yuri ao encontrar Alicia inconsciente perto da cama. Sim, havia um vidro de comprimidos vazio na mesa e dois deles no chão, de modo que naturalmente se presumiu que ela havia tomado uma overdose.

Mas ali, sob o meu dedo, no punho de Alicia, havia contusões e uma pequena marca que contavam uma história muito diferente.

Uma picada na veia, um minúsculo furo deixado por uma agulha hipodérmica, revelando a verdade: Alicia não engoliu um vidro de comprimidos num gesto suicida. O que houve foi que injetaram nela uma dose cavalar de morfina. Não foi uma overdose.

Foi uma tentativa de assassinato.

CAPÍTULO 18

DIOMEDES APARECEU MEIA HORA DEPOIS. Estivera numa reunião com a Fundação, explicou, e depois ficou preso no metrô, por causa de um defeito na sinalização. Pediu a Yuri que fosse me buscar.

Yuri me encontrou na minha sala.

— O professor Diomedes chegou. Ele está com Stephanie. Estão esperando você.

— Obrigado. Já vou.

Fui para a sala de Diomedes, esperando o pior. Seria necessário encontrar um bode expiatório. Eu já tinha visto isso acontecer em Broadmoor, em casos de suicídio: o membro da equipe que fosse mais próximo da vítima era responsabilizado, fosse terapeuta, médico ou enfermeiro. A essa altura Stephanie sem dúvida já estava pedindo a minha cabeça.

Bati à porta e entrei. Stephanie e Diomedes estavam de pé, cada um de um lado da mesa. A julgar pela tensão naquele silêncio, eu havia interrompido uma discussão.

Diomedes falou primeiro. Estava claramente agitado, gesticulando muito.

— Uma coisa terrível. Terrível mesmo. E não poderia ter acontecido em pior momento. Agora a Fundação tem a desculpa perfeita para fechar isso aqui.

— Não acho que a Fundação seja a principal preocupação — interveio Stephanie. — A segurança das pacientes vem em primeiro lugar. A gente precisa descobrir o que aconteceu exatamente. — E se virou para mim. — Indira disse que você suspeita que Elif esteja traficando drogas. Foi assim que Alicia conseguiu a hidrocodona?

Hesitei.

— Bem, não tenho nenhuma prova. Ouvi algumas enfermeiras falando disso. Mas na verdade tem outra coisa que vocês precisam saber...

Stephanie me interrompeu meneando a cabeça.

— Nós sabemos o que aconteceu. Não foi Elif.

— Não?

— Christian estava passando por acaso pelo posto de enfermagem e viu que o armário de remédios tinha sido deixado aberto. Não havia ninguém no local. Yuri tinha deixado o armário destrancado. Qualquer um podia ter entrado e pegado o que quisesse. E Christian viu Alicia rondando por lá. Na hora, ficou se perguntando o que ela estava fazendo. E agora está explicado.

— Que bom que Christian estava lá e viu tudo isso.

Eu falava num tom sarcástico. Mas Stephanie preferiu se fazer de desentendida.

— Mas não é só Christian que tem notado o descuido de Yuri. Muitas vezes eu percebo que ele é desleixado demais com a segurança. Muito amiguinho dos pacientes. Muito preocupado em ser popular. Até me surpreende que uma coisa dessas não tenha acontecido antes.

— Entendo.

Eu entendia mesmo. Agora entendia por que Stephanie estava sendo cordial comigo. Aparentemente eu tinha livrado a minha cara; ela havia escolhido Yuri como bode expiatório.

— Mas Yuri parece sempre tão cuidadoso — comentei, olhando para Diomedes, me perguntando se ele interviria. — Eu realmente não acho...

Diomedes deu de ombros.

— Minha opinião é de que Alicia sempre foi altamente suicida. Como sabemos, quando alguém quer morrer, por mais que se tente proteger, muitas vezes é impossível evitar.

— E não é essa a nossa função? — soltou Stephanie. — Evitar isso.

— Não. — Diomedes fez que não com a cabeça. — Nossa função é contribuir para a cura deles. Mas não somos Deus. Não temos poder sobre a vida e a morte. Alicia Berenson queria morrer. Em algum momento ela ia conseguir. Ou pelo menos quase conseguir.

Hesitei. Era agora ou nunca.

— Não tenho tanta certeza assim — intervim. — Não acho que tenha sido uma tentativa de suicídio.

— Você acha que foi um acidente?

— Não. Não acho que tenha sido um acidente.

Intrigado, Diomedes olhou para mim.

— O que você está querendo dizer, Theo? Qual é a alternativa?

— Bom, para começo de conversa, não acredito que Yuri tenha dado os remédios para Alicia.

— O que significa que Christian se enganou?

— Não. Christian está mentindo.

Diomedes e Stephanie me olharam, chocados. E prossegui antes que conseguissem recobrar a palavra.

Contei rapidamente tudo que havia lido no diário de Alicia: que Christian a havia atendido em particular antes do assassinato de Gabriel; que ela era uma das várias pacientes particulares que ele atendia extra-oficialmente; e que ele não só não tinha se apresentado para depor no julgamento como fingira não conhecer Alicia ao ser admitido no Grove.

— Não é uma surpresa que ele se mostrasse tão contrário a qualquer tentativa de fazer com que ela voltasse a falar — concluí. — Se Alicia falasse, ela poderia expor quem ele era.

Stephanie me encarava com os olhos vidrados.

— Mas... o que você está querendo dizer? Você não pode estar sugerindo que...

— Sim, eu estou sugerindo isso mesmo. Não foi uma overdose. Foi uma tentativa de assassinato.

— Onde está o diário de Alicia? — perguntou Diomedes. — Está com você?

Acenei negativamente com a cabeça.

— Não, não está mais. Eu devolvi para ela. Deve estar no quarto dela.

— Então vamos buscar. — Diomedes se virou para Stephanie. — Mas, primeiro, acho que temos que chamar a polícia. Não acha?

CAPÍTULO 19

DEPOIS DISSO, AS COISAS TRANSCORRERAM RÁPIDO.

Havia policiais por toda parte no Grove, fazendo perguntas, tirando fotos, isolando o ateliê e o quarto de Alicia. A investigação era comandada pelo inspetor-chefe Steven Allen, um sujeito corpulento, careca, com grandes óculos de leitura que distorciam seus olhos e os ampliavam, fazendo-os parecer enormes, saltando das órbitas de tanta atenção e curiosidade.

Allen ouviu com real interesse a minha história; contei tudo o que tinha dito a Diomedes e lhe mostrei as minhas anotações da supervisão.

— Muito obrigado mesmo, sr. Faber.

— Pode me chamar de Theo.

— Gostaria que prestasse um depoimento oficial, por favor. E vou voltar a falar com o senhor no devido tempo.

— Sim, com certeza.

O inspetor Allen tinha requisitado a sala de Diomedes. Ele me acompanhou ate a porta. Depois de prestar meu depoimento a um assistente, fiquei pelo corredor, esperando. Não demorou, e Christian foi levado até a porta por um policial. Parecia constrangido, assustado... e culpado. Fiquei satisfeito por saber que ele logo seria oficialmente acusado.

Agora não havia mais nada a fazer, só esperar. Quando estava saindo do Grove, passei pelo aquário. Olhei de relance lá para dentro e fiquei estarrecido com o que vi.

Elif estava recebendo drogas de Yuri, que embolsava dinheiro.

Enquanto ela saía, me encarou com seu único olho. Um olhar de desprezo e ódio.

— Elif — chamei.

— Vai se foder. — Ela continuou andando e desapareceu numa curva.

Yuri saiu do aquário. Assim que me viu, ficou boquiaberto. Começou a gaguejar, surpreso.

— Eu... Eu não vi que você estava aí...

— Claro que não.

— Elif... esqueceu a medicação dela. Eu estava entregando.

— Sei.

Então Yuri estava traficando e abastecendo Elif. Eu me perguntava o que mais ele andava aprontando... Talvez tivesse me precipitado ao defendê-lo com tanta convicção diante de Stephanie. Era melhor ficar de olho nele.

— Queria perguntar uma coisa a você — disse ele, afastando-se comigo do aquário. — O que a gente faz com o sr. Martin?

— Como assim? — Olhei para Yuri, surpreso. — Você está falando de Jean-Felix Martin? O que houve com ele?

— Ele está aqui faz horas. Veio visitar Alicia hoje de manhã. E está esperando aqui desde então.

— O quê? Por que você não me avisou? Você está me dizendo que ele está aqui esse tempo todo?

— Foi mal, isso me fugiu à cabeça completamente, com tudo o que aconteceu. Ele está na sala de espera.

— Entendo. Bem, é melhor eu ir até lá falar com ele.

Corri escada abaixo até a recepção, pensando no que tinha acabado de ouvir. O que Jean-Felix estaria fazendo ali?! Eu me perguntava o que ele poderia querer; o que significava aquilo.

Entrei na sala de espera e olhei ao redor.

Mas não havia ninguém lá.

CAPÍTULO 20

Saí do Grove e acendi um cigarro. Uma voz masculina chamou o meu nome. Olhei, esperando que fosse Jean-Felix. Mas não era.

Era Max Berenson. Ele estava saindo de um carro e vinha em minha direção.

— Que merda é essa? — gritou. — O que aconteceu? — Seu rosto estava vermelho, retorcido de raiva. — Acabaram de me ligar falando de Alicia. O que aconteceu com ela?

Recuei um passo.

— Por favor, se acalme, sr. Berenson.

— Me acalmar? Minha cunhada está aí em coma por causa da porra da sua negligência...

Max estava de punho fechado. E o ergueu. Achei que ia me dar um soco.

Mas foi interrompido por Tanya. Ela se aproximou apressada com tanta raiva quanto Max — mas raiva dele, e não de mim.

— Para, Max! Pelo amor de Deus! Quer piorar ainda mais as coisas? Não é culpa do Theo!

Max a ignorou e se voltou para mim. Seus olhos estavam furiosos.

— Alicia estava sob os seus cuidados — gritou. — Como foi que você deixou isso acontecer? Como?

Seus olhos se encheram de lágrimas de raiva. Ele não se esforçava nem um pouco para disfarçar as emoções. E ficou ali chorando. Olhei para Tanya; é claro que ela sabia dos sentimentos dele por Alicia. Tanya estava consternada e exausta. Sem dizer mais nada, virou-se e voltou para o carro.

Eu queria me afastar de Max o mais rápido possível. Continuei andando.

E ele continuou gritando insultos. Achei que ia me seguir, mas não — estava plantado no mesmo lugar, um homem devastado, me chamando, gritando de forma patética:

— Você é o responsável. Minha pobre Alicia, minha menina... Minha pobre Alicia... Você vai pagar por isso! Está me ouvindo?

Max continuou gritando, mas eu o ignorei. Logo sua voz desapareceu no silêncio. Eu estava sozinho.

Continuei andando.

CAPÍTULO 21

Voltei à casa do amante de Kathy. Fiquei em frente a ela uma hora, observando. Até que a porta se abriu e ele saiu. Aonde estaria indo? Encontrar Kathy? Hesitei, mas decidi não segui-lo. Preferi ficar vigiando a casa.

Observei sua esposa pela janela. Isso me trouxe a certeza de que precisava fazer algo para ajudá-la. Ela era eu, e eu era ela: duas vítimas inocentes, enganadas e traídas. Ela acreditava que aquele homem a amava, mas não era verdade.

Talvez eu estivesse errado ao presumir que ela não sabia nada do caso. Talvez soubesse. Talvez tivessem um relacionamento aberto e ela também fosse promíscua. Mas alguma coisa me dizia que não era o caso. Ela parecia inocente, como também havia sido o meu caso um dia. Era meu dever levar a verdade a ela. Eu poderia revelar a verdade sobre o homem com quem vivia, em cuja cama dormia. Não tinha escolha. Eu precisava ajudá-la.

Nos dias subsequentes, continuei voltando lá. Numa dessas vezes, ela saiu de casa para dar uma caminhada. Eu a segui, mantendo distância. Queria evitar que me visse em algum momento, mas, ainda que ela me visse, eu não passava de um estranho. Por enquanto.

Acabei me afastando e fui comprar algumas coisas. Mas voltei. Fiquei do outro lado da rua, observando a casa. Voltei a vê-la, de pé perto da janela.

Eu não tinha nenhum plano, só uma ideia vaga e incipiente do que precisava fazer. Como um artista inexperiente, eu sabia o resultado que desejava, sem saber exatamente como chegar até ele. Esperei um pouco e então fui até a casa. Tentei abrir o portão — estava destrancado. Ele se abriu e eu entrei no jardim. Senti uma súbita descarga de adrenalina. Aquela emoção ilícita de invadir a propriedade alheia.

Até que vi a porta dos fundos se abrir. Procurei um lugar para me esconder. Vi que havia um pequeno chalé do outro lado do gramado. Saí correndo sem fazer barulho e entrei nele. Fiquei lá por um segundo, prendendo a respiração. O coração batendo forte. Será que ela me viu? Ouvi seus passos se aproximando. Tarde demais para recuar. Levei a mão ao bolso de trás e peguei a balaclava preta que tinha comprado. Cobri a cabeça com ela. Calcei um par de luvas.

Ela entrou. Estava falando ao celular.

— Tudo bem, amor. A gente se vê às oito. Sim... Também te amo.

Ela finalizou a ligação e ligou o ventilador. Ficou na frente dele, os cabelos voando ao vento. Pegou um pincel e se aproximou de uma tela apoiada num cavalete. Estava de costas para mim. Até que viu meu reflexo na janela. Acho que viu primeiro a minha faca. Se retesou e se virou lentamente. Seus olhos estavam arregalados de medo. Ficamos nos encarando em silêncio.

Era a primeira vez que eu me via frente a frente com Alicia Berenson. O resto, como dizem, é história.

QUINTA PARTE

Se eu me justificar, a minha boca me condenará.

JÓ 9, 20

CAPÍTULO 1

O diário de Alicia Berenson

23 DE FEVEREIRO

Theo acabou de sair. Eu estou sozinha. Estou escrevendo o mais rápido possível. Não tenho muito tempo. Preciso registrar isso enquanto ainda tenho forças.

No início, achei que estava louca. Era mais fácil achar que estava louca do que acreditar que fosse verdade. Mas eu não estou louca. Não estou mesmo.

Na primeira vez que o vi na sala de terapia, não tive certeza — havia algo familiar nele, mas diferente. Reconheci os olhos, não só a cor, mas o formato. E o mesmo cheiro de cigarro e loção pós-barba. E o jeito como formulava as frases, o ritmo da fala — mas não o tom de voz, tinha alguma coisa diferente. Portanto não tive certeza, mas da vez seguinte ele se entregou. Ele disse as mesmas palavras, exatamente a mesma frase que tinha dito na minha casa, gravada a ferro na minha lembrança:

"Eu quero ajudar você... quero ajudar você a ver o mundo com clareza."

Assim que ouvi isso, algo se encaixou no meu cérebro e o quebra-cabeça foi todo montado: a imagem estava completa.

Era ele.

E alguma coisa tomou conta de mim, uma espécie de instinto selvagem. Eu queria matá-lo, matar ou morrer... Saltei em cima dele e tentei estrangulá-lo, arrancar seus olhos, esmagar seu crânio no chão. Mas não consegui matá-lo, e eles vieram e me contiveram e me drogaram e me trancaram. E depois... E depois disso eu me senti desencorajada. Comecei a duvidar de mim outra vez, talvez estivesse cometendo um erro, talvez estivesse imaginando tudo, talvez não fosse ele.

Como poderia ser Theo? Por que ele viria aqui me provocar desse jeito? Então entendi. Toda aquela baboseira de querer me ajudar era a parte mais doentia. Ele sentia prazer com aquilo, ficava excitado — por isso ele estava ali. Ele tinha voltado para tripudiar da minha desgraça.

"Eu quero ajudar você... quero ajudar você a ver o mundo com clareza."

Bem, agora eu entendia. Entendia muito bem. E queria que ele soubesse que eu estava entendendo. Por isso menti a respeito da morte de Gabriel. Enquanto falava, eu percebia que ele sabia que eu estava mentindo. Nós nos entreolhávamos e ele percebeu: eu o tinha reconhecido. E havia em seus olhos algo que eu nunca tinha visto antes. Medo. Ele estava com medo de mim, do que eu poderia dizer. Estava com medo do som da minha voz.

Por isso ele voltou minutos atrás. Dessa vez, não disse nada. Nem uma palavra. Ele pegou o meu punho e enfiou uma agulha na minha veia. Não ofereci resistência. Não lutei. Deixei. Eu mereço isso... Eu mereço esse castigo. Sou culpada, mas ele também é. Por isso estou escrevendo isso, para que ele não consiga se safar. Para que ele seja punido.

Tenho que ser rápida. Agora já dá para sentir — o negócio que ele injetou em mim está agindo. Estou com tanto sono. Quero me deitar. Quero dormir... Mas não, ainda não. Preciso ficar acordada. Tenho que acabar a história. E dessa vez eu vou contar a verdade.

Naquela noite, Theo entrou na minha casa e me amarrou, e, quando Gabriel chegou, foi derrubado por ele. No início, achei que o tinha matado, mas depois vi que Gabriel estava respirando. Theo o levantou e o amarrou na cadeira. E o posicionou de tal maneira que Gabriel e eu estávamos sentados de costas um para o outro, e eu não via o rosto dele.

Implorei:

"Por favor. Por favor, não machuca ele. Eu imploro... Eu faço o que você quiser."

Theo riu. Eu odiava tanto aquela risada, uma risada fria, vazia. Sem coração.

"Machucar?" Ele balançou a cabeça. "Eu vou matar ele."

E ia mesmo. Fiquei apavorada, perdi o controle das lágrimas. Eu chorava e implorava.

"Eu faço o que você quiser, qualquer coisa... Por favor, não mata ele... Ele merece viver. Ele é um homem bom, o melhor de todos... Eu amo ele, eu amo tanto ele..."

"Me fala, Alicia. Me fala do seu amor por ele. Você acha mesmo que ele te ama?"

"Ele me ama."

Eu ouvia o tique-taque do relógio. Pareceu uma eternidade até ele responder.

"É o que vamos ver."

Ele me encarou com aqueles olhos pretos por um segundo e eu me senti tragada pela escuridão. Estava diante de uma criatura que nem sequer podia ser considerada humana. Ele era o mal em seu estado mais puro

Ele deu a volta na cadeira e ficou de frente para Gabriel. Virei a cabeça o quanto pude, mas não conseguia vê-lo. Ouvi um baque surdo horrível... Me encolhi ao ouvi-lo bater no rosto de Gabriel. E ele continuou batendo, e batia mais, até Gabriel começar a balbuciar e despertar.

"Então, Gabriel."

"Que merda é essa!? Quem é você?"

"Eu sou um homem casado. Eu sei o que é amar uma pessoa. E também sei o que é ser traído."

"Do que você está falando, seu merda?"

"Só um covarde trai alguém que o ama. Você e covarde, Gabriel?"

"Vai se foder."

"Eu ia matar você. Mas Alicia pediu misericórdia. Então vou dar uma oportunidade para você. Ou você morre... ou Alicia morre. Você decide."

Ele falava com tanta frieza e calma, num tom controlado. Nenhuma emoção. Gabriel ficou um segundo sem responder. Estava ofegante, como se tivesse levado um soco.

"Não..."

"Sim. Ou Alicia morre, ou você morre. Você escolhe, Gabriel. Vamos ver se você realmente ama a sua esposa. Você seria capaz de morrer por ela? Tem dez segundos para decidir... Dez... nove..."

Eu intervim:

"Não acredita nele. Ele vai matar nós dois... Eu te amo..."

"... oito... sete..."

"Eu sei que você me ama, Gabriel..."

"... seis... cinco.. "

332

"Você me ama..."

"... quatro... três..."

"Gabriel, diz que você me ama..."

"... dois..."

E então Gabriel falou. No início, não reconheci sua voz. Uma vozinha de nada, tão distante — uma voz de menininho, uma criancinha —, com poder de vida e morte nas mãos.

"Eu não quero morrer."

E então houve apenas silêncio. Tudo parou. Dentro do meu corpo, todas as células murcharam; células definhando, como pétalas mortas caindo de uma flor. Flores de jasmim pairando no ar até chegar ao chão. Estou sentindo cheiro de jasmim? Sim, sim, suave jasmim... Talvez no peitoril da janela...

Theo se afastou de Gabriel e começou a falar comigo. Eu não conseguia focar no que ele estava dizendo.

"Está vendo, Alicia? Eu sabia que Gabriel era um covarde... Transando com a minha mulher pelas minhas costas. Ele destruiu a única felicidade que eu tive." Theo se inclinou para a frente, bem perto do meu rosto. "Sinto muito ter que fazer isso. Mas, sinceramente, agora que você sabe a verdade... é melhor mesmo que morra."

Ele levantou a arma e apontou para a minha cabeça. Fechei os olhos. E ouvi Gabriel gritando:

"Não atira, não atira, não..."

Um clique. E depois um tiro — tão alto que abafou qualquer outro som. Se fez silêncio por alguns segundos. Eu achei que estava morta.

Mas não tive essa sorte.

Abri os olhos. Theo ainda estava lá, apontando a arma para o teto. Ele sorriu. Levou o dedo aos lábios, para que eu ficasse em silêncio.

E Gabriel gritou:

"Alicia? Alicia?"

Dava para ouvir Gabriel se contorcendo na cadeira, tentando se virar para ver o que tinha acontecido.

"O que você fez com ela, seu desgraçado? Seu filho da puta! Ai, meu Deus..."

Theo desamarrou os meus punhos. Deixou a arma cair no chão. E me deu um beijo na bochecha, bem devagar. Depois, saiu, batendo a porta.

Gabriel e eu estávamos sozinhos. Ele chorava de soluçar, mal conseguia dizer alguma coisa. Só ficava me chamando, choramingando, "Alicia, Alicia..."

Continuei em silêncio.

"Alicia? Caralho, caralho, ai, caralho..."

Continuei em silêncio.

"Alicia, responde, Alicia... Ai, meu Deus..."

Continuei em silêncio. Como poderia falar? Gabriel tinha me condenado à morte.

Mortos não falam.

Desamarrei o fio dos meus tornozelos. Me levantei da cadeira. Estendi a mão para o chão. Agarrei a espingarda. Quente e pesada na minha mão. Dei a volta na cadeira e fiquei de frente para Gabriel. Lágrimas escorriam pelo seu rosto. Ele arregalou os olhos.

"Alicia? Você está viva... Graças a Deus você..."

Gostaria de poder dizer que dei um tiro pelos derrotados, que estava agindo em defesa dos traídos e dos de coração partido, que Gabriel tinha os olhos de um tirano, os olhos do meu pai. Mas agora não preciso mais mentir. A verdade é que de repente Gabriel tinha os meus olhos; e eu tinha os dele. Em algum momento trocamos de lugar.

Agora consigo ver. Eu jamais estaria em segurança. Eu jamais seria amada. Minhas esperanças todas destruídas, todos os meus sonhos despedaçados. Não restava mais nada, nada. Meu pai tinha razão, eu não merecia viver. Eu não era nada. Foi isso que Gabriel fez comigo.

A verdade é essa. Eu não matei Gabriel. Foi ele quem me matou.

Tudo que fiz foi puxar o gatilho.

CAPÍTULO 2

— NÃO TEM NADA MAIS TRISTE — disse Indira — que ver os pertences de uma pessoa amontoados numa caixa de papelão.

Fiz que sim. Observei o quarto com tristeza.

— E é realmente surpreendente — prosseguiu — como Alicia tinha poucos pertences. Quando a gente vê o tanto de lixo que as outras pacientes acumulam... Ela só tinha alguns livros, desenhos, as roupas.

Indira e eu estávamos esvaziando o quarto de Alicia, por ordem de Stephanie.

— É pouco provável que ela acorde — dissera Stephanie —, e, para ser franca, precisamos da cama.

Nós decidíamos, quase o tempo todo em silêncio, o que guardar e o que descartar. Eu examinava minuciosamente os pertences de Alicia. Queria me certificar de que não havia nada que pudesse me incriminar, nada que pudesse me comprometer.

Me perguntava como Alicia tinha conseguido manter o diário escondido por tanto tempo. Toda paciente podia levar alguns objetos de uso pessoal ao dar entrada no Grove. Alicia havia levado uma pasta de desenhos, e eu só podia presumir que tinha sido assim que ela escondera o diário ao entrar. Abri a pasta e comecei a olhar os desenhos... Quase todos esboços e estudos inacabados a lápis. Algumas

336

linhas a esmo jogadas na página que imediatamente ganhavam vida, evocativas de um jeito brilhante, capturando de maneira inconfundível os traços de alguém.

Mostrei um dos esboços a Indira.

— É você.

— O quê? Não é.

— É sim.

— Mesmo? — Encantada, Indira examinou melhor. — Você acha? Eu nunca vi Alicia me desenhando. Quando será que ela fez isso? É muito bom, não é?

— Sim, é sim. Você devia ficar com ele.

Indira fechou a cara e o devolveu.

— Não posso.

— Claro que pode. Ela não se importaria. — Eu sorri. — Ninguém vai ficar sabendo.

— É... acho que não.

Ela olhou para o quadro que estava apoiado no chão, encostado na parede — o quadro representando a mim e a Alicia na escada de incêndio do prédio em chamas, e que tinha sido vandalizado por Elif.

— E aquele? — perguntou. — Você vai ficar com ele?

Meneei a cabeça.

— Vou ligar para Jean-Felix. Ele pode cuidar disso.

Indira concordou.

— É uma pena que não possa ficar com ele.

Fiquei olhando para a pintura por um instante. Eu não gostava dela. De todos os quadros de Alicia, era o único de que eu não gostava. Estranho, considerando que eu era retratado nele.

Preciso deixar uma coisa bem clara: eu jamais pensei que Alicia atiraria em Gabriel. Esse ponto é importante. Eu não queria nem esperava que ela o matasse. Queria apenas despertá-la para a verdade do seu casamento, como havia acontecido comigo. Queria mostrar que Gabriel não a amava, que sua vida era uma mentira, que aquele casamento era uma

337

farsa. Só assim ela poderia, como aconteceu comigo, reconstruir a vida a partir dos escombros; uma vida baseada na verdade, e não em mentiras.

Eu não sabia do histórico de instabilidade de Alicia. Se soubesse, jamais teria levado as coisas àquele extremo. Não imaginava que ela reagiria daquela maneira. E, quando a história saiu na imprensa toda e Alicia foi a julgamento por homicídio, eu me senti extremamente responsável, querendo expiar minha culpa e provar que não era responsável pelo que tinha acontecido. E me candidatei à vaga no Grove. Queria ajudá-la depois do crime... Ajudá-la a entender o que havia acontecido, a superar... e se libertar. Um observador cínico poderia dizer que voltei à cena do crime, por assim dizer, para apagar as pistas comprometedoras. Mas não é verdade. Mesmo sabendo dos riscos da minha empreitada, da real possibilidade de ser pego, de que tudo acabasse num desastre, eu não tinha escolha, sendo quem sou.

Afinal, eu sou um psicoterapeuta. Alicia precisava de ajuda, e só eu sabia como ajudá-la.

Eu estava apreensivo com a possibilidade de ela me reconhecer, apesar de ter usado uma balaclava e disfarçado a voz. Mas Alicia não pareceu ter me reconhecido, e pude desempenhar um novo papel em sua vida. E então, naquela noite em Cambridge, finalmente entendi o que sem querer tinha recriado, o terreno minado há muito esquecido pelo qual tinha enveredado. Gabriel foi o segundo homem a condenar Alicia à morte; trazer de volta o trauma original foi insuportável para ela... E por isso Alicia pegou a arma e direcionou a tão esperada vingança não ao pai, mas ao marido. Como eu suspeitava, o crime tinha origens muito mais antigas e arraigadas que os meus atos.

Entretanto, quando ela mentiu para mim sobre como Gabriel foi morto, ficou claro que tinha me reconhecido e estava me testando. Fui obrigado a fazer alguma coisa para silenciá-la para sempre. Deixei que a culpa recaísse em Christian — uma espécie de justiça poética, pensei. Não tive o menor escrúpulo em incriminá-lo. Christian falhou com Alicia quando ela mais precisou dele; merecia ser punido.

Silenciar Alicia não foi assim tão fácil. Injetar morfina nela foi a coisa mais difícil que fiz na vida. E o fato de ela não ter morrido, mas estar dormindo, é melhor — assim, posso visitá-la diariamente, me sentar ao lado da cama, segurar sua mão. Eu não a perdi.

— Terminamos? — perguntou Indira, interrompendo meus pensamentos.

— Acho que sim.

— Ótimo. Preciso ir, tenho uma paciente ao meio-dia.

— Pode ir — avisei.

— A gente se vê no almoço?

— Sim.

Indira apertou meu braço e saiu.

Olhei para o relógio. Estava pensando em sair cedo, voltar para casa. Eu me sentia exausto. Estava prestes a apagar a luz e me retirar quando me ocorreu algo e senti o corpo enrijecer.

O diário. Onde estava?

Meus olhos vasculharam o quarto, com tudo encaixotado e arrumado. Tínhamos examinado tudo. Eu tivera nas mãos cada um dos objetos de uso pessoal dela.

E ele não estava lá.

Como é que eu tinha sido tão descuidado? Indira com a merda daquela conversa fiada interminável tinha me distraído, fazendo com que eu perdesse o foco.

Onde estaria? Só podia estar ali. Sem o diário haveria pouquíssimas provas para condenar Christian. Eu tinha que encontrá-lo.

Fiz uma busca no quarto, cada vez mais nervoso. Virei as caixas de papelão de cabeça para baixo, jogando o conteúdo no chão. Revirei tudo, mas não estava lá. Rasguei as roupas, mas não encontrei nada. Abri a pasta de desenhos e joguei as folhas no chão, mas o diário não estava entre elas. Passei em seguida aos armários e abri todas as gavetas, verificando se estavam mesmo vazias e atirando-as de lado.

Mas o diário não estava lá.

CAPÍTULO 3

Julian McMahon, da Fundação, me esperava na recepção. Corpulento, cabelos ruivos e cacheados, ele adorava expressões do tipo "cá entre nós", "no fim das contas" ou "no fundo", que apareciam com frequência na conversa, muitas vezes na mesma frase. Era basicamente uma figura do bem, a face amistosa da Fundação. Ele queria trocar algumas palavras comigo antes que eu voltasse para casa.

— Acabei de me encontrar com o professor Diomedes. Ele pediu demissão... Achei que você gostaria de saber.

— Ah. Entendo.

— Ele resolveu antecipar a aposentadoria. Cá entre nós, se não fosse isso, ele teria que enfrentar um inquérito sobre toda essa bagunça. — Julian deu de ombros. — Não posso deixar de sentir pena dele, não é um fim particularmente glorioso para uma carreira longa e ilustre. Mas pelo menos assim ele vai ser poupado da imprensa e da confusão toda. E, por sinal, ele falou de você.

— Diomedes?

— Sim. Ele indicou você para ocupar o lugar dele. — Julian piscou. — Disse que você seria perfeito para o cargo.

Sorri.

— É muita bondade dele.

— Infelizmente, no fim das contas, considerando o que aconteceu com Alicia e a prisão de Christian, está totalmente fora de questão manter o Grove aberto. Ele vai ser fechado permanentemente.

— Não posso dizer que fico surpreso. Quer dizer então que não há nenhum cargo.

— Bom, no fundo o negócio é o seguinte: pretendemos abrir um serviço psiquiátrico com uma relação custo-benefício muito melhor aqui mesmo, daqui a alguns meses. E gostaríamos que considerasse a possibilidade de ser diretor do lugar, Theo.

Era difícil esconder minha empolgação. Aceitei com prazer.

— Cá entre nós — falei, usando uma de suas expressões —, esse é o tipo de oportunidade com que sempre sonhei.

E era mesmo — uma chance de poder de fato ajudar as pessoas, e não apenas medicar; ajudar os pacientes do jeito que acredito que deve ser. Do jeito que Ruth me ajudou. Do jeito que tentei ajudar Alicia.

As coisas acabaram terminando bem para mim, e seria injusto não reconhecê-lo.

Parece que consegui tudo o que queria. Quer dizer, quase...

Ano passado, Kathy e eu nos mudamos do centro de Londres para Surrey — onde eu cresci. Depois da morte do meu pai, a casa foi deixada para mim; embora fosse ficar com a minha mãe até o fim dos seus dias, ela decidiu nos dar a casa e se mudar para um lar de idosos.

Kathy e eu concluímos que o espaço extra e o jardim justificavam as idas e voltas ate Londres. Achei que seria bom para nós. Prometemos a nós mesmos que a casa seria transformada e fizemos planos de redecorar e exorcizar o passado daquele lugar. No entanto, quase um ano se passou desde que nos mudamos e tudo continua inacabado, decorado pela metade, os quadros e o espelho convexo que compramos em Portobello Market ainda estão encostados em paredes que precisam ser pintadas. Ainda é em grande medida a casa onde eu cresci. O que, no entanto, não me incomoda tanto quanto eu achava que incomodaria. Na verdade, eu me sinto em casa, o que não deixa de ser irônico.

Voltei para casa e entrei. Fui logo tirando o casaco — o calor estava sufocante, parecia uma estufa. Baixei o termostato no hall. Kathy adora sentir calor, ao passo que eu prefiro sentir frio, de modo que a temperatura é uma das nossas pequenas batalhas cotidianas. Do hall, ouvia a TV ligada. Kathy tem visto muita televisão ultimamente. Uma trilha sonora infinita de porcarias pontuando a nossa vida nessa casa.

Ela estava na sala, encolhida no sofá. Tinha no colo um pacote enorme de salgadinho sabor camarão e os catava com os dedos grudentos e vermelhos para levá-los à boca. Ela está sempre comendo essas porcarias; não me surpreende que tenha engordado. Kathy não tem trabalhado muito nos últimos anos e anda muito fechada, até mesmo deprimida. O médico dela queria que ela tomasse antidepressivos, mas fui contra a ideia. Recomendei que fosse a um terapeuta para trabalhar os sentimentos; até me ofereci para encontrar um analista. Mas parece que Kathy não quer falar.

Às vezes a surpreendo me olhando de um jeito estranho, e me pergunto o que estaria pensando. Estaria tentando reunir coragem para falar de Gabriel e do caso que tiveram? Mas ela não diz uma palavra. Fica o tempo todo em silêncio, exatamente como Alicia fazia. Gostaria de poder ajudá-la, mas parece que não consigo chegar até ela.

Esta é a grande ironia: fiz tudo isso para ficar com Kathy, e acabei perdendo-a de qualquer maneira.

Me sentei no braço da poltrona e fiquei observando-a por um instante.

— Uma paciente minha tomou uma overdose. Está em coma. — Nenhuma reação. — Parece que foi um membro da equipe que administrou a overdose de propósito. Um colega. — Nenhuma reação. — Você está me ouvindo?

Kathy deu de ombros.

— Não sei o que dizer.

— Um pouco de solidariedade seria bom.

— Com quem? Com você?

— Com ela. Eu atendia essa paciente tinha um tempo, terapia individual. Ela se chama Alicia Berenson.

E olhei para Kathy ao dizer isso.

Ela não reagiu. Nem o mais leve sinal de emoção.

— Ela é famosa. Infame, na verdade. Há alguns anos, todo mundo falava dela. Ela matou o marido... Lembra?

— Não, não lembro.

Kathy deu de ombros e mudou de canal.

E assim continuamos no nosso joguinho de "Vamos fingir".

Parece que ultimamente eu ando fingindo um bocado — com muita gente, inclusive eu mesmo. Motivo pelo qual estou escrevendo isso, pelo que parece. Uma tentativa de contornar meu ego monstruoso e acessar a verdade sobre mim mesmo... se é que isso é possível.

Eu precisava beber alguma coisa. Fui até a cozinha, peguei a garrafa de vodca no congelador e me servi de uma dose. Ela desceu queimando a minha garganta. Servi mais uma.

Me perguntei o que Ruth diria se eu fosse atrás dela de novo — como fiz seis anos antes — para confessar tudo isso. Sabia, no entanto, que era impossível. Agora eu era uma pessoa totalmente diferente, com mais culpa, com menos capacidade de ser sincero. Como eu teria coragem de me sentar diante daquela mulher frágil e olhar naqueles olhos de um azul transparente que me mantiveram seguro durante tanto tempo — e só me ofereceram decência, bondade, verdade — e revelar toda a minha sujeira, a minha crueldade, como sou vingativo e perverso, indigno de Ruth e de tudo que ela tentou fazer por mim? Como eu poderia dizer que destruí três vidas? Que não tenho nenhum senso moral, que sou capaz de realizar os piores atos sem nenhum remorso e só me preocupo em salvar a minha própria pele?

Ainda pior que o choque, a repulsa ou até o medo nos olhos de Ruth quando lhe contasse isso seria o olhar de tristeza, decepção e recriminação a si mesma. Porque não só eu havia falhado com ela como sei que ela pensaria que havia falhado *comigo* — e não só comigo, mas com a cura pela fala. Afinal, nenhum terapeuta dispusera de melhores condições que Ruth: ela tivera anos para trabalhar com alguém com muitos problemas, sim, mas ainda muito jovem, apenas um menino, e tão disposto a mudar, a melhorar, a se curar. E, no entanto, apesar de centenas de horas de terapia, falando e ouvindo e analisando, ela não tinha sido capaz de salvar essa alma. Talvez eu estivesse errado. Talvez certas pessoas simplesmente nasçam más e continuem assim não importa o que aconteça.

A campainha tocou, me despertando dos meus pensamentos. Desde que nos mudamos para Surrey não era comum recebermos visitas à noite; eu nem me lembrava da última vez que tínhamos recebido amigos.

— Está esperando alguém? — perguntei, mas não obtive resposta. Kathy provavelmente não me ouviu, por causa do barulho da TV.

Fui até a entrada e abri a porta. Para minha surpresa, era o inspetor-chefe Allen. Estava com um sobretudo e um cachecol, e suas bochechas estavam vermelhas.

— Boa noite, sr. Faber.

— Inspetor Allen! O que está fazendo aqui?

— Eu estava passando pela vizinhança e achei que talvez pudesse fazer uma visita. Existem certos desdobramentos que eu gostaria de informar ao senhor. O momento é apropriado?

Hesitei.

— Para ser franco, estou preparando o jantar...

— Não vai demorar.

Allen sorriu. Era evidente que não aceitaria um não, então abri espaço para que entrasse. Ele pareceu satisfeito por estar dentro da minha casa. Tirou as luvas e o sobretudo.

— Está um frio de rachar lá fora. Aposto que vai nevar.

As lentes dos óculos dele ficaram embaçadas e ele os tirou do rosto para limpar com seu lenço.

— Acho que está meio quente demais aqui — comentei.

— Por mim, não. Nunca está quente demais para mim.

— Você se daria bem com a minha esposa.

Bem na hora, Kathy apareceu no hall. Olhava intrigada de mim para o inspetor e vice-versa.

— O que houve?

— Kathy, esse é o inspetor Allen. Ele está cuidando da investigação sobre a paciente que mencionei.

— Boa noite, sra. Faber.

— O inspetor quer falar comigo. Não vamos demorar. Pode subir para tomar o seu banho que eu chamo quando o jantar estiver pronto. — Fiz um gesto convidando o inspetor a entrar na cozinha. — Por favor.

O inspetor Allen olhou de novo para Kathy antes de se virar e entrou na cozinha. Eu o segui, deixando Kathy no hall e depois ouvindo seus passos lentos escada acima.

— Quer beber alguma coisa?

— Obrigado. É muita gentileza. Um chá seria ótimo.

Seus olhos se voltaram para a garrafa de vodca na bancada. Sorri.

— Se preferir algo mais forte...

— Não, obrigado. Um chá está de bom tamanho para mim.

— E como prefere?

— Forte, por favor. Só um pouquinho de leite para dar uma cor. Sem açúcar, estou tentando parar.

Enquanto ele falava, minha mente vagava, tentando imaginar o que Allen estava fazendo ali e se eu devia ficar preocupado. Seu jeito era tão cordial que era difícil não me sentir a salvo. Além do mais, não havia nada que pudesse me comprometer, certo?

Liguei a chaleira elétrica e me virei para ele de novo.

— Então, inspetor, sobre o que você queria falar comigo?

— Bom, basicamente sobre o sr. Martin.

— Jean-Felix? Sério? — Fiquei surpreso. — O que tem ele?

— Ele foi ao Grove pegar o material de arte de Alicia e a gente começou a conversar. Sujeito interessante esse sr. Martin. Ele quer fazer uma retrospectiva da obra de Alicia. Acha que é um bom momento para reavaliar o trabalho dela. E, considerando toda essa publicidade, eu diria que tem razão. — Allen olhou para mim como se me avaliasse. — O senhor talvez queira escrever algo sobre ela. Tenho certeza de que haveria interesse por um livro ou algo assim.

— Eu não tinha pensado nisso... Mas o que eu teria a ver com a retrospectiva de Jean-Felix, inspetor?

— É que o sr. Martin ficou especialmente empolgado com o novo quadro... Nem pareceu preocupado com o fato de ter sido vandalizado por Elif. Disse que acrescentava uma qualidade especial... Não lembro as palavras que ele usou exatamente. Eu não entendo muito de arte. O senhor entende?

— Não.

Eu já me perguntava quanto tempo levaria para o inspetor entrar no assunto que o havia trazido e por que eu estava me sentindo cada vez menos à vontade.

— Seja como for, o sr. Martin estava admirando a pintura. Ele pegou o quadro para observar mais de perto e lá estava...

— O quê?

— Isso.

O inspetor pegou um objeto no bolso do casaco. E eu imediatamente o reconheci.

O diário.

A água ferveu na chaleira e um chiado preencheu o ambiente. Eu a desliguei e coloquei um pouco de água na caneca. Mexi e notei que minha mão tremia de leve.

— Ah, que bom. Estava me perguntando onde estaria.

— Preso atrás do quadro, no canto superior esquerdo da moldura. Muito bem fixado.

Então era lá que estava, pensei. Atrás do quadro que eu odiava. O único lugar onde não olhei.

Acariciando a capa preta amassada e desbotada, o inspetor sorriu. Abriu o caderno e o folheou.

— Fascinante. As setas, a confusão toda.

Concordei.

— O retrato de uma mente perturbada.

O inspetor Allen foi percorrendo as páginas até o fim. E começou a ler em voz alta:

— "... Ele estava com medo do som da minha voz... Ele pegou meu punho e enfiou uma agulha na minha veia."

De repente, fui tomado por uma onda de pânico. Eu não conhecia aquelas frases. Não tinha lido aquele trecho. Era a prova comprometedora que eu queria encontrar, e estava nas mãos erradas. Queria arrancar o diário das mãos de Allen e rasgar as páginas... Mas não conseguia me mexer. Eu tinha sido pego. Comecei a gaguejar...

— Acho... Acho melhor nós...

Eu estava muito nervoso, e ele sentiu o medo em minha voz.

— Sim?

— Nada.

Tirei da cabeça a ideia de impedi-lo de alguma maneira. Qualquer iniciativa que eu tomasse poderia me incriminar. Não havia saída. E o mais estranho é que eu estava aliviado.

— Sabe de uma coisa? Eu não acredito que você estivesse apenas passando pela vizinhança, inspetor. — E lhe entreguei o chá.

— Ah... Não, você tem toda razão. Achei melhor não declarar o objetivo da minha visita logo de cara. Mas o fato é que a coisa agora mudou completamente de figura.

— Estou curioso para ouvir — eu me escutei dizer. — Você poderia ler em voz alta?

— Muito bem.

Eu estava estranhamente calmo ao me sentar na cadeira perto da janela.

Ele pigarreou e começou:

— "Theo acabou de sair. Eu estou sozinha. Estou escrevendo o mais rápido possível..."

Enquanto ouvia, eu contemplava as nuvens brancas que passavam. Finalmente tinha começado a nevar — flocos de neve caíam lá fora. Abri a janela e estendi a mão. Peguei um floco de neve. E o vi desaparecer na ponta do dedo. Sorri.

E estendi de novo a mão para pegar outro.

AGRADECIMENTOS

Tenho uma enorme dívida de gratidão com meu agente, Sam Copeland, por fazer tudo isto acontecer. E sou particularmente grato aos meus editores — Ben Willis, no Reino Unido, e Ryan Doherty, nos Estados Unidos — por terem melhorado tanto o livro. Também quero agradecer a Hal Jensen e Ivàn Fernandez Soto pelos comentários de valor inestimável; a Kate White por ter me mostrado ao longo de tantos anos como funciona uma boa terapia; aos jovens e à equipe de Northgate, por tudo que me ensinaram; a Diane Medak por ter permitido que eu usasse sua casa como um retiro para escrever; a Uma Thurman e James Haslam por me tornarem um escritor melhor. E também, por todas as sugestões úteis e a força que me deram, a Emily Holt, Victoria Holt, Vanessa Holt, Nedie Antoniades e Joe Adams.

Leia a seguir
um trecho do novo livro
de Alex Michaelides

AS MUSAS

Tradução de
Marta Chiarelli

Revisão
José Roberto O'Shea

PRÓLOGO

EDWARD FOSCA ERA UM ASSASSINO.

Isso era um fato. Não algo que Mariana soubesse no nível intelectual, como um palpite. Seu corpo sabia. Ela sentia nos ossos, no sangue e nas profundezas de suas células.

Edward Fosca era culpado.

E, no entanto — ela não tinha como provar, e talvez nunca conseguisse provar. Esse homem, esse monstro, que havia assassinado pelo menos duas pessoas, poderia, muito provavelmente, acabar em liberdade.

Era tão presunçoso, tão cheio de si. Ele acha que se safou, pensou ela. Achava que tinha vencido.

Mas não tinha. Ainda não.

Mariana estava determinada a ser mais esperta que ele. Tinha que ser.

Passaria a noite inteira acordada até se lembrar de tudo o que havia acontecido. Ficaria sentada ali, naquele quartinho em Cambridge, pensando, e encontraria a resposta. Olhando fixamente para a barra alaranjada do aquecedor elétrico na parede, incandescente, brilhando no escuro, entregou-se a uma espécie de transe.

Em pensamento, voltaria bem ao início e se lembraria de tudo. De todos os detalhes.

E o pegaria de jeito.

1

ALGUNS DIAS ANTES, MARIANA ESTAVA em casa, em Londres.

Ajoelhada no chão, rodeada de caixas. Fazia mais uma tentativa pouco convicta de separar os pertences de Sebastian.

Aquilo não estava funcionando. Um ano após a morte dele, a maioria de seus objetos continuava espalhada pela casa, em pilhas e caixas semivazias. Ela parecia incapaz de concluir a tarefa.

Mariana ainda estava apaixonada por ele — esse era o problema. Mesmo sabendo que nunca mais veria Sebastian — mesmo ele tendo partido para sempre —, ela ainda estava apaixonada e não sabia o que fazer com esse sentimento. Havia tanto desse amor ainda, e era tão caótico: vazando, derramando, transbordando de dentro dela, como o enchimento expelido através das costuras desfeitas de uma velha boneca de pano.

Se pelo menos conseguisse encaixotar seu amor, como tentava fazer com os pertences dele. Que visão triste aquela — a vida de um homem reduzida a um monte de itens indesejados, tendo como destino uma venda em brechó.

Mariana enfiou a mão na caixa mais próxima. Tirou dela um par de tênis.

Examinou-os — os tênis verdes de sempre, que ele usava para correr na praia. Ainda estavam ligeiramente úmidos, com grãos de areia entranhados na sola.

Se livra disso, pensou. *Joga no lixo. Vai.*

Mas, mesmo enquanto ainda elaborava esse pensamento, já sabia que era uma impossibilidade. Os tênis não eram ele; não eram Sebastian — não eram o homem que ela amava e que amaria para sempre —, eram apenas um par de tênis velhos. Ainda assim, separar-se deles seria um ato de automutilação, como pressionar uma faca no braço e cortar um pedaço de pele.

Em vez disso, Mariana levou o par de tênis junto ao peito. Embalou-o como se fosse uma criança. E chorou.

Como chegara a esse ponto?

No período de apenas um ano, que normalmente teria passado voando, sem ela nem perceber — e que agora se estendia atrás dela como uma paisagem desolada e arrasada por um furacão —, a vida que ela conhecera tinha sido destruída, deixando-a desse jeito: 36 anos, sozinha e bêbada numa noite de domingo; agarrada aos tênis de um homem morto como se fossem relíquias — o que, de certo modo, eram mesmo.

Algo belo, algo sagrado, tinha morrido. Tudo que restara eram os livros que ele havia lido, as roupas que usara, os objetos que tocara. Ela ainda sentia o cheiro dele nesses objetos, ainda sentia o gosto dele na ponta da língua.

Por isso não conseguia jogar fora seus pertences — não se livrando deles, poderia manter Sebastian vivo, de algum jeito, só um pouquinho. Se praticasse o desapego, iria perdê-lo por inteiro.

Pouco tempo antes, num surto de curiosidade mórbida, e na tentativa de entender contra o que exatamente estava lutando, Mariana havia relido todos os escritos de Freud sobre luto e perda. Ele argumentava que, logo após a morte de um ente querido, a perda tinha que ser psicologicamente aceita, e o falecido, deixado para trás, caso contrário havia o risco de a pessoa sucumbir ao luto patológico, que ele chamou de melancolia — e que nós chamamos de depressão.

Mariana entendia isso. Sabia que devia deixar Sebastian para trás, mas não podia — porque ainda estava apaixonada por ele. Estava apaixonada, mesmo ele tendo saído de cena para sempre, ido para trás do véu — "atrás do véu, atrás do véu" —, de onde era isso mesmo? Tennyson, provavelmente.

Atrás do véu.

Era essa a sensação. Desde a morte de Sebastian, Mariana não via mais o mundo em cores. A vida estava esmaecida, cinza e distante, atrás de um véu — atrás de uma névoa de tristeza.

Ela queria se esconder do mundo, de todo o seu barulho e sofrimento, e se abrigar ali, em seu trabalho, em sua casinha amarela.

E era onde teria ficado se Zoe não tivesse ligado de Cambridge para ela naquela noite de outubro.

A ligação de Zoe, depois da sessão com o grupo de segunda-feira à noite — foi assim que isso começou.

Foi assim que o pesadelo começou.

2

O GRUPO DE SEGUNDA-FEIRA À noite se reunia na sala da casa de Mariana.

Era uma sala espaçosa. Passou a ser utilizada para as sessões de terapia logo depois que Mariana e Sebastian se mudaram para lá.

Eles gostavam muito da casa. Ficava no sopé de Primrose Hill, na zona noroeste de Londres, e era do mesmo tom de amarelo das prímulas que floresciam na encosta do morro durante o verão. Madressilvas escalavam uma das paredes externas, cobrindo-a de flores brancas de perfume adocicado, e, nos meses de verão, o aroma delas penetrava na casa pelas janelas abertas, subindo a escada e permanecendo por um tempo nos corredores e cômodos, enchendo-os de um cheiro doce.

Estava excepcionalmente quente naquela noite de segunda-feira. Apesar de ser começo de outubro, um veranico prevalecia, como o convidado persistente de uma festa se recusando a perceber nas folhas secas das árvores os sinais de que talvez fosse hora de ir embora. O sol de fim de tarde inundava a sala, banhando-a com uma luz dourada tingida de vermelho. Antes da sessão, Mariana fechou as persianas, mas deixou as janelas de guilhotina um pouco abertas, para o ar entrar.

Em seguida, dispôs as cadeiras num círculo.

Nove cadeiras. Uma para cada integrante do grupo e uma para Mariana. Na teoria, deviam ser idênticas — mas não era assim que a vida funcionava. Apesar de suas melhores intenções, ela havia acumulado, ao longo dos anos, uma variedade de cadeiras de materiais diferentes e de diversos formatos e tamanhos. Sua atitude blasé em relação às cadeiras talvez fosse característica de seu modo de conduzir os grupos. Mariana era informal, até incomum, em sua abordagem.

Terapia, principalmente terapia em grupo, foi uma escolha profissional irônica para Mariana. Desde pequena ela nutria sentimentos contraditórios — e até uma certa desconfiança — em relação a grupos.

Mariana havia sido criada na Grécia, nos arredores de Atenas. Morava com a família numa grande casa velha, caindo aos pedaços, no topo de um monte coberto por um tapete preto e verde de oliveiras. Quando criança, Mariana se sentava no balanço enferrujado no jardim e contemplava abaixo dela a cidade antiga, que se estendia até as colunas do Partenon, no topo de outro monte a distância. Era tão vasta, parecia não ter fim; ela se sentia tão pequena e insignificante, o que interpretava como mau augúrio.

Acompanhar a mulher que trabalhava na casa deles na ida às compras no mercado movimentado e repleto de gente, no centro de Atenas, sempre deixava Mariana nervosa. E se sentia aliviada, e um tanto perplexa, por voltar ilesa para casa. Grupos grandes de pessoas continuaram a intimidá-la pelo resto da vida. Na escola, ela se sentia deslocada, incompatível com os colegas de turma. E era difícil se livrar desse sentimento de inadequação. Anos depois, na terapia, ela entendeu que o pátio da escola era simplesmente um macrocosmo do núcleo familiar: o que significava que seu desconforto tinha menos a ver com o momento que vivia e com o local onde estava — menos a ver com o pátio da escola em si, ou com o mercado em Atenas, ou com qualquer outro grupo dentro do qual se visse de repente — e mais com a família na qual fora inserida e com a casa isolada onde vivera.

A casa deles era sempre fria, mesmo numa Grécia ensolarada. E havia um certo vazio nela — uma ausência de calor, físico e emocional. Isso se devia em grande parte ao pai de Mariana, que, apesar de ser um homem admirável em vários aspectos — bonito, forte, de mente afiada —, era também extremamente complexo. Mariana suspeitava de que ele havia sofrido danos irreparáveis na infância. Ela não chegou a conhecer os avós paternos, e ele raramente os mencionava. O pai dele era marinheiro, e, quanto menos fosse dito sobre a mãe, melhor. Ela trabalhava nas docas, contava ele, com uma expressão tão constrangida no rosto que Mariana concluiu que havia sido prostituta.

Seu pai foi criado nas favelas de Atenas e nos arredores do porto de Pireus — ainda criança, começou a trabalhar nos navios e logo se envolveu no comércio e na importação de café, trigo e — Mariana imaginava — outros itens menos palatáveis. Quando completou 25 anos, comprou o próprio barco e, a partir disso, montou seu negócio de transporte marítimo de carga. Com muito suor, sangue e frieza, criou um pequeno império para si.

Era um pouco como um rei, pensava Mariana — ou ditador. Só mais tarde ela descobriu que era riquíssimo. Não que se pudesse notar, pelo jeito austero e espartano como viviam. Talvez a mãe — sua mãe inglesa, gentil e delicada — pudesse tê-lo amansado se tivesse vivido mais tempo. Mas morreu tragicamente jovem, assim que Mariana nasceu.

Mariana cresceu bastante consciente dessa perda. Sendo terapeuta, ela sabia que o primeiro senso de identidade de um bebê vem do olhar dos pais. Nascemos sendo observados — as expressões faciais dos nossos pais, o que vemos refletido no espelho dos olhos deles, determinam a maneira como nos vemos. Mariana havia perdido o olhar da mãe — e seu pai, bem, ele tinha dificuldade de encará-la. Costumava olhar por cima do ombro de Mariana quando se dirigia a ela. Mariana procurava ajustar e reajustar sua posição, dando um passo ao lado, colocando-se no campo de visão do pai, esperando ser vista — mas, de algum modo, sempre permanecia na visão periférica dele.

Nas raras ocasiões em que olhou bem dentro dos olhos dele, encontrou tanto desdém, tanta decepção. Os olhos do pai lhe diziam a verdade: ela não era boa o suficiente. Por mais que tentasse, Mariana tinha sempre a sensação de que ficava aquém das expectativas dele, conseguindo fazer ou dizer a coisa errada — ela parecia irritá-lo só por existir. Ele discordava dela o tempo todo, fosse no que fosse, sendo um Petruchio para sua Catarina — se ela dissesse que fazia frio, ele afirmava que fazia calor; se ela dissesse que o dia estava ensolarado, ele insistia em que estava chuvoso. Mas, apesar das críticas e da atitude contestadora do pai, Mariana o amava. Ele era tudo que ela possuía, e ela ansiava ser digna do seu amor.

Houve pouquíssimo amor em sua infância. Mariana tinha uma irmã mais velha, mas não eram muito íntimas. Elisa tinha sete anos a mais e não demonstrava o menor interesse pela tímida irmã caçula. E, assim, Mariana passava os longos meses de verão solitária, brincando sozinha no jardim sob o olhar austero da mulher que trabalhava na casa deles. Então, não é de admirar que tenha crescido um pouco isolada e desconfortável diante de outras pessoas.

A ironia de Mariana ter se tornado terapeuta de grupo não lhe passava despercebida. Mas, paradoxalmente, essa ambivalência com relação aos outros lhe serviu muito bem. Na terapia em grupo, o grupo, não o indivíduo, é o foco do tratamento: ser terapeuta de grupo significa — até certo ponto — ser invisível.

Mariana era boa nisso.

Em suas sessões, sempre que possível, se mantinha fora dos debates do grupo. Interferia apenas quando o assunto morria, ou quando parecia útil fazer uma interpretação, ou quando algo dava errado.

Nessa segunda-feira, o pomo da discórdia surgiu quase que instantaneamente, exigindo uma rara intervenção. O problema — como de costume — foi Henry.

3

Henry foi o último a chegar. Estava ofegante, com o rosto vermelho, e parecia ligeiramente trôpego. Mariana se perguntou se estaria chapado. Não seria surpresa para ela. Suspeitava de que Henry estivesse exagerando nas doses de remédios — mas, sendo sua terapeuta, e não sua médica, não havia muito o que pudesse fazer a respeito.

Henry Booth tinha apenas 35 anos, mas parecia mais velho. O cabelo ruivo era salpicado de fios grisalhos, e o rosto, cheio de rugas, como a camisa amarrotada que usava. Sua testa estava sempre franzida, dando a impressão de viver sob permanente tensão, como uma mola de compressão. Mariana associava a figura dele à de um boxeador, ou lutador, preparando-se para desferir — ou receber — o próximo golpe.

Henry murmurou uma desculpa pelo atraso e se sentou — segurando um copo descartável de café.

E o copo de café foi o problema.

Liz logo se manifestou. Liz tinha setenta e poucos anos, era professora aposentada; uma defensora ferrenha do "apropriadamente correto", segundo ela mesma dizia. Mariana a considerava um tanto cansativa, irritante até. E tinha adivinhado o que Liz estava prestes a dizer.

— Isso não é permitido — disse Liz, apontando o dedo para o copo de café de Henry e tremendo de indignação. — Não temos permissão para trazer nada de fora. Nós todos sabemos disso.

Henry resmungou.

— Por que não?

— Porque regras são regras, Henry.

— Vai se foder, Liz.

— O quê? Mariana, você ouviu o que ele me disse?

Liz caiu imediatamente no choro, e daí em diante tudo descambou — terminando em mais um confronto acalorado entre Henry e os outros integrantes do grupo, todos unidos na fúria contra ele.

Mariana acompanhava com atenção, mantendo um olhar protetor sobre Henry, para ver suas reações. Apesar de toda a valentia, era um indivíduo extremamente vulnerável. Na infância, tinha sofrido terríveis maus-tratos e abuso sexual nas mãos do pai até ser resgatado por uma assistente social e ficar pulando de um lar adotivo para outro. Mesmo assim, apesar de todo esse trauma, Henry era uma pessoa incrivelmente inteligente — e, durante algum tempo, tinha parecido que sua inteligência poderia ser suficiente para salvá-lo: aos 18 anos, entrou para a faculdade de física. Porém, em poucas semanas, o passado chegou para cobrar seu preço; Henry teve um colapso nervoso de grandes proporções — e nunca mais se recuperou totalmente. O que se seguiu foi uma triste história de automutilação, dependência química e colapsos nervosos recorrentes, levando-o a repetidas internações hospitalares — até seu psiquiatra o encaminhar para Mariana.

Mariana tinha um carinho especial por Henry, talvez por conta de sua vida desafortunada. Mas, mesmo assim, ficou na dúvida na hora de incorporá-lo ao grupo. A questão não era a saúde mental em pior estado que a dos demais integrantes: indivíduos seriamente afetados podiam se manter nos grupos e ser curados com bastante eficiência — mas também podiam causar uma perturbação na ordem a ponto de levar os grupos à sua desintegração. Assim que qualquer grupo se estabelece, inveja e agressividade são suscitadas — e não apenas por forças externas, dos excluídos do grupo, mas também de forças negativas e perigosas *dentro* do próprio grupo. E, desde que havia se juntado a eles, poucos meses atrás, Henry tinha sido uma fonte constante de conflitos. Ele os trazia a tiracolo. Havia em Henry uma agressividade latente, uma raiva fervilhante, quase sempre difícil de conter.

Mas Mariana não desistia facilmente; enquanto conseguisse manter o controle do grupo, estava determinada a trabalhar com Henry. Ela acreditava no grupo, nesses oito indivíduos sentados em círculo — confiava no círculo, em seu poder de cura. Em seus momentos mais excêntricos, Mariana podia ser bastante mística em relação ao poder dos círculos: o círculo no Sol, na Lua, na Terra; os planetas girando no céu; o círculo de uma roda; o domo de uma igreja — ou uma aliança de casamento. Platão dizia que a alma era um círculo — o que para Mariana fazia sentido. A vida também era um círculo, não era? — do nascimento à morte.

E, quando a terapia em grupo funcionava bem, um tipo de milagre ocorria dentro desse círculo — o nascimento de uma entidade à parte: um espírito de grupo, uma mente de grupo; uma "grande mente", mais que a soma das partes; mais inteligente que a terapeuta ou que os integrantes considerados separadamente. Era sábia, curadora e contentora. Mariana tinha sido testemunha ocular de seu poder em diversas ocasiões. Em sua sala de estar, ao longo dos anos, muitos fantasmas tinham sido evocados nesse círculo e, em seguida, enviados para o descanso eterno.

Hoje era a vez do fantasma de Liz. Ela simplesmente não deixava para lá o copo de café. Ele despertou nela tanta raiva e ressentimento — o fato de Henry pensar que as regras não se aplicavam a ele, que poderia infringi-las com tanto desdém; e então Liz se deu conta, de repente, de como Henry lhe lembrava o irmão mais velho, que tinha sido tão mimado e tirânico. Toda a raiva

reprimida de Liz voltada ao irmão começou a aflorar, o que era bom, pensou Mariana — precisava aflorar. Contanto que Henry conseguisse aguentar ser usado como saco de pancada psicológico.

O que, é óbvio, ele não conseguia.

De repente, Henry levantou num salto, dando um grito angustiante. Atirou o copo de café no chão. Foi copo para um lado e tampa para o outro, no meio do círculo — e uma poça de café se espalhou pelas tábuas do assoalho.

Imediatamente, os demais integrantes do grupo soltaram o verbo, histéricos em sua indignação. Liz caiu no choro outra vez, e Henry fez menção de se retirar. Mas Mariana o persuadiu a ficar e falar sobre o que havia acontecido.

— É só a porra de um copo de café, qual é o problema? — disse Henry, parecendo uma criança inconformada.

— A questão não é o copo de café — disse Mariana. — A questão são os limites, os limites deste grupo, as regras que seguimos aqui. Já falamos sobre isso antes. Não podemos participar de terapia se nos sentimos inseguros. Limites nos dão segurança. Os limites são o objeto da terapia.

Henry lhe dirigiu um olhar inexpressivo. Mariana sabia que ele não entendia. Limite, por princípio, é a primeira coisa que uma criança perde quando sofre maus-tratos e abuso sexual. Todos os limites de Henry foram destroçados na infância. Consequentemente, ele não compreendia esse conceito. Nem tinha noção de quando deixava alguém desconfortável, como normalmente acontecia, ao invadir o espaço pessoal ou psicológico desse alguém — ficava próximo demais quando falava com os outros e demonstrava um nível de carência que Mariana jamais observara em outro paciente. Nada lhe bastava. Ele teria se mudado para a casa dela se Mariana tivesse permitido. Dependia dela demarcar a fronteira entre eles: definir os parâmetros do relacionamento deles de um modo saudável. Era sua função como terapeuta.

Mas Henry sempre a pressionava, importunava, tentava irritá-la... e de jeitos que, para ela, ficavam cada vez mais difíceis de administrar.

4

MAIS TARDE, DEPOIS QUE OS outros foram embora, Henry ficou fazendo hora — aparentemente para ajudar a arrumar a bagunça. Mas Mariana sabia que não era só isso; era sempre assim com Henry. Ele rondava ali, em silêncio, observando-a. Ela tentou encorajá-lo.

— Vamos lá, Henry. Hora de ir embora... Você está precisando de alguma coisa?

Henry fez que sim com a cabeça, mas não falou nada. Então pôs a mão no bolso.

— Aqui — disse ele. — Eu te trouxe uma coisa.

E tirou do bolso um anel. Uma buginganga de plástico, de um vermelho berrante. Parecia um desses brindes que vêm em caixas de cereal.

— É pra você. Um presente.

Mariana fez que não com a cabeça.

— Você sabe que eu não posso aceitar isso.

— Por que não?

— Você precisa parar de me trazer coisas, Henry. Entendeu? Está realmente na hora de você ir para casa.

Mas ele não saiu do lugar. Mariana pensou por um instante. Não tinha planejado confrontá-lo dessa maneira, não agora — mas de repente pareceu o certo a fazer.

— Escuta aqui, Henry — disse ela. — A gente precisa conversar sobre uma coisa.

— O quê?

— Na quinta-feira à noite, depois que a sessão do meu grupo da noite terminou, eu olhei pela janela. E vi você lá fora. Do outro lado da rua, perto do poste de luz. Vigiando a casa.

— Não era eu, cara.

— Era, sim. Eu te reconheci. E não foi a primeira vez que te vi lá.

Henry ruborizou e desviou o olhar. Fez que não com a cabeça.

— Não era eu, não...

— Olha. É natural que você fique curioso em relação aos outros grupos que eu oriento. Mas isso é assunto para conversarmos *aqui*, no grupo. Não está certo se comportar assim. Não está certo me espionar. Esse tipo de atitude me faz sentir invadida, e ameaçada, e...

— Eu não estou espionando! Eu estava lá fora, e só. Qual é a porra do problema?

— Então você admite que esteve lá?

Henry deu um passo à frente.

— Por que não pode ser só você e eu? Por que você não pode me atender, sem *eles*?

— Você sabe por quê. Porque eu te vejo como parte de um grupo... Não posso te atender individualmente também. Se você precisa de terapia individual, posso recomendar um colega...

— Não, eu quero *você*...

Henry fez outro movimento brusco em direção a ela. Mariana se manteve firme no lugar. Ergueu a mão.

— Não. Para aí. Ouviu? Isso já é perto demais. Henry...

— Peraí. Escuta...

Antes que ela pudesse impedi-lo, Henry levantou o suéter preto e grosso — e lá, em seu torso branco e sem pelos, jazia uma visão terrível.

Uma lâmina de barbear tinha sido usada, e cruzes profundas foram entalhadas na pele dele. Cruzes vermelho-sangue, de tamanhos diferentes, marcadas no tórax e no abdome. Algumas cruzes ainda estavam frescas, ainda sangrando, pingando sangue; outras exibiam casquinhas, vertendo contas vermelhas endurecidas — como lágrimas de sangue coagulado.

Mariana sentiu o estômago revirar. Ficou nauseada de tanta repulsa e quis desviar o olhar, mas não se permitiria fazer isso. Aquilo era um grito de socorro, óbvio que era, uma tentativa de obter cuidados — porém, mais que isso, era também uma agressão emocional, um ataque psicológico a seus sentidos. Henry finalmente tinha conseguido transpor as defesas de Mariana e atingi-la, e ela o odiava por isso.

— O que você fez, Henry?

— Eu... Eu... não consegui me controlar. Tive que fazer isso. E você... tinha que ver.

— E, agora que eu vi, como acha que estou me sentindo? Pode imaginar como estou transtornada? Eu quero te ajudar, mas...

— Mas o quê? — Ele riu. — O que te impede?

— A hora certa para eu te dar apoio é durante a sessão em grupo. Você teve uma oportunidade hoje, mas não aproveitou. Todos poderíamos ter ajudado. Estamos todos aqui para te ajudar...

— Eu não quero a ajuda *deles*... Quero *você*. Mariana, eu preciso de você...

Mariana sabia que deveria fazer com que ele fosse embora. Não cabia a ela limpar aqueles ferimentos. Ele precisava de cuidados médicos. Ela deveria ser firme, para o bem dele e para seu próprio bem. Mas não teve coragem de expulsá-lo, e, não pela primeira vez, a empatia de Mariana prevaleceu sobre seu bom senso.

— Espera... Só um segundo.

Ela foi até a cômoda, abriu uma gaveta e vasculhou-a. Retirou dela um kit de primeiros socorros. Estava prestes a abri-lo quando o telefone tocou.

Verificou o número. Era Zoe. Ela atendeu.

— Zoe?

— Você está podendo falar? É importante.

— Me dá um minuto. Já ligo de volta.

Mariana desligou e se virou para Henry. Empurrou o kit de primeiros socorros para ele.

— Henry, pode levar. Limpa isso aí. Vai ver seu médico, se for preciso. Ok? Te ligo amanhã.

— Simples assim? E você ainda se considera a porra de uma terapeuta?

— Já chega. Para. Você tem que ir embora.

Ignorando os protestos dele, Mariana conduziu Henry com firmeza até o hall de entrada. Fechou a porta assim que ele saiu. Teve o impulso de trancá-la, mas resistiu.

Então foi até a cozinha. Abriu a geladeira e pegou uma garrafa de sauvignon blanc.

Estava bem abalada. Precisava botar a cabeça no lugar antes de ligar para Zoe. Não queria ser um fardo maior do que já era para aquela menina. O relacionamento delas tinha se desequilibrado desde a morte de Sebastian — e Mariana estava determinada a restabelecer o equilíbrio. Respirou fundo para se acalmar. Em seguida, encheu uma taça de vinho e fez a ligação.

Zoe atendeu o telefone ao primeiro toque.

— Mariana?

Mariana soube de imediato que algo estava errado. Havia uma tensão na voz de Zoe, uma urgência que Mariana associava a momentos de crise. *Ela parece estar com medo*, pensou. Sentiu o coração bater um pouco mais rápido.

— Querida, tudo... tudo bem? O que aconteceu?

Um segundo se passou até Zoe responder. Ela falou baixinho.

— Liga a televisão — disse ela. — Liga no noticiário.

5

MARIANA PEGOU O CONTROLE REMOTO.

Ligou a televisão portátil velha de guerra, apoiada no micro-ondas — um dos bens sagrados de Sebastian, comprada quando ele ainda era estudante, e na qual ele assistia a críquete e rúgbi enquanto fingia ajudar Mariana a preparar as refeições nos fins de semana. Era um tanto temperamental, e ficou piscando por um instante antes de voltar à vida.

Mariana sintonizou na BBC. Um jornalista de meia-idade narrava a reportagem. Estava ao ar livre; já escurecia e era difícil ver o local exato — um campo, talvez, ou um prado. Ele falava diretamente para a câmera.

— ...e foi encontrado em Cambridge, na reserva natural conhecida como Paradise. Estou aqui com a pessoa que fez a descoberta... O senhor pode me dizer o que aconteceu?

A pergunta foi feita a alguém fora do quadro — então a câmera girou até um homem baixo, nervoso, o rosto vermelho, com uns sessenta e poucos anos. Ele piscava sob o efeito da luz da câmera, parecendo ofuscado. Falava de modo hesitante.

— Foi algumas horas atrás... Eu sempre levo meu cachorro para passear às quatro, então deve ter sido por aí... Talvez às quatro e quinze, quatro e vinte. Ando com ele margeando o rio, seguindo a trilha... Estávamos atravessando o Paradise... e...

Ele titubeou e não completou a frase. Tentou novamente.

— Foi o cachorro... Ele desapareceu na relva alta, junto da água. Não veio quando chamei. Pensei que tivesse achado um pássaro, uma raposa ou coisa assim... Então fui até lá dar uma olhada. Andei no meio das árvores... até a beira do pântano, perto da água... E era lá que estava...

O olhar do homem adquiriu uma aparência estranha. Um olhar que Mariana conhecia muito bem. *Ele viu algo terrível*, pensou ela. *Não quero ouvir. Não quero saber o que é.*

O homem continuou, implacavelmente, agora mais rápido, como se precisasse botar tudo para fora.

— Era uma menina... Não devia ter mais que vinte anos. Tinha cabelo comprido, ruivo. Pelo menos, acho que era ruivo. Tinha sangue por todo lado, tanto sangue...

Ele ficou reticente, e o jornalista o instigou.

— Ela estava morta?

— Positivo. — O homem fez que sim com a cabeça. — Tinha sido esfaqueada. Várias vezes. E... o rosto dela... Meu Deus, era horrível... Os olhos dela... Os olhos estavam abertos... arregalados... arregalados...

Ele parou de falar, e seus olhos se encheram de lágrimas. *Está em choque*, pensou Mariana. *Não deveria continuar sendo entrevistado, alguém tem que parar isso.*

Como seria de esperar, naquele momento — talvez se dando conta de que tinha ido longe demais —, o jornalista interrompeu a entrevista e a câmera girou de volta para ele.

— Notícia de última hora aqui em Cambridge. Um corpo foi encontrado e a polícia investiga o caso. Acredita-se que a vítima esfaqueada seja uma jovem de vinte e poucos anos...

Mariana desligou a televisão. Olhou fixamente para o aparelho por um segundo, atordoada, incapaz de se mover. Então se lembrou do telefone em sua mão. Levou-o até a orelha.

— Zoe? Você ainda está aí?

— Eu... Eu acho que é a Tara.

— O quê?

Tara era uma grande amiga de Zoe na faculdade. Estavam no mesmo ano no Saint Christopher's College, da Universidade de Cambridge. Mariana hesitou, tentando não deixar transparecer na voz sua aflição.

— Por que você diz isso?

— Deve ser ela... Ninguém viu a Tara... desde ontem... Já andei perguntando a todo mundo, e eu... eu estou com tanto medo, não sei o que...

— Calma. Quando foi que você viu a Tara pela última vez?

— Ontem à noite. — Zoe fez uma pausa. — E, Mariana, ela... ela estava tão esquisita, eu...

— Esquisita como?

— Ela disse umas coisas... umas coisas sem pé nem cabeça.

— Como assim "sem pé nem cabeça"?

Houve uma pausa, e Zoe respondeu num sussurro.

— Não posso explicar agora. Mas você pode vir até aqui?

— Com certeza. Mas, Zoe, só uma coisa. Você já entrou em contato com a faculdade? Precisa contar a eles... Precisa contar ao diretor.

— Eu não sei o que dizer.

— Diga para eles o que acabou de me contar. Que você está preocupada com ela. Eles vão entrar em contato com a polícia e com os pais da Tara...

— Os pais dela? Mas... e se eu estiver errada?

— Tenho certeza de que você *está* errada — disse Mariana, com mais confiança na voz do que realmente sentia. — Tenho certeza de que a Tara está bem, mas precisamos nos certificar. Você entende, não entende? Quer que eu ligue para eles por você?

— Não, não, tudo bem... Eu ligo.

— Bom. Então vai dormir, ok? Amanhã cedo eu estarei aí.

— Obrigada, Mariana. Te amo.

— Também te amo.

Mariana desligou o telefone. O vinho branco que havia servido para si permanecia intocado na bancada. Pegou a taça e bebeu tudo de uma vez.

Sua mão tremia quando segurou a garrafa e se serviu de mais uma dose.

6

MARIANA FOI PARA O ANDAR de cima e começou a arrumar uma bolsa pequena, caso tivesse que passar uma ou duas noites em Cambridge.

Tentava não se deixar levar pelos pensamentos, mas era difícil — estava muito aflita. Havia um homem solto por aí — era o que se supunha, que se tratasse de um homem, tamanha a violência do ataque —, cuja saúde mental estava perigosamente afetada, e que tinha assassinado brutalmente uma jovem... uma jovem que devia morar a poucos metros de onde sua querida Zoe dormia agora.

A possibilidade de a vítima ter sido Zoe era um pensamento que Mariana procurava ignorar, mas não conseguia reprimir por completo. Sentia um mal-estar movido por um tipo de medo que só sentira uma vez na vida — no dia em que Sebastian morreu. Um sentimento de impotência, uma fraqueza, uma terrível incapacidade de proteger aqueles a quem se ama.

Ela olhou para a mão direita. Não conseguia parar de tremer. Fechou-a em punho e apertou com força. Ela não permitiria que acontecesse — não podia desmoronar. Não agora. Ficaria calma. Manteria o foco.

Zoe precisava dela — era tudo o que importava.

Se pelo menos Sebastian estivesse ali; ele saberia o que fazer. Ele não ficaria pensando, procrastinando, arrumando uma bolsa para a viagem. Teria pegado as chaves e saído porta afora assim que encerrasse a ligação com Zoe. É o que Sebastian teria feito. Por que ela não fez o mesmo?

Porque você é covarde, pensou.

A verdade era essa. Quem dera tivesse um pouco da força de Sebastian. Um pouco da coragem dele. *Vamos lá, amor*, conseguia ouvi-lo dizer, *me dá a sua mão e vamos juntos enfrentar esses desgraçados.*

Mariana foi para a cama e ficou lá deitada, pensando, enquanto pegava no sono. Pela primeira vez depois de mais de um ano, seus últimos pensamentos antes de adormecer não foram sobre seu falecido marido.

Em vez disso, ela se viu pensando em outro homem: uma figura obscura com uma faca que causou tanto horror àquela pobre menina. A mente de Mariana se concentrava nele enquanto suas pálpebras se agitavam e fechavam. Ela ficava se perguntando sobre esse homem. Tentava imaginar o que estaria fazendo naquele exato instante, onde estaria...

E no que estaria pensando.

7

7 DE OUTUBRO

Quando se mata um ser humano, não tem volta.

Entendo isso agora.

Vejo que me tornei uma pessoa totalmente diferente.

É um pouco como renascer, acho. Mas não um nascimento comum — é uma metamorfose. O que surge das cinzas não é a fênix, mas uma criatura mais feia: deformada, incapaz de voar, um predador que usa as garras para cortar e dilacerar.

Eu me sinto sob controle agora, escrevendo isto. Num momento de calma e sanidade.

Mas há em mim mais de uma pessoa.

É só questão de tempo até meu outro eu surgir, com sede de sangue, tendo perdido a sanidade e buscando vingança. E não descansará até encontrá-la.

Sou duas pessoas dentro da mesma mente. Parte de mim guarda meus segredos — só essa parte conhece a verdade —, mas ela está presa, trancada, sedada, impedida de falar. Só encontra um jeito de escapar quando o carcereiro se distrai por um tempo. Quando me embebedo ou estou prestes a pegar no sono, essa parte tenta falar. Mas não é fácil. A comunicação vem aos trancos e barrancos — um plano de fuga codifica-do de um campo de prisioneiros de guerra. Quando chega muito perto, um guarda embaralha a mensagem. Um muro se ergue. Um vazio enche a minha mente. A lembrança que eu estava procurando evapora.

Mas vou perseverar. Devo perseverar. De algum modo encontrarei meu caminho através da fumaça e da escuridão, e vou entrar em contato com ele — o meu lado são. O lado que não quer ferir as pessoas. Há muita coisa que ele pode me dizer. Muita coisa que preciso saber. Como, e por quê, acabei assim — tão distante do que queria ser, com tanto ódio e mágoa, tanta perversidade por dentro...

Ou estarei mentindo para mim? Será que fui sempre assim e não quis admitir?

Não — acho que não.

Afinal, todo mundo tem o direito de ser o herói da própria história. Logo, tenho o direito de ser o herói da minha. Mesmo que não seja

Eu sou o vilão.

Este livro foi composto na tipografia Palatino
LT Std, em corpo 11/16, e impresso em
papel off-white no Sistema Cameron da
Divisão Gráfica da Distribuidora Record.